C0-AVO-259

PROSOPOGRAPHIA CARTUSIANA BELGICA

ANALECTA CARTUSIANA
28

Drs. JAN DE GRAUWE

PROSOPOGRAPHIA CARTUSIANA BELGICA

(1314 - 1796)

woord vooraf door/avant-propos du
PROF. DR. L. MILIS

CHRISTIAN DE BACKER
SERIES BIO-BIBLIOGRAPHICA I
DE BACKER PUBLISHERS P.V.B.A.
PENITENTENSTRAAT 14
B-9000 GENT
BELGIUM

DR. JAMES HOGG
ANALECTA CARTUSIANA
INSTITUT FÜR ENGLISCHE SPRACHE
UND LITERATUR
UNIVERSITÄT SALZBURG
A-5020 SALZBURG / AUSTRIA

Printed in Belgium by C. Govaerts N.V. Deurne-Antwerpen.
D / 1976 / 1792 / 1
ISBN 90 307 0017 3

WOORD VOORAF

Voor de kartuizers heeft altijd in ruime kring belangstelling bestaan. Hiermee bedoel ik niet dat historici al eeuwenlang hun aandacht hebben toegespitst op deze vrome monniken -daarvoor waren ze niet genoeg verspreid geweest- maar wel dat de globale onwetendheid omtrent en de bewondering voor de strenge levenswijze van deze samenwonende kluizenaars, de nieuwsgierigheid prikkelden. Ook nu nog trekt de Grande Chartreuse, het imposante klooster in de Franse Alpen, waar bijna negen eeuwen geleden de H. Bruno de orde stichtte, vele toeristen aan ; ze krijgen er geen kartuizers te zien, maar toch een vlot inzicht in hun levenswijze.

De kartuizers hebben daarenboven de reputatie de enige religieuze orde te zijn, die geen verval heeft gekend en dat is, mits enige relativering ook wel zo geweest. Hoe kon het ook anders ; nooit streefden ze naar een ongebreidelde verspreiding van hun aantal huizen, nooit streefden ze grote gemeenschappen na : Bruno's volgelingen werden dus altijd select gerecruteerd.

Ook in onze gewesten -de heer Jan De Grauwe neemt als kader "het grondgebied van het huidige België"- zijn vanaf de eerste stichtingen in het begin van de 14de eeuw tot aan de afschaffing onder Jozef II of onder de Franse overheersing, op het einde der achttiende eeuw, een dertiental kloosters werkzaam geweest. Het bronnenmateriaal dat ze ons nalieten in archieven en bibliotheken, niet in het minst in de Grande Chartreuse zelf, laat toe de geschiedenis van de instellingen zelf vrij goed te reconstrueren.

Belangrijker is echter dat over de kartuizers zelf heel wat documentatie bewaard bleef, en dit is voor geinteresseerden van diverse pluimage (historici, specialisten in de literatuur en de vroomheid, genealogen e.d.) bijzonder gelukkig te heten.
Meer en meer gaat men bij een speurtocht in het verleden op zoek naar de mensen zelf, zij die het doordeweekse leven leden, die de verplichtingen en de lasten van hun observantie droegen, en van de voldoening genoten. Dat was wat ons in vroegere studies dikwijls zoals een gemis voorkwam : mooi gestructureerde organisaties en organisatievormen werden voorgesteld, maar waarin het leven zelf als het ware ontbrak, het leven van de mens als individu of als lid van een groep.

Des te interessanter wordt het wanneer de personages uit het verleden -de acteurs van ons historisch beeld- mobiel waren, wanneer ze door hun verre kontakten banden smeedden die het tijdsbeeld op termijn zou wijzigen. Dat geldt zeker voor onze kartuizers Ondanks hun kluizenaarsideaal zijn ze, als geen andere religieuzen, van het ene klooster naar het andere getrokken. Waren ze in doorsnee van hoog cultureel niveau, dan stelden deze steeds nieuwe contacten hen in staat mee de tijdsgeest te bepalen. Hoe ze via hun tractaten, bvb. van devote aard, hebben bijgedragen tot een scheppen van een religieuze mentaliteit, is niet juist meetbaar maar wel voelbaar, een religieuze mentaliteit die nu pas de duimen moet leggen voor andere waarden in onze nieuwe maatschappijvisie.

Het doorgronden van hun individuele bijdrage, en dan, in een later stadium, van hun collectieve bijdrage, wordt slechts mogelijk als voor elke kartuizer afzonderlijk een curriculum vitae bestaat. Dat samenstellen is een ondankbare taak. Weinigen voelen zich hiertoe geroepen : het verzamelen van het materiaal, de zorg bij de opstelling der notities, de problemen bij de identificaties, en zo meer, zijn lastige opgaven, waarvoor heel wat doorzettingsvermogen is vereist. Wie prosopografisch werk van deze aard en deze omvang onderneemt verricht "benedictijnerwerk"... een uitdrukking die wat vreemd voorkomt in deze studie over kartuizers.

Wie een werk als dit onderneemt, "timmert mee aan de weg", bereidt een volgende stap voor waarin de schat aan gegevens, die er in geborgen ligt, kan geëxploreerd worden. Ze zullen heel wat meer toelaten dan het opsporen van een of andere verre oom voor een genealogische tabel : breedgeborstelde syntheses over de culturele en geografische uitstraling en beïnvloeding, de demografie, de literaire productiviteit, het religieus gedrag, enz... Dat zit verscholen achter deze serie namen, cijfers, afkortingen en titels. Elke belangstellende zal er, naarmate zijn interesse en zijn vorming, als amateur of geschoolde, een rijke bron mee aanboren.

We moeten er de heer De Grauwe dankbaar voor zijn dat hij zoiets heeft aangedurfd en heeft aangekund. Zijn grote werkkracht, zijn zorgvuldige precisie waren de noodzakelijk voorwaarden om dat werk te realizeren : het tot een nieuw leven wekken van de honderden kartuizers die gedurende bijna een half millenium hebben bijgedragen tot het bepalen van het cultuurpeil van het zuidelijke deel der Nederlanden.

Prof. Dr. L. Milis

AVANT PROPOS

Il a toujours existé un assez large intérêt pour les chartreux. En disant cela je ne prétends nullement que les historiens ont pris comme objectif depuis des siècles, ces pieux moines -pour celà ils ne furent pas assez répandus- mais bien que l'ignorance globale et l'admiration pour la vie sévère de ces ermites, habitant ensemble, purent susciter la curiosité. La Grande Chartreuse, l'imposant monastère des Alpes françaises où saint Bruno fonda cet ordre il y a presque neuf siècles, attire encore de nombreux touristes ; s'ils ne parviennent pas à voir des chartreux, ils peuvent cependant se faire une très bonne idée de leur genre de vie.

Les chartreux ont en outre la réputation d'être le seul ordre religieux qui n'a pas été sujet à une décadence, et ceci est en effet la vérité à condition de nuancer un peu cette affirmation. Ceci a été possible grâce au fait qu'ils n'ont jamais visé à une multiplication effrénée de leurs maisons et qu'ils n'ont jamais voulu de grandes communautés : les disciples de Bruno se recrutèrent donc toujours soigneusement.

Dans nos régions aussi -monsieur Jan De Grauwe prend comme cadre "le territoire de la Belgique actuelle"- quelque treize chartreuses ont existé à partir des premières fondations au début du quatorzième siècle jusqu'à la suppression sous Joseph II ou sous la domination française à la fin du dix-huitième siècle. Les documents qu'ils nous ont laissés dans les archives et les bibliothèques, parmi lesquelles la Grande Chartreuse, permettent de reconstituer d'une façon assez complète l'histoire des institutions.

Ce qui nous est resté comme documentation sur les chartreux eux-mêmes est pourtant encore plus important et ceci est particulièrement heureux pour les différents intéressés (historiens, spécialistes de la littérature, et de la piété, généalogues...). En faisant des recherches sur le passé on s'intéresse de plus en plus aux <u>hommes</u> ; les hommes qui ont vécu la vie régulière de jour en jour, qui ont fait face à leur engagement, qui ont supporté les charges de leur observance, mais qui en ont connu également les joies. Ce qui nous a souvent frappé comme un manque dans des études antérieures, était que des institutions bien structurées nous furent présentées, mais qu'elles manquèrent de vie ; la vie de l'homme comme individu ou comme membre d'un groupe fut oubliée.

Lorsque les personnages du passé -les acteurs de notre image historique- commencent à prendre vie, quand ils forment par leurs contacts lointains des liens qui pourraient changer la conjoncture, voici ce qui rend l'étude d'autant plus intéressante. Ceci vaut certainement pour nos chartreux. Malgré leur idéal d'ermite ils ont passé d'un monastère à un autre, comme aucun autre religieux. S'ils étaient généralement d'un niveau culturel élevé, c'étaient ces contacts toujours nouveaux qui les rendaient capables de déterminer l'esprit du temps. Il est difficile de mesurer exactement, mais on peut le sentir, comment ils ont contribué par leur traités, par exemple sur la vie dévote, à créer une mentalité religieuse, qui vient à peine de devoir s'avouer vaincue face à d'autres valeurs dans notre nouvelle vision de la société.

La compréhension de leur apport individuel et puis dans un stade ultérieur de leur rapport collectif ne devient possible que s'il nous est mis à la disposition un curriculum vitae de chaque chartreux. C'est une tâche ingrate que de les constituer. Peu s'y sentent appelés : réunir le matériel, rédiger soigneusement les notices, résoudre les problèmes d'identification etc. sont des tâches difficiles qui exigent une grande endurance. Celui qui entreprend un travail prosopographique de ce genre et de cette envergure fait du "travail de bénédictins"... une expression qui sonne un peu étrange dans cette étude sur les chartreux.

Celui qui entreprend un tel travail, prépare un stade suivant dans lequel ce trésor de données, qui s'y trouve caché, peut être exploité. Ces données permettront davantage que de rechercher l'un ou l'autre oncle éloigné pour un tableau généalogique : de larges synthèses sur le rayonnement et l'influence culturels et géographiques, la démographie, la production littéraire, le sentiment religieux ... Tout ceci se trouve caché derrière cette série de noms, de chiffres, d'abréviations et de titres. Chaque intéressé y trouvera, selon son intérêt et sa formation comme amateur ou érudit, de grandes richesses.

Nous devons être reconnaissants envers monsieur De Grauwe d'avoir osé entreprendre un tel travail et d'avoir pu le réaliser. Sa grande force de travail, sa précision soigneuse furent les conditions nécessaires pour réaliser cette oeuvre : ressusciter les centaines de chartreux qui ont contribué pendant près d'un demi-millénaire à déterminer le niveau culturel des Pays-Bas méridionaux.

Prof. Dr. L. Milis

INLEIDING

Het boek dat U hier aangeboden wordt is voor alles bestemd voor de vorsers die zich bezighouden met de religieuze stichtingen op het huidig Belgisch grondgebied en inzonderheid met de kartuizers. De andere specialisten van de kartuizergeschiedenis echter, zullen er eveneens veel belangwekkende gegevens ontdekken, niet alleen omdat de hiërarchische structuur van de kartuizerorde als gevolg heeft dat wat in onze streken gebeurde een weerslag had elders, maar ook omdat de kartuis van Chercq (bij Doornik) lange tijd behoort heeft tot de Picardische (1) provincie van de kartuizerorde en omdat de huizen die op het huidig grondgebied van Nederland gevestigd waren grotendeels behoorden tot dezelfde provincie als de Belgische huizen (2) en tenslotte omdat het vaak voorkwam dat monniken van elders bij ons kwamen verblijven en vice versa (3).

---

(1) Sedert 1332 bestond er een provincia Picardiae die o.m. de kloosters die dan op het huidig Belgisch grondgebied bestonden, bevatte. In 1411 werd deze provincie in twee gedeeld en het huis van Chercq ging tot de provincia Picardiae propinquoris behoren die vanaf 1474 provincia Picardia geheten werd. Zie ook Provincieindeling.

(2) Bij de verdeling van 1411 werd naast de provincia Picardiae propinquoris een provincia Picardia remotioris opgericht die vanaf 1474 provincia Theutonica werd geheten. Volgende huizen behoorden ertoe : Herne, Brugge, Kiel, Gent, Sint-Martens-Lierde, Zelem, Luik, Scheut, Leuven evenals de volgende kartuizen uit het huidige Nederland : Geertruidenberg, Utrecht, Amsterdam, Arnhem, Zierikzee, Delft en Kampen. Voorheen behoorden verschillende van die huizen tot de provincia Alemaniae inferioris. Enkele ervan vormden later de provincia Rheni.

(3) Dit kwam tamelijk veel voor, maar was vooral frekwent in de 17de en 18de eeuw.

De historici der vroomheid in onze streken zullen kostbare gegevens vinden in dit werk die hun toelaten bv. de uitwendige op- en neergang vast te stellen van de kartuizerconventen. De hier verzamelde gegevens kunnen o.m. als vertrekpunt dienen om statistieken op te stellen betreffende de bevolking van deze kloosters (4).

Anderzijds zullen al diegenen die zich op een of andere wijze bezighouden met de studie der familienamen (genealogen bv.), kunnen putten in deze lijsten, want in de mate van het mogelijke wordt de plaats van oorsprong der religieuzen geciteerd.

Doorheen deze biografische lijsten - want dit is in feite het doel van dit boek - is het ook mogelijk zich enigszins het intellectueel niveau van deze kloosters in te beelden. De auteurs, kopiisten, universitaire studies worden immers steeds aangeduid.

Wij zijn bijzonder streng geweest voor onze criteria. Alleen de religieuzen worden geciteerd van wier bestaan wij zeker waren. De fantazierijke gegevens die men o.m. vindt in verschillende zeventiendeeuwse werken werden geëlimineerd indien ze niet bevestigd werden door de bronnen. In deze lijsten schiet dus alleen over wat zeker is. Nochtans komt het voor dat bepaalde aanduidingen niet konden bevestigd worden, maar ook niet weerlegd.
Voortgaand op sommige moeilijk te controleren gegevens vooral uit het buitenland, zijn er zeker onnauwkeurigheden. Een vraagteken wordt soms geplaatst bij de schrijfwijze van de namen : het betekent dat deze grafie moeilijk leesbaar was in de manuskripten. Vergeten we niet dat die Vlaamse namen zeer vreemd overkwamen in de oren van de Franse scribae van de Grande Chartreuse die de lijsten van de obiits bij de generale kapittels moesten opstellen (5). Bepaalde namen werden gelatiniseerd en dan nog soms op een eigenaardige wijze.

Om dit boek te schrijven deden we zeer grondige en ver doorgedreven opzoekingen, vóór alles in de onuitgegeven bronnen. Het werk werd opgesteld uitgaande van de archieven van kloosters

---

(4) Daar de lijsten geen aanspraak kunnen maken op absolute volledigheid (we vragen de lezer en de vorser ons dit niet euvel te duiden), is het bijna onmogelijk deze gegevens om te zetten in absolute cijfers. Maar de benaderende cijfers zijn in ieder geval dicht bij de werkelijkheid.

(5) Het generaal-kapittel had jaarlijks plaats enkele weken na Pasen. De acta van deze kapittels werden aan alle huizen medegedeeld. Ze bevatten o.a. de overlijdens van het vorige jaar.

voor zover deze nog bestaan en te onzer beschikking stonden (6). In de mate van het mogelijke hebben we de cartae van de generale kapittels en de manuskripten uit die tijd geconsulteerd. Maar we hebben ook niet nagelaten de werken die reeds verschenen over de kartuizerskloosters van ons land en over vele andere kartuizen te lezen en uit te pluizen. Hieronder citeren we alles wat nagezien werd. Ieder titel wordt gevolgd door een sigel die in de lijsten terug te vinden is. Dit zal iedere vorser toelaten in de bronnen of de opgegeven werken meer gegevens te vinden.

We hebben gepoogd alle monniken, conversen, donaten, klerk-reddieten en lekereddieten op te sporen die ooit geleefd hebben in een kartuizerklooster gelegen op het huidige Belgisch grondgebied. Hier volgt de lijst van deze conventen (7) in chronologische volgorde van hun stichting :

O.L.V. Kapelle te Herne bij Edingen (Her), gesticht in 1314.

Genadedal te Sint-Kruis bij Brugge , later binnen Brugge (Bg), gesticht in 1318.

Sint-Katharina op het Kiel bij Antwerpen (Kiel), gesticht in 1323/24, in 1543 overgebracht naar Lier (Lier).

O.L.V. van 's Koningsdal te Rooigem bij Gent, later binnen Gent (Gand), gesticht in 1328.

Sint-Maartens-Bos te Sint-Martens-Lierde bij Geraardsbergen (SSM), gesticht in 1329.

Sint-Jan te Zelem (vroeger Zeelhem) bij Diest (Zel), gesticht in 1329.

De Twaalf Apostelen te Luik (Li), gesticht in 1357.

Sint-Andriesberg te Chercq bij Doornik (Torn), gesticht in 1377.

---

(6) We konden onmogelijk alle archieven consulteren, maar verschillende kartuizerhistorici lieten ons zeer welwillend toe hun werken te consulteren. Wij drukken hier dan ook onze dank uit aan de heren H. Delvaux uit Merksem en F. Hendrickx uit Kessel-Lo voor hun zeer gewaardeerde hulp.

(7) Achter de naam van ieder klooster komt tussen haakjes het sigel voor dat we in onze lijsten verder gebruikten.

O.L.V. van Genade te Scheut, afhankelijkheid van Anderlecht, later binnen Brussel (Sch), gesticht in 1454.

Sint-Maria-Magdalena te Leuven (Lov), gesticht in 1486.

Kartuize van Antwerpen (An), gesticht in 1624.

Sheen Anglorum sinds 1626 te Nieuwpoort (Sheen).

We citeren ook de monniken en broeders die gewoond hebben in het kartuizerinnenklooster Sint-Anna-ter-Woestijne te Sint-Andries bij Brugge, later binnen Brugge (SA), gesticht in 1348.

Al deze kloosters werden opgeheven in 1783 door keizer Jozef II, behalve die van Zelem en Luik die bestaan hebben tot respectievelijk 1794 en 1797. Een poging om het gemeenschappelijke leven te hernemen werd in sommige conventen gedaan tussen 1790 en 1792, maar leidde tot geen resultaten.

De lijst werd strikt alfabetisch gerangschikt volgens de kloosternaam van de monniken en broeders. Komen echter niet voor : de prebendarii, de knechten, de weldoeners en de monialen. De voornamen worden in 't Latijn geciteerd. Wij voegen er hun familienaam aan toe in de mate van het mogelijke en steeds in alfabetische volgorde behalve indien deze elementen aan de naam vastgehecht zijn en zo één woord vormen. Daar het vaak voorkomt dat verschillende schrijfwijzen bestaan voor één naam, hebben wij deze genomen die ons het meest aanvaardbaar lijkt te zijn, misschien op een enigszins arbitraire wijze. Ze wordt gevolgd door de andere schrijfwijzen. In de alfabetische lijst der familienamen die op 't einde van het boek staat kan men alle schrijfwijzen terugvinden met verwijzing naar het nummer dat de religieus in kwestie draagt in de lijsten.

Sommige namen hebben geen nummer gekregen omdat het een tweede naam is die in bepaalde bronnen, zeer waarschijnlijk foutief, voorkomt. We verwijzen dan ook onmiddelijk naar het nummer van de door ons als juist aangeziene naam. Bepaalde namen werden soms onderling verwisseld. Dit is het geval voor Mathias en Matheus, Joannes en Joannes-Baptista, Christianus en Christophorus, Gerardus en Everardus. De lezer wordt verzocht in deze gevallen naar beide namen te kijken. Enkele nummers ontbreken. Dit is veroorzaakt door het feit dat op het laatste ogenblik bewijzen gevonden werden dat het over een reeds elders vermelde kartuizer ging. Zo gebeurt het ook dat eenzelfde nummer twee maal voorkomt, vergezeld van de letter a. De reden hiervan is dat we bepaalde gegevens maar zeer laat konden consulteren.

Ziehier onze wijze van voorstellen :

Eerst geven we de naam van de kloosterling, gevolgd door zijn familienaam, indien gekend. Dan citeren we volgende gegevens voor zover het mogelijk is : doopnaam, namen der ouders ofwel afkomst, datum en plaats van geboorte, studies, klooster van professie en datum, eventueel tweede professie en datum, verschillende huizen waar de religieus verbleef met de data, functies met data, datum en plaats van overlijden.
We scheiden de gegevens betreffende de geboorte alleen maar door een komma. De andere gegevens worden ieder keer van elkaar gescheiden door een puntkomma.

De functies die opgegeven worden zijn prior (P), vicarius (vic), procurator (proc), koster (sac), coadjutor (coa), antiquior (antiq) en senior (sr). Bovendien vermelden we of de religieus in kwestie schrijver (aut) was of kopiist (cop). Andere eventuele functies worden voluit opgegeven.
De koormonniken hebben geen sigel. Er wordt alleen gezegd : professus (prof) van een bepaald huis. De broeders-conversen worden aangeduid met het teken "conv" en de broeders-donaten met " don ".
De clerici-redditti krijgen " cl-r " en de laïci-redditti " l-r ".
Als een monnik visitator (vis) was of convisitator (conv.) wordt dat medegedeeld op het einde van de biografische gegevens.
De namen van de steden worden in de oorspronkelijke taal opgegeven, als er geen afkorting voor vastgesteld werd.
Onder iedere naam volgt een bibliografische keuze met tevens de aanduiding der belangrijkste bronnen.

Ziehier een voorbeeld :

ADRIANUS Buyckx (Buyx, Beryckx, Luyckx) °Opvelp/Velp ; prof Her ; proc a.1624 ; proc S. Sofie 1624 ; proc Her 1632 ; P Zel ? 5.1632-1635 ; P SSM 5.7.1635-1.6.1640 ; P Gand 1640-1642 ; P Her 1642-+30.10.1654 ; conv.

RAG ; RAR 12,41,42 ; Wal 7048, 80 ; Lam 189 ; VG 187

Dit betekent dat de naam Buyckx nog op 3 andere schrijfwijzen voorkomt, dat hij geboren werd in Opvelp (Belgisch Brabant) of Velp (Nederlands Brabant), dat hij professie deed in Herne en er procurator werd voor 1624 ; in dat jaar werd hij procurator in de kartuis S. Sophie, maar de duur ervan is niet gekend ; dan werd hij procurator in Herne tot 1632 ; op een onbekende dag uit de maand mei van 1632 werd hij prior te Zelem tot 1635 ; op 5.7.1635 te Sint-Martens-Lierde tot 1.6.1640 ; van die datum af te Gent tot 1642 en tenslotte prior te Herne van 1642 tot aan zijn overlijden op 30.10.1654. Hij was convisitator op onbekende data.
De bronnen en bibliografie zijn : Rijksarchief Gent, niet geklasseerde documenten ; rijksarchief Ronse, Fonds Kartuizers Sint-

Martens-Lierde, liassen 12, 41 en 42 ; Petrus de Wal, Collectaneum ...deel IV, f° 80 ; Lamalle, Chronique... p. 189 en tenslotte het artikel van V. Gaublomme, De Necrologie... p. 187.

Indien er geen - tussen twee data staat dan is het omdat we alleen over deze data zekerheid hadden.
Het laatst vermelde klooster telt voor de verdere gegevens. Bij wijziging van verblijf wordt het nieuwe klooster vermeld. Soms is alleen de streek waarheen de religieus ging gekend. We geven dan de naam op van deze streek.
Voor verdere afkortingen en bepaalde tekens, zie de lijst infra.

INTRODUCTION

Le livre qui vous est présenté ici est avant tout destiné aux historiens qui vaquent à l'étude des ordres religieux de la Belgique actuelle et surtout des chartreux. Mais les autres spécialistes de l'histoire cartusienne y trouveront également de l'intérêt non seulement puisque la structure hiérarchique de l'ordre cartusien fait que ce qui se passa dans nos régions eut un reflet ailleurs, mais aussi parce que la chartreuse de Chercq (lez Tournai) appartint longtemps à la province picarde (1) de l'ordre des chartreux et parce que les maisons des Pays-Bas actuels ont, en grande partie, appartenu à la même province que celle des maisons belges (2) et finalement étant donné le fait qu'il arriva que des moines vinrent d'ailleurs chez nous et vice versa (3).

Les historiens de la piété de nos régions trouveront des indications précieuses leur permettant de voir e.a. le mouvement extérieur des monastères chartreux. Les données rassemblées peuvent servir de base à la rédaction de statistiques quant à la population des chartreuses (4).

---

(1) Dès 1332 il y eut une "provincia Picardiae" qui contint e.a. les chartreuses existant sur le sol de la Belgique actuelle. En 1411 cette province était divisée en deux et la maison de Chercq allait appartenir à la "provincia Picardiae propinquioris" qui fut appelée dès 1474 "provincia Picardiae". Voir aussi "Provinces de l'Ordre".

(2) Lors de la division en 1411 il y eut, à côté de la "provincia Picardiae propinquioris" une "provincia Picardiae remotioris" qui devint dès 1474 la "provincia Theutonica". Les maisons suivantes appartinrent à cette dernière province : Hérinnes, Bruges, Kiel, Gand, Lierde-Saint-Martin, Zelem, Liège, Scheut, Louvain ainsi que les chartreuses suivantes aux Pays-Bas actuels : Geertruidenberg, Utrecht, Amsterdam, Arnhem, Zierikzee, Delft et Kampen. Auparavant plusieurs de ces maisons firent partie de la "provincia Alemania inferioris", dont quelques-unes ont formé ultérieurement la "provincia Rheni".

(3) Cela advenait assez régulièrement, mais était surtout fréquent aux XVIIe et XVIIIe siècles.

D'un autre côté ceux qui sont intéressés par l'étude des noms de familles (généalogistes p. ex.) pourront puiser dans ces listes, car dans la mesure du possible les origines des religieux sont cités.

A travers ces listes biographiques - car c'est en effet le dessein de ce livre - il est aussi possible de se rendre un peu compte du niveau intellectuel de ces monastères. Une indication est en effet donnée des auteurs, copistes, études universitaires etc.

Nous avons été très sévère pour nos critiques. Ne sont cités que les religieux dont nous sommes certain qu'ils ont existé. Les données fantaisistes comme on en retrouve par exemple dans quelques ouvrages e.a. du dix-septième siècle ont été éliminées si elles n'ont pas pu être confirmées ni infirmées. En nous basant sur des données difficiles à controler en provenance surtout de l'étranger, il y a certainement des lacunes ou des imprécisions. Un point d'interrogation se trouve à côté de certaines graphies de noms : cela signifie que cette graphie n'a pu être lue correctement dans les manuscrits. N'oublions pas que les noms flamands semblèrent très étrangers aux scribes français de la Grande Chartreuse qui furent appelés à dresser les listes des obiits lors des chapitres-généraux (5). Certains noms furent latinisés et parfois d'une façon plutôt bizarre.

Pour écrire ce livre nous avons fait des recherches très poussées, avant tout dans les sources inédites. Le travail a été fait à partir des archives des monastères pour autant que celles-ci existent encore (6). Dans la mesure du possible nous avons consulté les cartes des chapitres-généraux et les manuscrits contemporains. Mais nous n'avons pas omis de nous référer aux ouvrages parus sur les chartreux de notre pays et sur bien d'autres chartreuses. Nous citons ci-dessous tout ce qui a été consulté. Chaque titre est suivi d'un sigle qui sera repris dans les listes. Cela permettra à tout chercheur de retrouver de plus amples renseignements dans les sources ou dans les ouvrages consultés.

---

(4) Comme les listes ne sont pas entièrement complètes (nous en demandons l'indulgence du lecteur et du chercheur), il n'est guère possible d'exprimer ces données en chiffres absolus. Mais les chiffres relatifs sont près de la réalité.

(5) Les chapitres-généraux avaient lieu chaque année quelques semaines après Pâques. Les actes de ces chapitres étaient communiqués à toutes les maisons. Ils contenaient e.a. les décès survenus dans le courant de l'année écoulée.

(6) Toutes les archives n'ont pu être consultées par nous, mais certains auteurs de l'histoire cartusienne nous ont gentiment

Nous avons essayé de retrouver tous les moines, frères-convers, frères-donnés, clercs-rendus et laïcs-rendus qui ont vécu à un moment donné dans les chartreuses des monastères suivants (7) en ordre chronologique de leur fondation :

Chartreuse de la Chapelle à Hérinnes-lez-Enghien (Her), fondée en 1314.

Chartreuse du Val-de-Grâce à Sainte-Croix-lez-Bruges, plus tard à Bruges (Bg), fondée en 1318.

Chartreuse de Sainte-Catherine à Kiel-lez-Anvers (Kiel), fondée en 1323/24, transférée en 1543 à Lierre (Lier).

Chartreuse de Notre-Dame-du-Val-Royal à Rooigem-lez-Gand, plus tard à Gand (Gand), fondée en 1328.

Chartreuse du Bois-Saint-Martin à Lierde-Saint-Martin-lez-Grammont (SSM) fondée en 1329.

Chartreuse de Saint-Jean à Zelem (anciennement Zeelhem)-lez-Diest (Zel), fondée en 1329.

Chartreuse des Douze Apôtres à Liège (Li), fondée en 1357.

Chartreuse du Mont-Saint-André à Chercq-lez-Tournai (Torn), fondée en 1377.

Chartreuse de Notre-Dame-de-Grâce à Scheut, dépendance d'Anderlecht, plus tard à Bruxelles (Sch), fondée en 1454.

Chartreuse de Sainte-Marie-Madeleine à Louvain (Lov), fondée en 1486.

Chartreuse d'Anvers (An), fondée en 1624.

Chartreuse de Sheen Anglorum depuis 1626 à Nieuport (Sheen).

Nous citons également les moines et frères ayant vécu dans la

---

permis d'employer leurs travaux. Nous sommes très reconnaissant à Messieurs H. Delvaux de Merksem et F. Hendrickx de Kessel-Lo de leur aide très précieuse.

(7) Derrière le nom de chaque monastère se trouve entre parenthèses le sigle qui sera employé dans les listes.

chartreuse des moniales de Sainte-Anne-du-Désert à Saint-André-lez-Bruges, plus tard à Bruges (SA), fondée en 1348.

Toutes ces chartreuses ont été supprimées en 1783 par l'Empereur Joseph II, sauf celles de Zelem et Liège qui ont existé jusqu'en 1794 resp. 1797. Un essai de reprise de la vie commune a eu lieu dans quelques maisons entre 1790 et 1792, mais n'a pas abouti à des résultats.

La liste est strictement alphabétique selon le nom en religion des moines et frères. N'y figurent donc pas : les prébendiers, les domestiques, les bienfaiteurs et les moniales. Les prénoms sont cités en Latin. Nous ajoutons, dans la mesure du possible et toujours selon l'ordre alphabétique, leur nom de famille. Les articles et prépositions qui constituent un élément très commun des noms néerlandais et français sont mis entre parenthèses et ne comptent pas pour l'ordre alphabétique sauf si ces éléments sont reliés au nom formant ainsi avec ce nom un seul mot. Comme il arrive souvent que plusieurs graphies existent pour un nom, nous avons pris, peut-être d'une façon un peu arbitraire, celle qui semblait la plus acceptable. Elle est suivie des autres graphies. Dans la liste alphabétique des noms de famille qui se trouve en fin de volume on retrouvera toutes ces graphies en renvoyant au numéro que ce religieux porte dans les listes.
Quelques noms ne portent pas de numéro parce qu'il s'agit d'un second nom qu'on retrouve, très probablement d'une façon fautive, dans certaines sources. Nous renvoyons alors immédiatement au numéro du nom que nous considérons comme exact.
Certains noms ont été intervertis. C'est le cas de Mathias et Matheus, Joannes et Joannes-Baptista, Christianus et Christophorus, Gerardus et Everardus. Nous prions le lecteur de bien vouloir regarder, dans ces cas, les deux noms.
Quelques numéros manquent. Cela est dû au fait que nous avons trouvé à la dernière minute des preuves comme quoi il s'agissait d'un chartreux cité ailleurs. Ainsi arrive-t-il également qu'un même numéro est indiqué deux fois, mais la deuxième fois accompagné de la lettre a. La raison en est que certains documents n'ont pu être consultés que très tard.

Voici notre façon de procéder :
après le nom en religion et le nom de famille suivent les données suivantes pour autant qu'elles nous sont connues : nom de baptême, noms des parents ou ascendance, date et lieu de naissance, études, monastère de profession et date, (éventuellement seconde profession et date), différentes maisons où le religieux a résidé et dates, fonctions et dates, date et lieu de décès. Les données à propos de la naissance ne sont séparées entre elles que par une virgule. Les autres données sont chaque fois séparées par un point-virgule. Les fonctions citées sont celles de prieur (P), vicaire (vic), procureur (proc), sacristain (sac), coadjuteur (coa), antiquor (antiq),

senior (sr) ; mais nous indiquons aussi si ce religieux a été auteur (aut) ou copiste (cop). Les éventuelles autres fonctions sont citées entièrement.
Les moines de choeur n'ont pas de sigle. Nous disons uniquement : profès (prof) de telle maison. Les frères-convers sont indiqués "conv", les frères-donnés "don", les clercs-rendus "cl-r" et les laïcs-rendus "l-r".
Nous indiquons à la fin des notices biographiques si ce moine a été visiteur (vis) ou convisiteur (conv.).
Les noms des villes sont cités dans la langue originale, sauf si une abréviation en a été indiquée. Sous chaque nom suit alors un choix bibliographique, ainsi que l'indication des sources.

Voici un exemple de notre présentation d'un religieux :

ADRIANUS Buyckx (Buyx, Beryckx, Luyckx), °Opvelp/Velp ; prof Her ; proc a. 1624 ; proc S.Sofie 1624 ; proc Her 1632 ; P Zel ?.5.1632-1635 ; P SSM 5.7.1635-1.6.1640 ; P Gand 1640-1642 ; P Her 1642-+30.10.1654 ; conv.

RAG ; RAR 12,41,42 ; Wal 7048, 80 ; Lam 189 ; VG 187

Ceci signifie que le nom de Buyckx a encore trois autres graphies, qu'il est né à Opvelp (Brabant belge) ou Velp (Brabant hollandais), qu'il est profès d'Hérinnes, qu'il y devint procureur avant 1624. Dès 1624 il le fut pendant une période dont la durée est inconnue à la chartreuse de Sainte-Sophie et puis de nouveau à Hérinnes. Son premier priorat commença en mai 1632 à Zelem et dura jusqu'en 1635. Puis il fut prieur au Bois-Saint-Martin du 5 juillet 1635 au premier juin 1640, à Gand de 1640 à 1642 et finalement à Hérinnes dès 1642 jusqu'à sa mort le 30 octobre 1654. Il était aussi convisiteur à des dates inconnues.
Les sources et bibliographie sont : Archives de l'Etat à Gand, documents non classés ; Archives de l'Etat à Renaix, Fonds Chartreux, Lierde-Saint-Martin, liasses 12, 41 et 42 ; Pierre de Wal, Collectaneum... t. IV, f° 80 ; Lamalle, Chronique... p.189 et finalement l'article de V. Gaublomme, De Necrologie... p.187.
Le manque d'un trait d'union entre deux dates signifie que nous n'avons de certitude que pour ces dates.
Le monastère cité compte aussi pour les autres données. Lors de changement de résidence nous citons le nouveau monastère. Il arrive parfois que nous ne connaissons que le nom du pays vers lequel ce religieux est parti. Nous indiquons alors le nom de cette région.
Pour toutes les abréviations et signes conventionnels, veuillez voir la liste.

VERSCHILLENDE FUNCTIES IN DE ORDE EN SOORTEN KARTUIZERS

PRIOR : hoofd van het huis ; belangrijk zowel voor de geestelijke vooruitgang als het materiële welzijn.

RECTOR : bestuurt tijdelijk het huis na overlijden of afzetting van de prior.

VICARIUS : assisteert de prior bij het bestuur van het huis. Hij is de tweede van het klooster, de rechterhand van de prior.

PROCURATOR : is verantwoordelijk voor de tijdelijke zaken. Bovendien leidt hij de broeders (conversen en donaten).

COADJUTOR : hulp van de procurator, vooral voor de boekhouding en het secretariaat.

SACRISTA : staat in voor het onderhoud van de kerk en de gewaden ; eertijds ook voor de bibliotheek. Luidt de officies.

ANTIQUIOR : eerder een eretitel. Zit de communiteit voor bij afwezigheid van prior en vicarius. Meestal, maar niet noodzakelijk, oudste in professie.

SENIOR : meestal de oudste in leeftijd.

De coadjutor, antiquior en senior kwamen niet steeds voor.

KOORMONNIK : kartuizer die een kluis van het grote claustrum bewoont, alle officies bidt in koor of kluis; vanaf de 16de eeuw ongeveer, priester gewijd wordt. Hij verbindt zich door zijn professie aan een bepaald huis.

CONVERS : kartuizer die vooral handenarbeid doet en minder eenzaamheid kent dan de koormonnik. Hij heeft een eigen officie. Hij verbindt zich door zijn professie aan een bepaald huis.

DONAAT : een enigszins mildere vorm van convers. De donaat is niet door geloften gebonden aan de Orde zoals de convers maar door een contract.

CLERICUS-REDDITUS : bestond tot in 1582. Hij volgde in verzachte vorm de levenswijze der koormonniken, maar had geen stemrecht en kon geen ambt uitoefenen.

LAICUS-REDDITUS : bestond tot in 1582. Hij volgde in verzachte vorm de levenswijze der conversen.

HOSPES EN TWEEDE PROFESSIE : een monnik die van huis verandert, wordt hospes in het nieuwe huis. Tot in 1582 kon hij er een tweede (of zelfs derde) professie afleggen.

VISITATOR : de officieel door de Orde aangestelde prior, belast met de canonieke visite van de kloosters van een bepaalde provincie.

CONVISITATOR : hulp van de visitator, daar de visite steeds door twee priors moest geschieden.

N.B.
DEMISSUS : waar deze aanduiding zich bevindt, betekent dit dat deze kartuizer hetzij weggestuurd werd, hetzij vanzelf wegging.

APOSTATA : hier gaat het om een kartuizer die zijn geloof afzwoer en dus afvallig werd.

Officieel mochten er een twaalftal koormonniken en een zestiental conversen en/of donaten in een kartuizerklooster wonen. In de kloosters uit onze streken was het aantal conversen steeds veel minder hoog dan dat der koormonniken.

DIFFERENTES FONCTIONS DANS L'ORDRE ET SORTES DE CHARTREUX

PRIEUR : chef de la maison ; important aussi bien pour le progrès spirituel que le progrès matériel.

RECTEUR : dirige provisoirement la maison après le décès ou la démission du prieur.

VICAIRE : assiste le prieur dans la direction de la chartreuse ; il est le deuxième de la maison, la main droite du prieur.

PROCUREUR : le responsable des affaires temporelles. Il dirige aussi les frères convers et donnés.

COADJUTEUR : aide le procureur, surtout pour la comptabilité et le secrétariat.

SACRISTAIN : le responsable de l'entretien de l'église et des habits sacerdotaux ; autrefois également responsable de la bibliothèque. Sonne les offices.

ANTIQUIOR : plutôt un titre honorifique. Préside la communauté lors de l'absence du prieur et du vicaire. Le plus souvent, mais pas nécessairement, le plus âgé en profession.

SENIOR : il est le plus souvent le doyen d'âge.

Les coadjuteur, antiquior et senior ne se rencontraient pas dans toutes les chartreuses.

MOINE DE CHOEUR : chartreux qui habite une cellule du grand cloître, dit tous les offices à l'église ou en cellule ; dès le XVIe siècle environ, il devient d'habitude prêtre. Il se lie à une maison déterminée par sa profession monastique.

CONVERS : chartreux qui fait surtout des travaux manuels.Il vit moins en solitude que le moine de choeur. L'office des convers n'est pas le même que celui des moines de choeur. Se lie à une maison déterminée par sa profession.

DONNE : une forme atténuée de convers. Le Donné n'est pas lié à sa maison par des voeux, mais par un contrat.

CLERC-RENDU : il suivait, mais d'une façon atténuée, la forme de vie du moine de choeur ; il n'avait ni voix de chapitre ni possibilité d'exercer une fonction. Aboli en 1582.

LAI-RENDU : il suivait, mais d'une façon atténuée, la forme de vie des convers. Aboli en 1582.

HÔTE et SECONDE PROFESSION : un moine qui changeait de maison, devenait hôte de la nouvelle maison. Jusqu'en 1582 il pouvait y faire une nouvelle profession.

VISITEUR : le prieur, indiqué officiellement par l'Ordre, qui fait la visite canonique des maisons d'une province déterminée.

CONVISITEUR : aide le visiteur puisque chaque visite doit être faite par deux prieurs.

N.B.
DEMISSUS : le nom du chartreux muni de cette indication signifie que ce religieux a quitté l'ordre soit étant renvoyé, soit à sa demande.

APOSTATA : ici il s'agit d'un chartreux qui a renié sa foi et est devenu apostat.

Officiellement une chartreuse était habitée par environ 12 moines et 16 convers et/ou donnés. Dans les monastères de nos régions on ne trouvait jamais ce nombre élévé de convers. Ceux-là étaient moins nombreux que les moines de choeur.

BIBLIOGRAFIE VAN GERAADPLEEGDE WERKEN /

BIBLIOGRAPHIE D'OEUVRES CONSULTEES

Onuitgegeven (de sigels staan tussen haakjes)

Palémon Bastin, O.Cart, schreef een reeks "cahiers" einde 19de, begin 20ste eeuw. Het zijn historische notities over een zeer groot aantal kloosters. We consulteerden de "cahiers" van Herne (PB Her), Brugge (PB Bg), Kiel en Lier (PB Kiel), Gent (PB Gand), Sint-Martens-Lierde (PB SSM), Zelem (PB Zel), Sint-Anna-ter-Woestijne (PB SA), Leuven (PB Lov), S.Sofie (PB BD), Scheut (PB Sch).

James Long, Notitia Cartusianorum Anglorum, handschrift uit 1750-1754. Geeft zeer veel over de kartuis Sheen Anglorum en zijn bewoners. De Latijnse tekst (Long) bevindt zich in de KBB ms 555-556 nr 4530, de Engelse tekst in de Grande Chartreuse (Long angl).

Petrus de Wal schreef tussen 1625 en 1640 verschillende werken waarin belangwekkende gegevens voorkomen. We excerpeerden Miscellanea Historiae Carthusiensis, KBB ms 4051-4068, nr 3856 (Wal 4051) en de vier delen (waarvan het tweede deel gedeeltelijk beschadigd is) van de Collectaneum rerum gestarum et eventuum Cartusiae Bruxellensis, KBB ms 7043-7048, nr 3859 (Wal 7043, 7044, 7047, 7048).

Uit de KBB lazen we nog ms II 1959, nr 3851, Cartae Capitulorum Generalium der jaren 1416-1426 en 1428-1442 (KBB 3851), Documents relatifs aux chartreux, ms 16619-16637, nr 3855 (KBB 3855) en De variis monasteriis, ms 8564-8581, nr 3612 (KB 8579) uit de 27de eeuw

Monniken van de kartuis van Sélignac behandelden enkele aspecten van de geschiedenis van het klooster te Gosnay en steunden hiervoor op archivalia uit de Archives Départementales du Nord. We mochten deze manuscripten gebruiken en danken hen hierbij zeer hartelijk (ms Sélignac).

Het handschrift van M. Soenen voor Monasticon Belge over de kartuis van Zelem (MB Zel) mochten we ook inzien, waarvoor aan Juffrouw Soenen hartelijk dank wordt gezegd.

A short memorandum of some Things appertaining to the Chronicles of the English Carthusians of Newport (Mem) is een manuscript uit 1797-1820 en verhaalt het wedervaren der laatste Engelse kartuizers. Dit handschrift bevindt zich in het Engels klooster "Nazareth" te Brugge.

Tenslotte werden vele archivalia onderzocht uit verschillende

Rijks- en Stadsarchieven.

Rijksarchief Antwerpen Fonds Kartuizers Lier (RAA FK Lier)
Rijksarchief Brugge charters uit het Fonds Kartuizers (RABg ch)
Oud-Kerkarchief (RABg Oud KA)
Découvertes (RABg Déc)
Acquisitions(RABg Acq)
Rijksarchief Gent charters uit het Fonds Kartuizers (RAG ch)
talloze niet geklasseerde dozen en dokumenten (RAG)
Fonds de Ghellinck (RAG F. Ghellinck)
oud-Fonds Kartuizers (RAG FK)
andere dokumenten (RAG B... of K...)
Rijksarchief Ronse Fonds Kartuizers Sint-Martens-Lierde (RAR)
Het Algemeen Rijksarchief (ARA) met vooral de dokumenten uit de religiekas (CR)
Stadsarchief Gent Fonds Kartuizers (SAG FK)
andere dokumenten (SAG)
Archief van het Bisdom Luik registers der wijdingen van 1642-1652, 1671-1672, 1729-1794 (A.Ev.Li). We hechten eraan de heer A. Deblon, archivaris van het bisdom Luik, hartelijk te danken voor de opzoekingen die hij voor ons deed.
Bij sommige nummers uit een archieffonds staat tussen haakjes de bladzijde waarop die gegevens voorkomen. Dit is het geval met de rente- en cijnsboeken en met de cartularia.

Inédits (les sigles sont indiqués entre parenthèses)

Palémon Bastin, O. Cart, a écrit toute une série de cahiers vers la fin du 19e et au début du 20e siècle. Ce sont des notices historiques d'un grand nombre de monastères. Nous avons consulté les cahiers d'Hérinnes (PB Her), de Bruges (PB Bg), de Kiel et Lierre (PB Kiel), de Gand (PB Gand), de Lierde-Saint-Martin (PB SSM), de Zelem (PB Zel), de Sainte-Anne (PB SA), de Louvain (PB Lov), de Sainte-Sophie (PB BD) et de Scheut (PB Sch).

James Long, Notitia Cartusianorum Anglorum, manuscrit de 1750-1754. Il donne de nombreuses indications à propos de la chartreuse de Sheen Anglorum et ses habitants. Le texte Latin (Long) se trouve dans la BRB ms 555-556 n° 4530 ; le texte anglais (Long angl) se trouve à la Grande Chartreuse.

Pierre de Wal a écrit entre 1625 et 1640 plusieurs oeuvres dans lesquelles se recontrent bien des données importantes. Nous avons lu Miscellanea Historiae Carthusiensis, BRB ms 4051-4068, n° 3856 (Wal 4051) et les quatre volumes (dont le deuxième est partiellement endommagé) du Collectaneum rerum gestarum et eventuum Cartusiae Bruxellensis, BRB ms 7043-7048, n° 3859 (Wal 7043, 7044, 7047,

7048).

La BRB possède aussi le ms II 1959, n° 3851 (KBB 3851), intitulé Cartae Capitulorum Generalium des années 1416-1426 et 1428-1442, le ms 16.619-16.637, n° 3855 (KBB 3855) intitulé Documents relatifs aux chartreux et le ms 8564-8581, n° 3612 (BRB 8579) du 17e siècle De variis monasteriis.

Des moines de la chartreuse de Sélignac ont fait une étude de quelques aspects de l'histoire de la maison de Gosnay en se basant sur des documents des Archives Départementales du Nord. Ils nous ont autorisé à employer leurs manuscrits. Qu'ils trouvent ici tous nos remerciements (ms Sélignac).

Que Mademoiselle Soenen trouve ici également nos remerciements car elle nous a permis de consulter et d'employer la notice historique de la chartreuse de Zelem. Cette notice doit paraître dans Monasticon Belge (MB Zel).

A short memorandum of some Things appertaining to the Chronicles of the English Carthusians of Newport (Mem) est un manuscrit de 1797-1820. Il raconte l'histoire des derniers chartreux anglais. Ce manuscrit est conservé dans le couvent Anglais "Nazareth" à Bruges.

Nous avons finalement examiné un très grand nombre de documents de plusieurs Archives d'Etat ou de Villes.

Archives de l'Etat à Anvers, Fonds Chartreux Lierre (RAA FK Lier)
Archives de l'Etat à Bruges, chartes du Fonds Chartreux (RABg ch)
Oud-Kerkarchief (RABg Oud KA)
Découvertes (RABg Déc)
Acquisitions (RABg Acq)
Archives de l'Etat à Gand, chartes du Fonds Chartreux (RAG ch)
de très nombreux documents non classés (RAG)
Fonds de Ghellinck (RAG F. Ghellinck)
autres documents (RAG B ... ou K...)
Archives de l'Etat à Renaix, Fonds Chartreux Lierde-Saint-Martin (RAR)

Archives Générales du Royaume (ARA), notamment des documents de la Caisse de Religion (CR).
Archives de Ville de Gand, Fonds Chartreux (SAG FK)
autres documents (SAG)
Archives de l'Evêché de Liège, registres des ordinations de 1642-1652, 1671-1672, 1729-1794 (A.Ev.Li).Nous tenons à remercier ici de tout coeur monsieur A. Deblon, archiviste de l' évêché de Liège qui s'est chargé de faire des recherches pour nous.

Uitgegeven / Edités

Volgende werken worden in deze bibliografie niet vermeld : algemene werken van geschiedenis, monografieën van kartuizerskloosters buiten België, tenzij er belangwekkende gegevens in voorkomen voor Belgische conventen, werken over kartuizers die niet in een klooster op het huidige Belgisch grondgebied verbleven, werken over specifieke aspecten van de kartuizerspiritualiteit. Evenmin citeren we de artikels en boeken van onze hand.

Les ouvrages suivants ne sont pas cités : ouvrages généraux d'histoire, monographies de chartreuses sises hors de Belgique, sauf si elles contiennent des données importantes pour les monastères belges, ouvrages traitant d'un chartreux qui n'a pas vécu dans une chartreuse située sur le territoire belge, ouvrages traitant d'un aspect de la spiritualité cartusienne et les différents dictionnaires de spiritualité. Nous ne citons pas non plus les articles et ouvrages de notre main.

L. ANTHEUNIS, Bannelingen te Mechelen in vroeger eeuwen, in, Handelingen van de Koninklijke Kring van Oudheidkunde, Letteren en Kunst van Mechelen, 46, 1932, 74-91

S. AUTORE, Bibliotheca Cartusiano-Mariana, Montreuil-sur-Mer, 1897

S. AXTERS, DE Geschiedenis van de Vroomheid in de Nederlanden, Antwerpen, 1950-1960, 4 d.

U. BERLIERE, La chartreuse du Mont-Saint-André, in Monasticon Belge, t.I, Province de Namur-Hainaut, 481-488

R. BILLIET, Toponymie van Herne, Koninklijke Vlaamse Academie voor Taal- en Letterkunde, Reeks VI, nr 75, Gent, 1955

C. BOHIC, Chronica Ordinis Cartusiensis (1084-1510), Tournai-Parkminster, 1911-1954, 4 vol.

A. BOSTIUS, Opusculum de praecipuis aliquot cartusianae familiae patribus..., Colonia, 1609

J. CALBRECHT, Geschiedenis van het Genadeoord van O.L.V. van Gratie te Scheut, Leuven, 1938

G. CELIS, Het kartuizerklooster te Gent (1320-1783), in, Bulletijn der Maatschappij voor Geschiedenis en Oudheidkunde te Gent, 31, 1923, 27-56

J. de GHELLINCK, Les catalogues des bibliothèques médiévales chez les chartreux, in, Mélanges Viller, 1949, 284-298

H. DELVAUX, De kartuize van Kiel buiten Antwerpen, proefschrift KUL, 1956

id. Chartreuse de Hérinnes, in, Monasticon Belge, t.IV, Province de Brabant, sixième volume, 1429-1457, Liège, 1972

id. Chartreuse de Louvain, in, ibidem, 1457-1494, Liège, 1972

M. DE MEULEMEESTER, Les chartreux anglais et le couvent des rédemptoristines à Malines, in, Mechlinia, 8, 1930, 17-25 et 33-37

A. DE MEYER en J.M. DE SMET, Guigo, "Consuetudines" van de eerste kartuizers, mededelingen van de Koninklijke Vlaamse Academie voor Wetenschappen, Letteren en Schone Kunsten van België, Klasse der Letteren, jaargang 13, nr 6, Brussel, 1951

J. DE PAS, Cartulaire de la chartreuse du Val-Sainte-Aldegonde, Société des Antiquaires de la Morinie, Saint-Omer, 1905

F. DE RAM, Notice sur le vénérable Henri de Loen, chartreux, in, Annuaire de l'Université de Louvain, 1865, 343-349.

W. DE ROY, Willem van Absel van Breda, Kartuizer, in, Ons Geestelijk Erf, 12, 1938, 71-87 en 13, 1939, 51-65

F. DESMONS, La chartreuse du Mont-Saint-André, Tournai, 1912

D. DESTANBERG, Gent onder Jozef II 1780-1792, Gent, 1910

J. DIERCXENS, Antverpia Christo nascens et crescens, Antverpia, 1773, 8 vol.

V. DOREAU, Les Ephémérides de l'Ordre des Chartreux, Montreuil-sur-Mer, 1897-1900, 4 vol.

S. d'YDEWALLE, De kartuize Sint-Anna-ter-Woestijne 1350-1792, Brussel, s.d. (1945)

V. GAUBLOMME, De Stichter van de Kartuize te Sint-Martens-Lierde (1329-1783), in, Land van Aalst, 1, 1949, 16-20

id. De Stichting der Kartuize van Sint-Martens-Lierde, in, id., 1, 1949, 43-49

id. Necrologie van de Kartuize Sint-Martens-Bos te Sint-Martens-Lierde, in, id., 9, 1957, 133-216.

id. De kartuize Sint-Martens-Bos te Sint-Martens-Lierde en de ontbonden gilden van Geraardsbergen in 1330, in, idem, 14, 1962, 165-177.

J. GILLET, La chartreuse du Mont-Dieu, Reims, 1889

J. GILLOW, A literary and biographical history of English Catholics, London, 1885

F. GOETHALS, Lectures relatives à l'histoire des sciences, des arts...en Belgique, Bruxelles, 1837, 4 vol.

P. GOETSCHALCKX, Oorkonden van het karthuizerklooster (te Lier), in, Bijdragen tot de Geschiedenis bijzonder van het aloude hertogdom Brabant, 10, 1911, 498-504

A. GRAY, A Carthusian Sunset, in, Pax, 51, 1961, 140-150

id. A Carthusian Carta Visitationis of the Fifteenth Century, in, Bulletin of the Institute of Historical Research, 40, 1967, 91-101

P. GUILDAY, The English Catholic Refugees at the Continent 1588-1795, London, 1914

J. JACOBS, Herman Stekin van Scutdorpen, in, Verslagen en Mededeelingen der Vlaamsche Academie voor Taal en Letteren, 1927, 51-72

G. JUTEN, De Karthuizers te Geertruidenberg, in, Taxandria, 49, 1942, 133-134

J. LAENEN, Etude sur la suppression des couvents par l'empereur Joseph II dans les Pays-Bas Autrichiens et plus spécialement dans le Brabant (1783-1794), in, Annales de l'Académie archéologique de Belgique, 57, 1905, 349-394

E. LAMALLE, Arnold Beeltsens et Jean Ammonius, Chronique de la Chartreuse de la Chapelle à Hérinnes-lez-Enghien, Louvain, 1932

M. LAVALEYE, Lá situation des bibliothèques des couvents supprimés par Joseph II en 1783, in, Paginae Bibliographicae, 2, 1927, 547-552

R. LECHAT, Les réfugiés anglais dans les Pays-Bas espagnols 1558-1603, Bruxelles, 1914.

C. LE COUTEULX, Annales Ordinis Cartusiensis ab anno 1084 ad annum 1429, Montreuil-sur-Mer, 1887-1891, 8 vol.

P. LEHMANN, Bücherliebe und Bücherpflege bei den Karthäusern, in, Miscellanea Francisco Ehrle, Roma, 1924, t. V, 364-389

L. LE VASSEUR, Ephemerides Ordinis Carthusiensis, Montreuil-sur-Mer, 1890-1893, 5 vol.

W. LOURDAUX, Kartuizers-Moderne Devoten. Een probleem van afhankelijkheid, in, Ons Geestelijk Erf, 37, 1963, 402-418

id. Enkele beschouwingen over de betrekkingen tussen Kartuizers en Moderne Devoten, in, Handelingen van het 35ste Vlaams Filologencongres, Antwerpen, 1963, 416-423

W. LOURDAUX en E. PERSOONS, Bibliotheken en Scriptoria van de Zuid-Nederlandse kloosters van het kapittel van Windesheim, in, Archief- en Bibliotheekwezen, 37, 1966, 61-74

R. MAES, De kartuis Koningsdal te Rooigem bij Gent 1328-1497, proefschrift KUL, 1963

A. MIRAEUS, Origines Cartusianorum monasteriorum per Orbem universum, Coloniae, 1609

L. MOEREELS, Twee Collatiën van Cornelius Jansonius van Schoonhoven, in, Ons Geestelijk Erf, 20, 1946, 391-433

N. MOLIN, Historia Cartusiana (1084-1638), Tournai, 1903-1906, 3 vol.

C. MONGET, La chartreuse de Dijon, Montreuil-sur-Mer, Tournai, 1898-1905, 3 vol.

M. PEETERS, Het kartuizerklooster Sint-Jan te Zelem, 1329-1500, proefschrift KUL, 1958

Th. PETREIUS, Bibliotheca Cartusiana, Colonia, 1609

id. Chronique ou histoire générale de l'ordre sacré des chartreux, s.l. 1644

A. PIL, Een handleiding voor het geestelijk leven der Brusselse Begijnen, in, Sacris Erudiri, 16, 1965, 479-485

id. De Vertaler van Lanspergius' Spieghel in de Brusselse Kartuis, in, Ons Geestelijk Erf, 29, 1955, 228-229

F. PRIMS, Hoe onze Kartuizers Heeren van het Kiel werden, in, F. Prims, Antverpiensia, 1932 (6de reeks)

id. De eerste Kartuizers op het Kiel, in, F. Prims, Antverpiensia, 1932 (6de reeks)

id. De Kartuizers te Vught, in, F. Prims, Antverpiensia, 1933 (7de reeks) 363-371

id. De begiftigers van het Kartuizerklooster van het Kiel 1323-1521, in, Bijdragen tot de Geschiedenis, inzonderheid van het aloude Hertogdom Brabant, 10, 1932, 138-150

id. De Kartuizers op het Kiel, in, F. Prims, Geschiedenis van Antwerpen, 8ste deel, 1933, 183-200, 11de deel, 1933, 252-264, 15de deel, 1937, 210-219, 18de deel, 1940, 243-253

A. RAISSIUS, Origines Cartusiarum Belgii, Douai, 1632

F. RAYMAKERS, Historische oogslag op het voormalig kartuizerklooster te Zeelhem, in, Noord en Zuid, Maandschrift voor Kunsten, Letteren en Wetenschappen, 2, 1863, 113-123, 182-188, 193-208, 318-327, 373-376

E. REUSENS, Chronique de la chartreuse de Louvain depuis sa fondation en 1498 jusqu'à l'année 1525, in, Analectes pour servir à l'histoire ecclésiastique de Belgique, 14, 1877, 228-299

id. La fondation de la chartreuse de Louvain, in, idem, 16, 1879, 210-220

A. ROERSCH, Correspondance inédite du chartreux gantois Laevinus Ammonius, in, Bulletin de la Société Historique et Archéologique de Gand, 9, 1901, 9-28

H. RÜTHING, Der Kartäuser Heinrich Egher van Kalkar 1328-1408, Göttingen, 1967

G. SCHMETS, De afschaffing van de kloosters te Leuven door Jozef II, 1780-1790, in, Mededelingen van de Geschied- en Oudheidkundige Kring voor Leuven en omgeving, 6, 1966, 3-20 ; 7, 1967, 71-82

H.J.J. SCHOLTENS, volledige bibliografie, in, Ons Geestelijk Erf, 44, 1970, 45-56 (48 artikels met betrekking tot de kartuizers)

bibliographie complète, in, Ons Geestelijk Erf, 44, 1970, 45-56 (48 articles se rapportant aux chartreux)

M. SMEETS, De bibliotheek der Kartuizers van Roermond, in, De Maasgouw, 71, 1952, 61-63

J. STIENNON, La bibliothèque et le scriptorium de la chartreuse de Liège des origines au XVIe siècle, in, Chronique Archéologique du Pays de Liège, 37, 1946, 58-64

id. Chartreuse des Douze Apôtres à Liège, in, Monasticon Belge, t. III, Province de Liège, 489-526, Liège, 1955

K. SWENDEN, De kartuizers in de Nederlanden, in, Collectanea Mechliniensia, 35, 1949, 25-34

H. TEMPERMAN, Les derniers jours de la chartreuse d'Hérinnes, in, Annales du cercle archéologique d'Enghien, 14, 1965, 101-124

E. THOMPSON, The Carthusian Order in England, London, 1930

J. VAN BAVEGEM, Het martelaarsboek of heldhaftig gedrag der Belgische geestelijkheid ten tijde der Fransche omwenteling, Gent, 1875

J. VANDEMEULEBROUCKE, De eerste jaren van de Kartuis "Genadedal" te Sint-Kruis (1318-1324), in, Biekorf, 68, 1967, 217-229

id. De kartuis "Genadedal" te Sint-Kruis bij Brugge (1318-1580), proefschrift KUL, 1965

F. VAN DEN BEMDEN, L'emplacement de la chartreuse de Royghem, in, Bulletin de le Société Historique et Archéologique de Gand,9, 1901, 163-166

J. VAN DEN GHEYN, Note sur quelques manuscrits de la chartreuse de Hérinnes-lez-Enghien, in, Annales du Cercle Archéologique d'Enghien, 6, 1901-1907, 27-42

D. VAN GILS, Jacobus van Gruitrode, in, Ons Geestelijk Erf, 6, 1932, 230-231

L. VAN HASSELT, Necrologie van het Kartuizerklooster te Utrecht, in, Bijdragen en Mededeelingen van het Historisch Genootschap te Utrecht, 9, 1886, 126-392

J. VAN IN, Het kartuizerklooster te Lier, in, Lier, vroeger en nu, 2, 1928, 36-45

H. VERMEULEN, Nalezing betreffende de Kartuizers bij Zierikzee, in, Haarlemsche Bijdragen, 55, 1937, 205-213

L. VERSCHUEREN, De bibliotheekcataloog der kartuize S. Sophie te Vught, in, Historisch Tijdschrift, 14, 1935, 372-404, en 15, 1936, 7-58

A. VIAENE, Herman van Scutdorpe, in Biekorf, 34, 1928, 115-116

J. VOS, Le clergé du diocèse de Tournai, Tournai, 1887-1893, 5 vol.

J. VRANCKEN, Het oude Zelem, overdruk uit "Eigen Schoon en De Brabander" s.l.,s.d. (= 50, 1967, 260-282 en 363-398)

K. WAYEMBERG, Pater Johannes Jacobi, Kartuizer uit 't klooster "De Kapelle" te Herne, 1441, in, Eigen Schoon, 2, 1912, 38-41

W.H.J. WEALE, Obituaire de l'abbaye de l'Eeckhout, in, La Flandre, 3, 1869-1870, 299-382

L. WILLEMS, Pieter Doorlant en zijn twee levens van Sint Anna, in, Tijdschrift voor Boek-en Bibliotheekwezen, 8, 1911, 1-6.

X., La Grande Chartreuse par un Chartreux, Paris, 1964

X., Lettres des Premiers Chartreux, Sources Chrêtiennes, N° 88,Paris, 1962

X., Aux sources de la vie cartusienne, 8 vol. manuscrits, Grande Chartreuse, 1960-1972

X., Ex chartis capitulorum generalium ab initio usque ad annum 1951, manuscrit, Grande Chartreuse s.d.

PROVINCIEINDELING

In 1301 werd de provincia Burgundiae opgericht, waartoe de Vlaamse kartuizerkloosters behoorden tot in 1332. Dan werd de provincia Picardiae opgericht en de op dat ogenblik bestaande Vlaamse conventen werden in deze provincie opgenomen. Het schisma verdeelde ook de Orde inwendig van 1380 tot 1410 en de kloosters van Luik, Gent, Zelem en Sint-Anna behoorden in die periode tot de Rijnprovincie. In 1411 werd de Picardische provincie in twee verdeeld : de provincia Picardiae propinquioris met o.m. de kartuis van Chercq. Alle overige Belgische kartuizen behoorden tot de provincia Picardiae remotioris. Deze laatste werd vanaf 1474 provincia Theutonica geheten en bleef zo bestaan tot aan de suppressie van alle conventen op 't einde van de 18de eeuw. Het huis van Zelem en van Luik behoorde van 1783 tot 1797 tot de provincia Rheni.

PROVINCES DE L'ORDRE

En 1301 fut érigée la provincia Burgundiae, à laquelle appartenaient les chartreuses flamandes jusqu'en 1332. A ce moment fut créée la provincia Picardiae et les chartreuses flamandes qui existaient à ce moment furent incorporées dans cette province. Le grand Schisme occidental divisait aussi l'Ordre des chartreux de 1380 à 1410 et les monastères de Liège, Gand, Zelem et Sainte-Anne appartenaient pendant cette période à la province du Rhin. La province picarde fut divisée en deux en 1411 : la provincia Picardiae propinquioris avec e.a. la chartreuse de Chercq. Toutes les autres maisons belges appartenaient à la provincia Picardiae remotioris. Elle reçut le nom de provincia Theutonica dès 1474 et existait sous ce nom jusqu'à la suppression de tous les monastères à la fin du XVIIIe siècle. Les maisons de Zelem et de Liège appartenaient à la provincia Rheni de 1783 à 1797.

ALFABETISCHE LIJST VAN ALLE KARTUIZERKLOOSTERS DIE IN DE PROSOPOGRAFIE VOORKOMEN /

LISTE ALPHABETIQUE DE TOUTES LES CHARTREUSES CITEES DANS LA PROSOPOGRAPHIE

De conventen zijn alfabetisch geklasseerd naar de meest voorkomende naam. Daarna volgen de verschillende benamingen waaronder dit kartuizerklooster nog gekend is, alsook de approximatieve datum van stichting en het land waarin het ligt.
De volgende afkortingen werden gebruikt : Du = Duitsland ; Fr = Frankrijk ; Gr.Br. = Groot-Brittanië ; Helv = Zwitserland ; It = Italië ; Ndl = Nederland ; Sp = Spanje.

Les monastères sont classés dans l'ordre alphabétique selon le nom le plus représentatif. Les autres dénominations sous lesquelles ce monastère est connu suivent immédiatement, ainsi que la date approximative de la fondation et le pays où il se trouve.
Les abréviations suivantes ont été employées : Du = Allemagne ; Fr = France ; Gr.Br. = Grande Bretagne ; Helv = Suisse ; It = Italie ; Ndl = Pays-Bas ; Sp = Espagne.

Abbeville = Saint-Honoré = Thuison, 1300, Fr
Aillon = de Monte Sanctae Mariae, 1178, Fr
Amsterdam = Portus Salutis Santi Andreae = Ter Zaliger Haven, 1393, Ndl
Apponay, 1185, Fr
Arnhem = Monnikhuizen = domus Monachorum, 1342, Ndl
Astheim = Pont-Sainte-Marie, 1408, Du
Aula Dei, 1563, Sp
Auray = Campi Sancti Michaelis = Saint-Michel-du-Champ, 1480, Fr
Basel = Vallis Sanctae Margaritae = Bâle, 1401, Helv
Beaune = Fontaneti = Fontenay = Fontenelle, 1328, Fr
Beauregard = Sienne = Purificationis Beatae Mariae, 1345, It
Bonlieu, 1171, Fr
Bourgfontaine = Fontis Beatae Mariae = Fontaine-Marie, 1325, Fr
Buxheim = Aulae Beatae Mariae, 1402, Du
Cantavii = Compassionis Beatae Mariae, 1475 (?), Du
Capri = Sancti Jacobi, 1370, It
Coventry = Sanctae Annae, 1381, Gr.Br.
Danzig = Paradisi Beatae Mariae Virginis, 1381, Polen/Pologne
Delft = Sancti Bartholomaei in Hierusalem, 1470, Ndl
Douai = Sancti Josephi, 1662, Fr
Dülmen = Marienburch, 1476, Du
Erfurt = Montis Salvatoris, 1372, Du
Freiburg = Fribourg = Montis Sancti Johannis Baptistae, 1346, Helv
Gaillon = Nostrae Dominae Bonae Spei = Bonne Espérance, 1571, Fr

Genua = Sancti Bartholomaei, 1297, It
Gosnay = Val-Saint-Esprit, 1320, Fr
Gosnay (moniales) = Mont-Sainte-Marie, 1329, Fr
Grande Chartreuse, 1084, Fr
Henton = Loci Dei, 1227, Gr.Br
Hollandiae = Geertruidenberg, 1336, Ndl
Illmbach = Horti Beatae Mariae, 1453, Du
Jülich = Juliers = Mont-Saint-Jean-Baptiste = Vogelberg = Vogel-
sang, 1478, Du
Kampen = Sancti Martini in Monte Solis = Zonneberg, 1484, Ndl
Köln = Coloniae = Sanctae Barbarae, 1334, Du
Lille = Boutillerie = Beatae Mariae de septem Doloribus, 1618, Fr
London = Salutationis Matris Dei = Salutation of our Lady, 1370,
Gr.Br
Lübeck = Templi Beatae Mariae, 1398, Du
Lugny = Luvigny = Luviniensis, 1170, Fr
Mainz = Mayence = Moguntiae = Saint-Michel, 1320, Du
Miraflores, 1441, Sp
Molsheim = Montis Mariae, 1600, Fr
mon. Gosnay cfr Gosnay (mon) = moniales de Gosnay
Mont-Allègre = Mons Hilaris = Montallegre, 1415, Sp
Mont-Dieu, 1134, Fr
Montreuil = Notre Dame des Prés, 1324, Fr
Montrieux, 1117, Fr
Mortemer, 1335, Fr
Mount-Grace = Ingelby = Virginis in caelum assumptae, 1398, Gr.Br
Nancy = Sanctae Annae = Bosserville, 1632, Fr
Nottingham = Bellae-Vallis = Beauval, 1343, Gr.Br
Noyon = Mont-Saint-Louis = Mont Renaud, 1308, Fr
Nürnberg = Cellæ Beatae Mariae = Nuremberg, 1380, Du
(El) Paular = Segoviensis, 1390, Sp
Portes, 1115, Fr
Regensburg = Ratisbonne = Sancti Viti, 1484, Du
Réthel = Sierck = Saint Sixte, 1477, Fr
Ripaille = Annonciade, 1623, Fr
Roermond = Ruremonde = Bethleem Beatae Mariae, 1376, Ndl
Rome = Sanctae Crucis (in Hierusalem) = de Angelis, 1370, It
Rouen = Notre-Dame-de-la-Rose, 1384, Fr
S. Sofie = 's Hertogenbosch = Bois-le-Duc = S. Sophiae Constanti-
nopolitanae, 1466, Ndl.
S. Omer = Longuenesse = Val-Sainte-Aldegonde, 1298, Fr
Schnals = Snals = Mont-des-Anges, 1326, Du
Scotiae = Perth = Vallis Virtutum, 1429, Gr.Br
Seillon = Beatae Mariae Seillonis, 1168, Fr
Seitz, 1160, Yougoslavie / Joegoslavië
Strasbourg = Argentoratensis = Mont-Sainte-Marie, 1335, Fr
Trier = Trèves = Sancti Albani, 1331, Du
Trisulti = Sancti Bartholomaei, 1204, It
Tückelhausen = Cellae Salutis, 1351, Du
Utrecht = Sancti Salvatoris = de Nova Luce = Nieuwlicht, 1392, Ndl

Valenciennes = Annuntiationis Beatae Mariae Virginis = Macourt, 1288, Fr
Vallon, 1136, Fr
Val-Saint-Georges, 1234, Fr
Val-Saint-Hugues, 1173, Fr
Val-Saint-Pierre = Vervins, 1140, Fr
Vauvert = Paris, 1257, Fr
Villeneuve = Vallis Benedictionis = Saint-Jean-Baptiste = Avignon, 1356, Fr
Wesel = Insulae Reginae Caeli, 1418, Du
Witham = Assumptionis Beatae Mariae = Sanctae Mariae et Johannis, 1178, Gr.Br
Würzburg = Wurtzbourg = Herbipolitani = Horti Angelorum, 1348, Du
Zierikzee = Montis Sion = Sionsberg, 1434, Ndl

AFKORTINGEN EN CONVENTIONELE TEKENS /

ABREVIATIONS ET SIGNES CONVENTIONNELS

AAU	Archief voor de Geschiedenis van het Aartsbisdom Utrecht
ACAE	Annales du Cercle Archéologique d'Enghien
adv	advocatus
ASHEB	Analecta pour servir à l'histoire ecclésiastique de Belgique
An	Antwerpen, Anvers (zowel stad als klooster ; aussi bien la ville que la chartreuse)
Ann	C. Le Couteulx, Annales Ordinis Cartusiensis ab anno 1084 ad annum 1429, Montreuil-sur-Mer, 1887-1891, 8 vol. in 4°
Antheunis	L. Antheunis, Bannelingen te Mechelen in vroeger eeuwen, in, Handelingen van de Koninklijke Kring van Oudheidkunde, Letteren en Kunst van Mechelen, 46, 1932, 74-91
Antiq	antiquor
ARA	Algemeen Rijksarchief ; Archives Générales du Royaume
aut	auteur
Axters	De Geschiedenis van de vroomheid in de Nederlanden, Antwerpen, 1950-1960, 4 delen, 4 volumes
BB 18	H.J.J. Scholtens, De kartuizers bij Geertruidenberg in, Bossche Bijdragen, 18, 1941, 10-122
Bg	Brugge (zowel stad als klooster ; aussi bien la ville que le monastère).
Bijdr. Gesch	Bijdragen tot de Geschiedenis, bijzonder van het aloude Hertogdom Brabant
Billiet	R. Billiet, Toponymie van Herne, in, Koninklijke Vlaamse Academie voor Taal- en Letterkunde, reeks VI, nr 75, Gent, 1955
BMHG	Necrologie van het Kartuizerklooster te Utrecht, in, Bijdragen en Mededelingen van het Historisch Genootschap te Utrecht, 9, 1886, 126-392 (Cfr. L. Van Hasselt
BN	Biographie Nationale, Bruxelles 1866
BRB	Bibliothèque Royale de Belgique, Koninklijke Bibliotheek van België
Calbrecht	J. Calbrecht, De Geschiedenis van het Genadeoord van O.L.V. van Gratie te Scheut, Leuven, 1938
CAPL	Chronique Archéologique du Pays de Liège
ch	charter, charte
ch.	chapitre, hoofdstuk
cl-r	clericus-redditus
coa	coadjutor
conv	conversus

conv. convisitator (steeds op 't einde van de biografische gegevens ; toujours à la fin des données biographiques)
cop copiste ; kopiist
CR Caisse de Religion ; Religiekas
Desmons F. Desmons, La chartreuse du Mont-Saint-André, Tournai, 1912
diac diaconus
Diercxsens J.C. Diercxsens, Antverpia Christo nascens et crescens, Antverpia, 1773, 8 vol.
don donatus
dr doctor
dr. med doctor medicinae
DSAM Dictionnaire de Spiritualité et d'Ascétique Mystique
d'Ydew St. d'Ydewalle, De kartuize Sint-Anna-ter-Woestijne te Sint-Andries en te Brugge, 1350-1792, Brussel, s.d. (1945)
Ephem L. Le Vasseur, Ephemerides Ordinis Cartusiensis, Montreuil-sur-Mer, 1890-1893, 5 vol.
episc episcopus
f folio
Flandre III W.H. James Weale, Obituaire de l'abbaye de l'Eeckhout, in, La Flandre, 3, 1869-1870, 299-382
Gand Gandavum, Gent, Gand (zowel klooster als stad ; aussi bien la ville que le monastère)
Gillet J. Gillet, La chartreuse de Mont-Dieu, Reims, 1889
Gillow J. Gillow, A literary and biographical history of English Catholics, London, 1885, 5 vol.
Goethals Lectures relatives à l'histoire des sciences, des arts ... en Belgique..., Bruxelles, 1837, 4 vol.
Gr. Chartr. Grande Chartreuse
HB Bijdragen tot de geschiedenis van het bisdom Haarlem, ook Haarlemsche Bijdragen
Her kartuizerklooster te Herne of dorp Herne ; chartreuse d'Hérinnes ou village d'Hérinnes
HMGOG Handelingen der Maatschappij van Geschiedenis en Oudheidkunde te Gent
J. de Pas J. de Pas, Cartulaire de la chartreuse du Val-Sainte-Aldegonde, Saint-Omer, 1905
KBB Koninklijke Bibliotheek van België ; Bibliothèque Royale de Belgique
Kiel kartuizerklooster op 't Kiel (Antwerpen) ; chartreuse du Kiel (Anvers)
Lam E. Lamalle, Arnold Beeltsens et Jean Ammonius, Chronique de la chartreuse de la Chapelle à Hérinnes-lez-Enghien, Louvain, 1932
Lechat R. Lechat, Les réfugiés anglais dans les Pays-Bas espagnols, 1558-1603, Bruxelles, 1914
Li Liège, Luik (aussi bien la ville que la chartreuse ; zowel de stad als 't klooster)
Long J. Long, Notitia Cartusianorum Anglorum, BRB, n° 555-

556 (cat n° 4530)

Long angl	J. Long, Notitia Cartusianorum Anglorum, texte anglais, ms de la Grande Chartreuse
Lov	Lovanium, Leuven, Louvain (zowel de stad als 't klooster ; aussi bien la ville que le couvent)
l-r	laicus-redditus
m	mater, moeder, mère
MB	Monasticon Belge, textes parus (chartreuse du Mont-Saint-André à Chercq, t.I, p.481-488 ; chartreuse de Liège, t.III, p.489-526 ; chartreuse de Scheut, t.IV, p.1385-1427 ; chartreuse de Hérinnes, t.IV, p.1429-1456 ; chartreuse de Louvain, t.IV, p.1457-1494)
MB Zel	Monasticon Belge, notice de la chartreuse de Zelem, à paraître/te verschijnen.
Mem	A short Memorandum of some things appertaining to the Chronicles of the English Carthusians of Newport, ms. du Couvent Anglais "Nazareth" à Bruges/Brugge
mon	monachus
n	voetnoot, note
NBW	Nationaal Biografisch Woordenboek, Brussel, Paleis der Academiën, 5 delen, 1964-1972
NNBW	Nieuw Nederlandsch Biografisch Woordenboek, Leiden, 1911-1937, 10 d.
nob	nobilis, d'origine noble, van edele afkomst
nov	novice
OESA	Augustijn ; augustin
O.Carm	Karmeliet ; carme
O.Cist	Cisterciënser ; cistercien
OGE	Ons Geestelijk Erf
O.Praem	Premonstratenzer ; prémontré
OSB	Benediktijn ; bénédictin
OSCr	Kruisheer ; croisier
p	pater, vader, père
P	prior
PB	Palémon Bastin
philos	philosophia
prof	professus
presb	priester (meestal gevolgd door de datum van priesterwijding) ; prêtre (souvent suivi de la date de l'ordination)
presb sec	seculier priester ; prêtre séculier
proc	procurator
PSHAL	Publications de la Société d'Histoire et d'Archéologie du Limbourg
RAA	Rijksarchief Antwerpen ; Archives de l'Etat à Anvers
RABg	Rijksarchief Brugge ; Archives de l'Etat à Bruges
RAG	Rijksarchief Gent ; Archives de l'Etat à Gand
Raissius	A. Raissius, Origines Cartusiarum Belgii, Douai, 1632
RAR	Rijksarchief Ronse ; Archives de l'Etat à Renaix
relig	religiosus, religieus, religieux

RHE Revue d'Histoire Ecclésiastique

s saeculum, siècle, eeuw

SA kartuizerinnenklooster Sint-Anna-ter-Woestijne bij Brugge ; monastère des moniales Sainte-Anne lez Bruges

sac sacrista, sacristain, koster

sacris Erud Sacris Erudiri

Sch kartuizerklooster te Scheut ; chartreuse de Scheut

Sch Bg H.J.J. Scholtens, Het kartuizerklooster Dal van Gracien buiten Brugge, in, Handelingen van het Genootschap Société d'Emulation te Brugge, 83, 1947, 3-71

Sch LN H.J.J. Scholtens, De literaire nalatenschap van de kartuizers in de Nederlanden, in, Ons Geestelijk Erf, 25, 1951, 9-43

Sheen kartuizerklooster "Sheen Anglorum" te Nieuwpoort ; chartreuse "Sheen Anglorum" à Nieuport

S.J. Jezuïet ; jésuite

sr senior

SSM kartuizerklooster Sint-Martens-Bosch te Sint-Martens-Lierde ; chartreuse du Bois-Saint-Martin à Lierde-Saint-Martin

subd subdiaconus

theol theologia

Torn Tournai (ville) ou Chercq (chartreuse) ; Doornik-stad of kartuis van Chercq

trad traducteur, vertaler

Univ Universiteit, Université

v verso

Van Bavegem J. Van Bavegem, Het martelaarsboek of heldhaftig gedrag der Belgische geestelijkheid ten tijde der Fransche Omwenteling, Gent, 1875

VdM Bijl V J. Vandemeulebroucke, De kartuis "Genadedal" te Sint-Kruis bij Brugge (1318-1580), proefschrift KUL, 1965. Bijlage V p.259-274

VG Valère Gaublomme, Necrologie van de kartuize Sint-Martens-Bos te Sint-Martens-Lierde, in, Land van Aalst, 9, 1957, 133-216

vic vicarius

vis visitator

Vrancken J. Vrancken, Het oude Zelem, overdruk uit "Eigen Schoon en De Brabander" s.l., s.d.

Wal 4051 Petrus de Wal, Miscellanea Historiae Carthusiensis, ms 4051-4068 (KBB/BRB)

Wal 7043, 7044, 7047, 7048 Petrus de Wal, Collectaneum rerum gestarum et eventuum cartusiae Bruxellensis, ms 7043-7048 (KBB/BRB) resp vol I, vol II, vol III, vol IV.

Zel kartuizerklooster te Zelem ; chartreuse de Zelem

geboren ; né

gestorven ; décédé

of ; tussen / ou ; entre ; staat ook tussen vertalingen ; se trouve aussi entre les traductions

-	tot / jusqu'à
?	twijfel / doute
*	twijfelachtig geval / cas douteux (voor het nummer / devant le numéro)
a.	voor / avant
p.	na / après
&	en / et
±	ongeveer / environ

1 ABRAHAM + nov Zel 1558

PB Zel.

2 ABRAHAM don Zel ; +1637

PB Zel.

3 ABRAHAM Ellis °Lancashire ; conv Sheen a.1608 ; +1620 Paular ; aut ; trad

Long angl, 174, 240, 251, 252

4 ABRAHAM Smeyers °Eindhout ; prof Sch 10.2.1684/1688 ; sac 2.2. 1697 - +20.10.1704

Wal 7043, 15, 20v

5 ABSALON (van) Craeyenwerve (Biervliet) ° Biervliet ; conv Her 17.1.1478 ; Delft 1484-1497 ; +Her 29.3.1504.

Wal 7043, 128 ; MB 1444 ; Lam 115-117

6 ADAM prof Abbeville ; initiator Li (id 7 ?)

MB 497

7 ADAM prof Bg ; +21.7.a.1553 (id 6 ?)

Flandre III 331

8 ADAM Lupi après + épouse/na + echtgenote, prof Her ; +29.11. 1390

Lam 19

9 ADAM Millinc (Milinc, Nullinc) prof Bg ; +29.4.1467

PB Bg ; Flandre III 320

10 ADAM Taylour don Sheen ; +29.4.1665

Long angl, 240

11 ADOLPHUS conv Her ; +1410

PB Her

12 ADOLPHUS Cottereau (Coutereau) °p : Robertus, nob, m : Margaretha Herdincx, Bruxelles ; prof Sch 5.2.1492 ;

+30.5.1527 (oncle abbé d'Affligem ; oom abt Affligem)

Wal 7043, 16, 112v, 115v ; 7044, 21v, 22 ; MB 1403 n12, 1404, 1406

13 ADOLPHUS (van) Essen °nob ; Univ Köln ; prof Trier ; P 1409-1415 ; 2° prof Li 1434 ; +1439 ; aut.

MB 503 n14 ; Sch LN, 17

14 ADRIANUS prof S.Sofie ; Her 1503

Lam 127

15 ADRIANUS conv Kiel ; +1504

PB Kiel

16 ADRIANUS conv Kiel ; +27.7.1523

PB Kiel ; BMHG (1)

17 ADRIANUS prof SSM ; +Beaune 14.7.1531

PB SSM

18 ADRIANUS don Kiel ; +1547

PB Kiel

19 ADRIANUS 1-r Lier ; +1564

PB Kiel

20 ADRIANUS don Bg ; Sch 1585 ; Lov

Wal 7044, 164

21 ADRIANUS (de) Atrio (Anio) prof Gand ; +1504

Wal 4051, 132v

---

(1) Indien er geen andere datum aangegeven is, zie in dit artikel op de aangegeven overlijdensdatum.
S'il n'y a pas d'autre date indiquée, voyez à la date du décès, dans cet article.

22 ADRIANUS (van) Bauwel (Bauvel, Baurel) don Lier ; +1732

PB Kiel

23 ADRIANUS Boodt (Boet) ° Bg ; prof Lov 1511 ; +19.4.1514

MB 1473, PB Lov

24 ADRIANUS (van) Bree don Her ; +1733

PB Her

25 ADRIANUS (van) Brouwershaven (Stredamius ?) °Schiedam ; prof Delft ; 1496 proc Lov ; P Delft 1511-1514 ; 2°prof Hollandiae ; proc ; +18.4.1541 ; cop

MB 1463, 1470 ; Sch BB 18, 99

26 ADRIANUS Buyckx (Buyx, Beryckx, Luyckx) °Opvelp/Velp ; prof Her ; proc a.1624 ; proc S.Sofie 1624 ; proc Her 1632 ; P Zel ?.5.1632-1635 ; P SSM 5.7.1635-1.6. 1640 ; P Gand 1640-1642 ; P Her 1642-+30.10.1654 ; conv.

RAG ; RAR 12,41,42 ; Wal 7048, 80v ; Lam 189 ; VG 187

27 ADRIANUS Capellane (Keppel) °Bg ; prof Bg ; Zel ; Sch 1459 ; Gosnay 1460 ; +Bg 1475 ; cop

PB Bg ; VdM Bijl V

28 ADRIANUS (Andreas) Cools (Coelz) prof Bg ; sac 1558-1564 & 1573-1576 ; vic 1577-+1594

RABgDéc257 ; ch ; Oud KA 271, 272, 273, 275, 277

29 ADRIANUS Coopman conv Bg ; +28.11.1528

PB Bg ; Flandre III 356

30 ADRIANUS Cosijns (Cousin) don Her 1585 ; +1616

PB Her ; Lam 187 ; MB 1448

31 ADRIANUS (de) Creese (Creise) don Gand ; +1665 (idem 58 ?)

PB Gand

32 ADRIANUS (vanden) Cruyce (a Cruce, de Reppelmunda) ° Ruppelmonde ; prof Hollandiae ; vic SA ?.5.1499-1513 ;

P Kampen 1513-+25.11.1517

PB SA ; BMHG ; Sch, BB 18 , 87

33 ADRIANUS (vanden) Damme don SSM ; +1534

PB SSM

34 ADRIANUS (vanden) Dorpe (Dorpius) ° Ninove ; prof Her ; a.1580 proc Tückelhausen ; proc Erfurt ; 1580 rector Her; 1599 P Arnhem (résidence/verblijf Li) ; P Her 1599 -1609 ; vic 1609-+1620 ; conv. 1590-1591 & 1602-1610.

Wal 7044, 150 ; RAG ; Lam 14, 186-187, 217, 219 ; MB 1447

35 ADRIANUS Gaudeaboys don Sch ; +1.3.1590

Wal 7043, 18v ; 7044, 181

36 ADRIANUS (van) Hecke prof Gand ; +1533

PB Gand

37 ADRIANUS (de) Hertre prof SSM ; +vic 1507

PB SSM

38 ADRIANUS (vander) Hoenen (Hoven) °Lov ; prof Sch 6.10.1526 ; +20.2.1539

Wal 7043,17 ; 7044, 49v

39 ADRIANUS Kellenberch (Kellemberg) prof Lier a.1614 ; proc SSM 1616-1627 ; proc Lier 1627 ; +vic 1630

RAR 12, 40 ; Wal 7047, 145 ; 7048, 130v ; PB Kiel

40 ADRIANUS (van) Laren °An ; don Sch ; +16.2.1533

WAl 7043, 18v ; 7044, 37

41 ADRIANUS (de) Lessines (Lessinia, Lessivia) prof Kiel ; +19.4. 1524

PB Kiel

42 ADRIANUS (de) Man prof Lier ; +1704

PB Kiel

43 ADRIANUS Mathijs don Bg ; +?.10.1583

RABg, Oud KA 276

44 ADRIANUS (de) Metz (Mortz) don Gand a.1490 ; +1506

Wal 4051, 134 ; PB Gand

45 ADRIANUS Monet (Hollandinus) Univ ; prof Hollandiae ; P Li 1403-1409/1410 ; +19.12.1411 ; aut

MB 493, 502 ; Sch LN, 13 ; Ephem IV 537

46 ADRIANUS Mosselman prof Zel ; +proc 1515

PB Zel

47 ADRIANUS Noteboom prof Her ±1529 ; proc1534 ; +vic 15.2.1540 ; cop

PB Her ; Lam 212 ; MB 1433

48 ADRIANUS Pistor (Pistoir) don Lier ; +1706

PB Kiel

49 ADRIANUS Reynaerdt (Rayert, Reynert) prof Bg ; vic ; sac ; proc 1514, 1519-1522 ; +19.2.1523

RABg, ch ; RAA FK Lier 22 ; Flandre III 309 ; PB Bg

50 ADRIANUS (van) Roy (Roye) °Forest ; prof Lov 1659 ; vic 1675 ; +antiq 1705

RABg, Oud KA, 338 ; PB Lov ; MB 1486 n4

51 ADRIANUS (de) Ruytere don Her 5.2.1490 ; +23.6.1502 (oncle de/ oom van 52)

Lam 92, 112

52 ADRIANUS (de) Ruytere don Her ±1517 ; +1557 (neveu de / neef van 51)

PB Her ; Lam 141

53 ADRIANUS Savoye (Sanoge) don SSM ; +1677

PB SSM

54 ADRIANUS (vander) Schuere (Scuren, de Horreo) prof Gand ; proc 27.3.1474 ; +15.7.1495

Wal 4051, 132, 133v ; RAG ch 154 ; RAG B 1288(122) ; PB Gand

55 ADRIANUS Storm (Naeldenwyck, Sterim) °p : Gulielmus ; prof Utrecht ; vic SA 1457-1468 ; P Utrecht 1470-+28.8.1473

Wal 7043, 86v ; PB SA ; d'Ydew 182 ; AAU, 71, 1952, 123 ; Ephem III 154

56 ADRIANUS Suys (Suis) °'s Hertogenbosch ; prof Lov 1652 ; proc SA 1664-1666 ; Bg 1666-1668 ; +vic Lov 1682

RABg, Oud KA 282, 316 ; PB Lov ; MB 1486

57 ADRIANUS (vander) Syck don Her ; +1689

PB Her

58 ADRIANUS (de) Ursele (Ursche, Urcele) don Gand ; +1664 (idem 31 ?)

PB Gand

59 ADRIANUS Varvilen (?) prof Bg (?) ; Kiel (?), Bg (?) 1536

RABg, ch

60 ADRIANUS Wouters don Lier ; +1677

PB Kiel

61 ADRIANUS-JOSEPHUS Lanen °?.1.1753 ; prof An ; 1783 An

CR 139

62 ADRIANUS-PHILIPPUS (de) Reumes °Nivelles 15.10.1668 ; prof Torn 27.11.1689 ; preb 1693 ; sac 1709-1721 ; vic 1721-1725 ; sac 1734 ; +16.3.1752 ; aut

Desmons 144, 151 ; MB 488

63 AGATHANGELUS Leclercq (le Clercq) °Dionysius ; p : Hermes, dr. med ; 8.8.1574, Torn ; prof Gr.Chartr. 6.10.1609 ; P Torn 1615-1637 ; P Gand 1637-1640 ; P Sch ?.2.

1640-+1.12.1651 ; conv Picardiae 1630-1631 ; vis 1631-1637 ; vis Teutoniae 1637-+

Wal 7043, 3 ; RAG ; PB Gand ; MB 485 ; MB 1419 ; Desmons 101, 142

64 ALARDUS Bélin P Torn 1391, 1400 ; + Gosnay 14.5./ 28.5.?

Desmons 125 ; MB 484

65 ALARDUS (van) Caelberghe (Caelenberg, Colemberg) prof SSM a. 1418 ; +1460

RAG F Ghellinck. 31 ; PB SSM ; VG 163

66 ALARDUS Haecke prof Kiel ; +13.11.1430

PB Kiel

67 ALARDUS (van) Schoonhoven (Scoenhovia) O.Cist. ; prof Her ± 1428 ; +28.5.1468

Wal 7043, 78v ; Lam 22, 67 ; BMHG

68 ALARDUS (de) Smet conv Her 1390/1407 ; +Her 7.10.1434

Lam 21, 52

69 ALBERGATI (de) Behault prof ? ; Bg 1763 ; sac 1764-1765 (id. 312 ?)

RABg, Oud KA 292

70 ALBERTUS Buer (Burem, l'buer) Univ. Köln 1389-1398 ; prof Arnhem;p Utrecht1411(?)-1414;P Roermond;P Utrecht1421-1426;P Arnhem 1426/27-1430?;1431Gand;P Basel1432-+ 6.7.1439

Wal 4051, 131v ; BMHG ; PSHAL 76, 1940, 101

71 ALBERTUS (ten) Ham °Gemert ; prof Sch 20.2.1684 ; Sch 1728

Wal 7043, 20v ; MB 1421, 1423

72 ALBERTUS Harlemans (Teuto) prof Zel ; vic ; P Regensburg 1573 -+8.12.1575 ; aut

PB Zel

73 ALBERTUS Kivet °nob ; Arnhem ± 1368 ; prof Arnhem ± 1389 ; initiator Amsterdam 1393-1418 ; initiator Wesel ;

+1449 ; aut

Wal 4051, 21-33, 250-252 ; Sch, LN 36

74 ALBERTUS (de) Loze prof Mont-Dieu ; P Her 1409-1411 ; +19.4.
1413 Mont-Dieu

Lam 12, 38, 40, 138 ; Ann VI, 441

75 ALBERTUS (de) Lubeca don Lov 3.7.1513 ; +1544

Wal 7043, 146 ; PB Lov

76 ALBERTUS (de) Schieter nov Bg 1706-1707

RABg, oud KA 286, 301

77 ALBERTUS-LAURENTIUS Bauduin °?.8.1733 ; prof Torn ; Torn 1783 ;
+1.4.1792

CR 139

78 ALBINUS don Lov +1625

PB Lov

79 ALEXANDER nov (?) Sheen 1659 (id 85 ?)

RAG

80 ALEXANDER Backaert °Pierre-Joseph, Denderhoutem, ?.10.1746 ;
prof SSM 12.7.1766 ; presb 1769 ; sac 1769-1773 ;
proc 1774-1783

RAR 12, 52, 53, 60 ; CR 139, 423

81 ALEXANDER Chalain (Calant) prof Scotiae ; 2° prof Bg ; +1569

PB Bg

82 ALEXANDER Coole °Bruxelles ; don Sch 9.8.1654 ; +19.4.1660

Wal 7043, 24v

83 ALEXANDER Frederick prof Lier ; proc ; P An 1.7.1735-1750 ;
+coa Lier 1759

PB Kiel

84 ALEXANDER Ivy conv Sheen ; +26.10.1620

Long angl 239

85 ALEXANDER Norris prof Sheen 1627 ; coa 26.1.1663 (id 79 ?)

Long angl 234

86 ALEXANDER Palinck prof Bg ; proc 1547-1550 ; proc SA 1551-22. 7.1555 ;P Bg1555-1558 ; sr 1558-1560 ; proc 1561 ; sr 1569-1575 ; P 1575-1576 ; P Kampen 1576-+17.3. 1579

RABg Déc 257 ; ch ; acq 1064 ; oud KA 271, 272, 274, 306, 324 ; PB Bg ; Sch, Bg, 60-61 ; Ephem I 343

87 ALEXANDER (de) Travers prof Sch 14.2.1752 ; proc 1760 ; vic ; rector SSM 5.10.1761-1762 ; P 1762-+5.8.1770

Wal 7043, 12v, 14, 20v ; RAR 12, 13, 15, 37, 52, 60 ; VG 202

88 ALEXIS Calbert (Walbert) °Torn 1640 ; prof Torn ; coa 1672 ; P 1676-87;+ coa Douai 10.4.1692

Desmons 143 ; MB 487

89 ALEXIS Dorchy prof Valenciennes ; proc ; proc Torn 1722 ; proc Douai

Desmons 150

90 ALOYSIUS Blevin °Lancaster ; prof Sheen 3.5.1730 ; proc 1753 ; vic ; +18.12.1761

Long angl 229, 230, 237

91 ALOYSIUS Gosuin prof Li ; proc ; coa ; P 1678-1682

RABg Oud KA 338 ; MB 517

92 ALPHONSUS Garritte °Joannes-Josephus, Steenkerque 1750 ; prof Sch 1.10.1772 ; proc 1781-1783 ; +3.4.1785

Wal 7043, 14, 21 ; CR 139 ; MB 1425

93 AMANDUS Amelen (Lapacida) Univ Paris ;conv Sch 10.10.1477 ; +18.5.1496

Wal 7043, 16, 30, 92, 116

94 AMANDUS Claes don Her ; +1718

PB Her

95 AMANDUS Denis (Denys) don SA ; An ; SSM 1679 ? ; +1682

RAR 46 ; PB SSM ; d'Ydew 223, 227

96 AMANDUS (vander) Meulen prof Lier ; +1715

PB Kiel

97 AMANDUS Opdenbergh °Stephanus, Bruxelles, 4.2.1729 ; prof Bg 15.12.1749 ; vic SSM 1760-1763 ; Lov 1763 ; proc Zel 1768 ; proc SA 12.4.1772-1783 ; +18.9.1783

RABg Oud KA 323 ; RAR 52, 60 ; CR 139, 353 ; PB Bg ; MB Zel

98 AMANDUS Servaes °Sint-Amands ; prof SSM 1728 ; proc 1737-15.6. 1745 ; P Her 15.6.1745-10.6.1752 ; P SSM 10.6.1752- +14.12.1757/4.1.1758

RAR 12, 13, 50, 51, 52, 59, 60 ; Lam 192 ; MB 1453

99 ALMERIC (Hemericus) (van) Brussel prof Lov 1506 ; +1547

PB Lov ; MB 1473 n9

100 ANANIAS (van) Solthen prof Valenciennes ; proc Sch 1694 ; vic SA 1709-1711 ; +Sch 1727

Wal 7043, 14 ; PB SA ; d'Ydew 295

101 ANDREAS cl-r Gand XV° s.

Wal 4051, 134

102 ANDREAS don Kiel ; +1502

PB Kiel

103 ANDREAS don Zel ; +1571

PB Zel

104 ANDREAS prof Bg ; +Tückelhausen 1581

PB Bg

105 ANDREAS Andriesz. ° Amsterdam ; prof Lov 1505 ; +1545 ; aut

PB Lov ; MB 1473 ; HB,48,1932, 346

106 ANDREAS (de) Baviere (Bacciere, Baniere, Bauvre) prof Gand ± 1668 ; 1673 Roermond ; proc Gand 1680-1684 ; +1707

RABg Oud KA 338 ; RAG ; PB Gand

107 ANDREAS Bonne prof Bg 14.9.1728 ; presb 1730 ; SSM 1744, 1745; +Bg 17.12.1745

RAR 51, 52 ; RABg Oud KA 288 ; PB Bg ; Flandre III 359

ANDREAS Cools 28

108 ANDREAS Cordonnier °Bartholomeus, Lille, 1598 ; O.Carm. ; prof Torn ±1622 ; Lille 1643-1647 ; Torn 1647-+4.11. 1671

Desmons 101, 148

109 ANDREAS (Joannes) Deens (Damis, Vens) prof Bg a.1561 ; sac 1565-1567 ; +2.6.1574

RABg Oud KA 272, 273 ; PB Bg ; Flandre III 324

110 ANDREAS (van) Doornik prof Her 1454 ; initiator Delft 1470 ; 2°prof Sch 23.4.1479 ; Zierikzee 1480-1483 ; Her 1483-1486 ; Hollandiae / Arnhem 1486-1488 ; +Her 15.2.1507 ; cop (frère de/broer van 2547)

Wal 7043, 16, 96, 132v ; PB Her ; HB, 49, 1932, 328, 331 ; MB 1433

111 ANDREAS Fiefvet °Lucas-Carolus, Flobecq, ?.10.1730 ; prof Torn 6.10.1755 ; 1783 Gand ; +1801 Gand

RAG ; CR 139 ; Desmons 119, 122

112 ANDREAS Gevens °Balen ; don Sch 4.7.1669 ; +20.5.1723

Wal 7043, 24v

113 ANDREAS Henrici conv Gand ; +1511

Wal 4051, 134 ; PB Gand

114 ANDREAS (Arnoldus) (van) Hulst P Torn 1418, 1419, 1420 ; +2.3. ?

Desmons 127

115 ANDREAS Jacobz   prof SSM ; proc 1650-20.6.1661 ; vic Bg 20.6. 1661 ; P 1.7.1661-1663 ; SSM 1664 ; +antiq 1679

RAR 43, 44, 45, 46 ; RABg Oud KA 281, 338 ; PB Bg

116 ANDREAS (van) Langenhoven   °Balduinus, Bruxelles ; prof Sch 30.11.1680 ; proc 1714-1716 ; P Bg 1716-1718 ; P Lov 1718-1722 ; proc An ; +Sch 22.9.1729

RABg Oud KA 287 ; PB Bg ; MB 1421 ; MB 1489

117 ANDREAS (van) Langenhoven   prof Her ; +23.1.1679

PB Her ; RABg Oud KA 338

118 ANDREAS Limbourg   prof Li ±1728 ; P ?.4.1755, 21.3.1763

A.Ev.Li 1729-94 ; MB 523

119 ANDREAS Lindt (Lintz)   °Bruxelles ; prof Lov 1605/1606 ; SSM 1625-1632 ; proc Bourgfontaine 1632 ; +1648 Auray

Wal 7048, 17v, 194 ; PB Lov ; MB 1482

120 ANDREAS Loemens (Lemuel, Lommet, Louneg, Leonidansen)   prof Zel ; Astheim (?) 1574 ; +proc Würzburg 1585

Wal 7044, 135v ; PB Zel

121 ANDREAS Loens   °?.10.1755 ; prof Her ; 1783 Her

CR 139

122 ANDREAS Loodt   °Hulst ; prof Lov 24.4.1560 ; diac 1560 ; proc 1561 ; vic ; vic Gand ; proc 1567 ; P Her 1567-1570 ; P Arnhem 1570-1592 ; +Köln 3.9.1592

Wal 7044, 114 ; 7047, 11 ; PB Lov ; MB 1446 ; MB 1478 ; AAU 56, 1932, 70-78 ; AAU 72, 1953, 122 ; Ephem III 178

123 ANDREAS (vander) Meeren   °Bruxelles ; conv Sch 21.8.1613 ; Bg 1629 ; +12.10.1653

Wal 7043, 24 ; RABg ch ; PB Bg

124 ANDREAS Paul   P Li 1694-1700 ; +15.5.1720

MB 520

125 ANDREAS (du) Pret °Joannes-Franciscus ; p : Maximilianus, 5.1.1663, Torn ; prof Torn 2.10.1683 ; vic ; coa mon Gosnay ; coa Douai ; P Torn 20.12.1720-1731 ; +24.10.1739

Desmons 144 ; MB 488

126 ANDREAS Sellier prof Li 14.12.1777 ; diac 18.9.1779 ; 1793 Li

A.Ev.Li 1729-94 ; MB 525

127 ANDREAS Vrancke (Uranque, Branc) prof SSM a.1566 ; +Torn 1588

RAR 54 : PB SSM

128 ANDREAS (d') Werdena prof Gand XV° s

Wal 4051, 131v

129 ANDREAS Wouters prof Zel ; sac 1628 ; vic 1646-+1665

PB Zel ; MB Zel

130 ANDREAS (de) Zuttere don Gand ; +1532

PB Gand

131 ANGELUS don Lov +1634

PB Lov

132 ANGELUS Schotte °Joannes, Bruxelles ; prof Sch 24.4.1633 ; + coa Lier 1659-±1662 ; trad

RABg Oud KA 338 ; PB Lier ; Sacris Erudiri, 16, 1965, 482 ; MB 1388 n6, 1419 n12 ; BN, 21, 815-816

133 ANTHELMUS Binon prof An ; +1765

PB BD

134 ANTHELMUS (van den) Bosch (vanden Bossche) °Petrus, An, 13.4. 1748 ; prof Bg 23.12.1770 ; sac 1773-1775 ; vic 1776 ; proc 30.4.1777-1779 ; Zel 27.9.1779-?.3. 1783 ; 1783 Bg déporté et détenu à l'île de Ré/gedeporteerd en gedetineerd op het eiland Ré 3.2. - 1799-19.2.1800 ; +Bg 1832

RABg Oud KA 145, 292, 301 ; CR 139, 354 ; PB Bg

135 ANTHELMUS Bosmans prof Zel a.1714 ; vic SA 1728-1737 ; P Gand 1737-+1739

RAG ; PB Zel ; MB Zel ; d'Ydew 295

136 ANTHELMUS Brabant don Her ; +9.4.1698

PB Her

137 ANTHELMUS Braempit don Gand ; +1679

PB Gand

138 ANTHELMUS Braemt °Gand ; prof Sch 11.11.1665 ; +8.12.1669

Wal 7043, 20

139 ANTHELMUS Charpentier prof Torn ; proc mon Gosnay 1658 ; coa 1658 ; +Gosnay 1664

Desmons 148; ms Sélignac

140 ANTHELMUS Coesquens don Zel; +1714

PB Zel

141 ANTHELMUS Cottel prof Lier ; vic SA 1663-1667 ; proc Bg ; vic ; P 1673-1677 ; Zel 1677 ; P 1679-+22.7.1688

RABg Oud KA 282, 283, 338 ; RAA FK Lier 22 ; d'Ydew 222

141a ANTHELMUS Counet prof Roermond ; 1672 Li ; 1673 Gand ; 1674 Roermond

RABg Oud KA 338

142 ANTHELMUS (van) Cutssum °Anderlecht ; don Sch 1669 ; +19.2. 1700

Wal 7043, 24v

143 ANTHELMUS (van) Dickele °Arnoldus-Franciscus, ?.11.1743, Zottegem ; prof SSM 5.4.1767 ; SSM 1783

CR 139, 423

144 ANTHELMUS Durieux °Joannes-Baptista, ?.1.1750, Torn ; prof Torn 12.2.1775 ; Torn 1783 ; +1801

CR 139 ; Desmons 129

145 ANTHELMUS Ghelcke prof Gand ; +vic 1674

PB Gand

146 ANTHELMUS Hody (Gody) prof Zel ±1766 ; presb 14.3.1767 ; sac Bg 1770 ; 1794 Zel

A.Ev.Li 1729-94 ; RABg Oud KA 292 ; MB Zel

147 ANTHELMUS Laurens don Lov ; +1699

PB Lov

148 ANTHELMUS (van) Melle prof Gand a.1750 ; +antiq 1765

RAG ; PB Gand

149 ANTHELMUS (van) Mulders (Muylders) °Egidius, ?.7.1730 ; prof Her ; proc Her 1783 ; +11.5.1787

CR 139 ; PB Her ; MB 1455

150 ANTHELMUS Pierre °Incourt ; prof Lov 1708 ; +1743

PB Lov ; MB 1488 n9

151 ANTHELMUS (van der) Plancken prof SSM 1655 (?) ; vic Lier 1659 ; vic Bg 1662-+1663

RAR 44 ; RABg Oud KA 281 ; PB Bg

152 ANTHELMUS Queremans don Bg ±17.11.1640 ; +1667

RABg ; PB Bg

153 ANTHELMUS (van den) Rede (Ode) don SSM ; +1669

PB SSM

154 ANTHELMUS Schoonheyt prof Her ; vic SSM 1700-1702 ; proc SA 1707 ; +coa Her 1723

RAR 53 ; RABg Déc 326 ; PB Her

155 ANTHELMUS Schuermans °Judocus, Anderlecht, ?.10.1728 ; prof Sch 23.2.1755 ; sac SSM 27.3.1757-18.4.1759 ; vic Sch ?-1783

RAR 13, 52, 60 ; Wal 7043, 11v, 20v ; CR 139

156 ANTHELMUS Simons prof An ; +1679

PB BD

157 ANTHELMUS (de) Stoppelaer (Stropelaer, Stoplaer) prof SSM ; sac 1632-1636 ; +proc An 1653

RAR 41 ; PB BD

158 ANTHELMUS (van) Tongerloo prof An ; Li 1715 ; vic Bg 1715 ; + An 1726

RABg Oud KA 287 ; PB BD

159 ANTHELMUS (van der) Trappen prof SSM 1687 ; infirmarius 1703-1705 ; proc 1706-1732 & 1735-+16.6.1736

RAR 48, 49, 50, 51

160 ANTHELMUS (de) Veltere (Voldere) °Gualterus, p : Gualterus, Ieper ; prof Bg 1661 ; presb 1666 ; sac 1669-1673 ; vic 1674 ; 1678 Sch ; proc Bg 1685 ; vic SSM 1687-1689 ; P Bg 1692-1700 ; vic 1704-1706 ; vic Sheen 1707 (?) ; sr Bg 1708-1710 ; +1713

RABg Oud KA 281, 282, 284, 285, 286, 287, 338 ; Déc 326 ; RAA FK Lier 22 ; RAR 15, 48, 49 ; Long angl 232 ; PB Bg ; Flandre III 355 ; VG 195-196

161 ANTHELMUS Verfaille don Bg a.1710 ; proc 15.12.1716-10.2.1720; +24.5.1723

RAG ; RABg Oud KA 286, 287 ; RAR 13 ; Flandre III 323

162 ANTHELMUS (Gulielmus) Walraven (Walranus) °Bruxelles ; don Sch 22.9.1646 ; +1651

Wal 7043, 24 ; PB Sch

163 ANTHELMUS Wils (Vuys) don Zel ; +1695

PB Zel

164 ANTHELMUS (vanden) Zande (Sande, Leemen) °Johannes, p : Josephus, An ; magister artium ; prof Sch 6.8.1628 ; proc 1635-1663 ; P Gand 1665(?)-+14.9.1668 ; trad

Wal 7043, 14, 20 ; RAG B 1327 (99v), B 1288 (187v) ; Sacris Erudiri, 16, 1965, 482

165 ANTHELMUS (van) Zele (Danzele) prof Gand ; proc 1695-1706 ; proc Bg 1706-1710 ; proc Gand 1710-1712 ; +1713

RAG ; RAG B 1327 (109v) ; SAG FK 1, 2, 7, 11 ; RABg Déc

326 ; Oud KA 286 ; PB Gand

166 ANTONIUS don Gand +1578

PB Gand

167 ANTONIUS don SSM +1593

PB SSM

168 ANTONIUS don ; S.Sophie ; 1593 Lier

PB BD

169 ANTONIUS don Her ; 1620 Zel

Wal 7048, 17v

170 ANTONIUS don Lov ; +1626

PB Lov

171 ANTONIUS Anselmi don Kiel +1522

PB Kiel

172 ANTONIUS (de) Backer °Bruxelles ; prof Sch 19.5.1726 ; proc Sch ?.5.1731-3.6.1738 ; P SSM 1738-1744 ; P Sch 11.4.1744-+20.10.1762 ; vis 1750-+

Wal 7043, 14, 20v ; RAG ; RAR 12, 13, 52

173 ANTONIUS Beyns prof Bg ; +15.5.1506 ; cop

RAA FK Lier 22 ; PB Bg ; BMHG ; OGE, 47, 1973, 40-45

174 ANTONIUS Brabander don Bg a.22.3.1730 ; +±5.10.1769

RABg 288, 289, 292 ; PB Bg

175 ANTONIUS (vanden) Brande °Bruxelles ; prof Lov 1601 ; +apostata

MB 1482

176 ANTONIUS Bussaert (Butsaerde, Budsaerd, Brudsaerde, Brudsaert) °Munte ; prof Bg ; vic ; P Gand 1393 (1396 ?)-1401; proc ; P 1414-141? ; +16.12.1419 (?)

Wal 4051, 125, 125v, 131 ; RAG B 1288 (75v, 129), K9531

177 ANTONIUS Cater prof SA ; Zierikzee ; Sch 1562-1577 ; vic Zierikzee

Wal 7044, 99v, 141v

178 ANTONIUS Coppens °Heikruis, 1743 ; prof Gand 29.5.1776 ; 1783 Gand ; 1790-1792 Gand

CR 391 ; RAG

179 ANTONIUS Cras don An ; Bg 1672 ; Gand 1673 ; +1680An

RABg Oud KA 299, 338 ; PB BD

180 ANTONIUS Cuvelier prof Her ; Lier 1744 ; vic SSM 1744-45 ;+ Her1766

RAR 52 ; PB Her

181 ANTONIUS (van) Dickele prof Gand a.1602 (1584 ?) ; 1612 antiq ; +1616

RAG ; PB Gand

182 ANTONIUS (vander) Elst °Franciscus, Mechelen, 1721 ; prof SSM 3.4.1742 ; vic 1745 (?)-1748 ; proc 1748-50 ; vic An 1750- ? ; SSM 1761 ; coa 1776-1783 ; +15.10. 1785

RAR 51, 52, 53, 59 ; CR 139

183 ANTONIUS (vanden) Eynde (a Fine) prof Lier ; P 1571-1596 ; P Gand 1598-1601 ; vic Lier 1601-+21.10.1613

RAG ; Wal 7047, 104, 110, 111 ; PB Kiel

184 ANTONIUS (vanden) Eynde (a Fine) prof Lier ; +1646

PB Kiel

185 ANTONIUS Gaudemarii prof Portes ; P Vallon ; 2°prof Zel;+1421

PB Zel

186 ANTONIUS Hellin prof Lier ; sac SSM 1754-1757 ; Sch ; +Lier 1782

RAR 52, 60 ; PB Kiel

187 ANTONIUS (vanden) Houten (Haute) prof Gand a.1696 ; coa 1717

-1719 ; proc 1719-+1724

RAG ; SAG FK ; PB Gand

188 ANTONIUS Jacobi don Hollandiae ±1522 ; ± Li 1603

Wal 7047, 68

189 ANTONIUS Langhenhove prof Kiel ; +5.10.1524

PB Kiel

190 ANTONIUS Langworth prof Sheen a.1626 ; +9.4.1639

Long angl 234

191 ANTONIUS (du) Lieu (de Leeuw, de Lieu) prof SSM a.1636 ; Bg 1641-1643 ; vic SSM 1674-1662 ; vic Bg 1662-1664 ; vic SSM 1665-1666 ; proc 1667-1669 ; proc SA 1669-1674 ; coa 1674-+1680

RAR 12, 41, 43, 44, 45 ; RA Bg Oud KA 280, 281, 338 ; d'Ydew 227

192 ANTONIUS (le) Lièvre °Eustachius, ?.9.1732 ; prof An ; vic SSM 1763-1764 ; vic Bg 1770-1771 ; 1783 An

RAR 52 ; CR 139 ; RA Bg 292

193 ANTONIUS (de) Limon (Lemonius) prof Chercq a.1566 (?) ; vic 1585 ; +vic 12.7.1631

Wal 7044, 166 ; Desmons 148 ; MB 487 ; Ephem II 483

194 ANTONIUS Mare (Waeree, Maree) prof An ; vic Sheen 1670 (?)-1675 (?) ; vic Her ; coa ; proc Bg 1686 ; vic SSM 1698 ; +28.3.1700

RAR 49 ; Long angl 238 ; RABg Oud KA 284 ; PB BD

195 ANTONIUS Matthews °m : Anna d'Hulle, Nieuwpoort ; prof Sheen 21.9.1704 ; vic 1750-+16.12.1752

Long angl 229, 237

196 ANTONIUS (de) Mey prof SSM ; presb 1712 ; +Bg1720

RAR 50 ; PB Bg

197 ANTONIUS Moens °Lov ; prof Her 1457 ; presb 1461 ; +13.4.1503

cop

Lam 112-113 ; MB 1433

198 ANTONIUS (van) Munte prof Gand ; +30.3.? (XV° s)

WA1 4051, 131v

199 ANTONIUS Nailor prof Sheen ; Bg 1644-1645 ; +Sheen 9.4.1659

Long angl 234 ; RA Bg Oud KA 280

200 ANTONIUS Nimmegeers don Her ; +1749

PB Her

201 ANTONIUS (de) Potere don Gand ; +1636

PB Gand

202 ANTONIUS (vander) Riet prof Gand ; proc 1660, 1663 ; +1673

RAG ; RABg Oud KA 338 ; PB Gand

203 ANTONIUS (du) Rondeau prof Torn ; +1620

Ephem IV, 17 ; MB 487

204 ANTONIUS Roosendael prof Kiel ; SSM 1532 ; Arnhem 1532 ; S. Sofie 1533 ; +1535 Kiel

PB Kiel ; PB BD ; AAU, 72, 1953, 116

205 ANTONIUS Sienens don Zel ; +1789

PB Zel

206 ANTONIUS Tiery prof Valenciennes ; Gand 1571 ; Gosnay 1571

Wal 7044, 122v

207 ANTONIUS (le) Vaillant ° p : Gulielmus, seigneur de Wattripont, m : Anna de Heynain, Torn, 7.12.1665 ; prof Torn 27.4.1689 ; vic 1704 ; P Douai 7.4.1713-1717; +coa Torn 17.3.1725

Desmons 150

208 ANTONIUS Vivegnies prof Li ; P Bg ?.10.1727-?.12.1728 ; P Zel 1729-+?.5.1732

RABg Oud KA 288 ; PB Bg ; PB Zel

209 ANTONIUS (van) Vlesenbeek °m : Margareta de Bosco, Vlezembeek ; prof Sch 21.5.1509 ; sac 1516-1535 ; proc 1535-+29.6.1541

Wal 7043 11, 14v, 17, 135, 139, 158v ; MB 1406

210 ANTONIUS (de) Winghe (Winge) °Lov ; prof Lov 1519 ; +1539

PB Lov ; MB 1473

211 ANTONIUS (de) Witte °1711 ; prof Lier 1732 ; proc ; P 4.9.1749-1783 ; +15.2.1784

PB Kiel ; CR 139

212 ANTONIUS Ysenbaert (Hysenbaert, Isenbaert) °Petrus, Bruxelles 1720 ; prof Sch 3.5.1744 ; sac 10.5.1750-?.9.1772 ; 1783 Sch

Wal 7043 15, 20v ; CR 139 ; MB Sch 1425

213 ANTONIUS (van) Zichem prof Hollandiae ; vic Lier 1598 ; P S. Sofie 1598-1604 ; +vic Hollandiae 1610

PB BD ; Sch, BB 18, 117

214 ARBOLDUS prof Kiel 1449/1465 ; +23.11.1488

PB Kiel ; Bijdr. Gesch. 23, 1932, 143

ARMANDUS Longhé 251

215 ARNOLDUS prof Bg ; +1405

PB Bg

216 ARNOLDUS conv Zel ; +1479/1480

PB Zel

217 ARNOLDUS don Bg ; +1506

PB Bg

218 ARNOLDUS prof Zel ; +1558 proc Lier

PB Zel ; PB Kiel

219 ARNOLDUS (van) Aarschot (Anchot, Arichot) prof Lier a.1549 ; +antiq 1579

Wal 7044, 69v ; PB Kiel

220 ARNOLDUS Beeltrisens (Beeltsens) °Tollembeek ; élève de/ leerling van Simon Vlecoton (2619) ; univ Lov (?); prof Her 1457 ; presb 1460 ; vic 1483-+18.2.1490 ; aut ; cantor

Lam IX-XVII ; Sch, LN 38 ; MB 1431

221 ARNOLDUS Bellaerts conv Zel ; +1411

PB Zel ; AAU, 51, 1925, 123

222 ARNOLDUS Biels (Yels) °Diest ; prof Her ±1424 ; proc ; sac ; +sr 24.6.1463 ; cop

Lam 22, 64 ; PB Her ; MB 1433

223 ARNOLDUS Boxstael (Bockstal) prof SSM ; +vic 1547

PB SSM

224 ARNOLDUS Calck (Kalk, Kalkar, Calcar) °Kleef ; relig ; prof Sch 2.5.1468 ; sac 1470-1483 ; vic Lov 1502-1514 ; +Sch 31.7.1526 ; cop ; miniaturist/enlumineur

Wal 7043, 14v, 16, 75v ; 7044, 19

225 ARNOLDUS Campenioen prof Val-Saint-Pierre ; Her 1426 ; Val-Saint-Pierre 1426 ; +Her 30.6.1440 ; vic ; cop

Lam 55-56 ; MB 1433

226 ARNOLDUS (de) Culemborch prof SSM ; +1445 vic

PB SSM

227 ARNOLDUS Cupers (van Helmont) P SSM 1443-1449 ; P Kiel 1449-+21.12.1465

Wal 7043, 74 ; PB Kiel ; RAG F. Ghellinck 19

228 ARNOLDUS Delépine prof Torn ; +4.11.1532 vic mon Gosnay

Desmons 147

229 ARNOLDUS Dicvel prof Bg ; +4.12.a.1553

Flandre III 357

230 ARNOLDUS (van) Diepenbeek (Pembeke) prof Li 16.11.1542 ; vic; +6.5.1604

MB 510, 513 n9

231 ARNOLDUS (van) Diest prof Bg ; +21.12.a.1553

Flandre III 360

232 ARNOLDUS Duys prof Roermond ; +Li 26.5.1437

MB 504 n2

* ARNOLDUS Eligii 780

233 ARNOLDUS Gaethovius proc Zel 1610

MB Zel

234 ARNOLDUS (de) Geyter don Zel a.1650 ; +1676

PB Zel ; Vrancken 154

235 ARNOLDUS (de) Hast (Sasse) don SSM ; +1581

PB SSM

236 ARNOLDUS Havens °1540 's Hertogenbosch ; 10.4.1558 S.J. ; prof Lov 1586 ; proc 1588 ; P S.Sofie 1590-95 ; P Li 1595-96 ; P Lov 1596-98 ; P Li 1598-99 ; P Sch 1599-1601 ; Roermond 1601-1602 (?) ; Lov 1602 (?)-1603 (?) ; S.Sofie 1603-1604 ; P Gand 1604-+14.8. 1610 ; convis 1591-1596 ; vis 1596-1601 ; vis 1610 -+

Wal 7047 5, 75, 111, 179 ; RAG ; Goethals Lectures... III 117-121 ; MB Sch 1392, 1412 ; Ephem III 75 ; DSAM 88-89 ; NBW VI, 432-434

237 ARNOLDUS Henrard °Robertus, sculpteur/beeldhouwer ; ±1642 don (?) Li

MB 515

238 ARNOLDUS Herinck °Amsterdam ; prof SSM ; 2°prof SA ; vic SA 1448-1457 ; +SSM 16.2.1475

PB SA ; Ephem I 197 ; d'Ydew 104, 182

239 ARNOLDUS (van) 's Hertogenbosch presb sec ; nov Sch ; 1515 demissus

Wal 7043, 152v

240 ARNOLDUS Hoesselt don Li 15.2.1542

MB 510

241 ARNOLDUS Horion (Horrion) prof Zel ; vic 1670, +1688

MB Zel ; PB Zel

242 ARNOLDUS Hubert don Lier ; +1645

PB Kiel

ARNOLDUS (van) Hulst 114

243 ARNOLDUS Kaerman (Caerman, Carman) °Steenhuize ; magister artium Lov ; presb secul ; prof Her 1449 ; vic Sch 1456 ; P Her ?.9.1456-+12.2.1481 ; convis 1460 ; vis 1472-+

Wal 7043, 8v ; Lam passim ; MB 1442 ; Ephem I 174

244 ARNOLDUS (de) Keghel (Keguel) prof Li ; proc SSM 1611-1615 ; proc S.Sofie 1615-1621 ; proc Sch 1621-1627 ; P S. Sofie 1627-1638 ; proc Li 1638 ; +antiq 22.1.1656

Wal 7043, 14 ; 7047, 130, 145 ; 7048, 82v ; RAR 40 ; PB BD

245 ARNOLDUS Kerchofs °Eersel, ?.5.1734 ; prof Lov 1763 ; 1783 Lo

MB 1492 n3 ; CR 139

246 ARNOLDUS Legidis prof Zel ; +1482

PB Zel

247 ARNOLDUS (vander) Leiie prof Bg ; +17.1. a.1553

Flandre III 305

248 ARNOLDUS Letan (Retan) don An ; +1708

PB BD

249 ARNOLDUS (de) Lièvre don An ; +1746

PB BD

250 ARNOLDUS (vander) Linden (de Tilia) °Bruxelles ; prof Her 1537 ; vic 1554 ; vic Hollandiae ; proc ; P Her ?.7.1556-+8.1.1557

Wal 7044, 85 ; MB Her 1445

251 ARNOLDUS (Armandus) Longhé (Laonguet,Longhet) °Mons 27.2. 1620 ; prof Torn 1643 ; +proc 20.2.1692

Desmons 97, 101

252 ARNOLDUS (van) Luik (de Leodio, Ledio) prof Bg ; vic ; +sr 3. 9.1466

PB Bg ; Flandre III 338

253 ARNOLDUS (de) Mey (May) prof SSM ; +1544

PB SSM

254 ARNOLDUS Pauwels (de Monte, de Monte Sanctae Gertrudis) ° Geertruidenberg ; prof Her ; vic 1437 ; proc 1450-1461 ; +2.6.1474

Lam 22, 74 ; PB Her ; BMHG

255 ARNOLDUS Ruths (Niths) conv Kiel ; +1451

PB Kiel

256 ARNOLDUS Sleepstaf (Selepstat, Schepstrat) prof Kiel ; +30.7. 1404

PB Kiel

257 ARNOLDUS Stampion °Bruxelles ; clericus ; prof Her ?.5.1505 ; +13.9.1516

Wal 7043, 154v ; Lam 129-130 ; PB Her

258 ARNOLDUS (de) Taeye prof Gand ; Sheen 1597 ; +Gand 1611

RAG ; Wal 7047, 92 ; PB Sheen ; PB Gand

259 ARNOLDUS (van) Tienen (a Thenis) prof Hollandiae ± 1542 ; sac ; proc ; +Her 18.3.1595

Sch, BB 18, 116

260 ARNOLDUS (van) Tongeren prof Bg ; 1411 Bg

VdM Bijl V

261 ARNOLDUS (van) Utrecht (de Trajecto) prof Kiel ; +22.4.1447

PB Kiel ; BMHG

262 ARNOLDUS Vastaert (van Helmont) prof Kiel ; proc 1493 ; vic SA 1493-1497 ; P Kiel 1497-+31.5/1.6.1504 Val-Saint-Pierre

PB SA ; PB Kiel ; d'Ydew 182

263 ARNOLDUS Verdonck (Verdonech) prof Zel ; +vic 1714

PB Zel

264 ARNOLDUS Vindegoet don Bg ; +?.7.1471

VdM Bijl V

265 ARNOLDUS (van) Waenrode conv Zel ; Zel 1404, 1412

AAU, 51, 1925, 123

266 ARNOLDUS Winck prof Zel ±1485 ; +1535

PB Zel

267 ARNOLDUS (de) Winter don Lier ; 1675 Bg ; +1695 Lier

RABg Oud KA 283 ; PB Kiel

268 ARNUIDUS don Zel ; +1560

PB Zel

269 ARNULPHUS Goethals °Gand ; OSB ; prof Bg 1547 (?) ; +Bg ±1.12.1554 ; aut

RABg Déc 257 ; Oud KA 271 ; NBW II 256-259

270 ARTURUS Gilpin prof Sheen ; +18.9.1630

Long angl 234

271 AUGUSTINUS (van) Dore prof Her ; Bg 1627-1628 ; +antiq Her

1654

RABg Oud KA 279 ; PB Her

272 AUGUSTINUS (van de) Goor (Vandekoor) prof Zel ±1735 ; +1753

A.Ev.Li 1729-94 ; PB Zel ; MB Zel

273 AUGUSTINUS Huysmans °Balen ; prof Sch 28.8.1664 ; 1672 SSM ; 1673 Sch ; vic 1674-+13.9.1674

Wal 7043 11, 20 ; RABg Oud KA 338

274 AUGUSTINUS Mann °Yorkshire 22.6.1735 ; Univ London ; prof Sheen 13.10.1759 ; presb 20.9.1760 ; P 8.6.1764-5.7.1777 ; demissus ; +Pragues/Praag 23.2.1809 ; aut

RABg Oud KA 190 ; BN 13, 343-355

275 AUGUSTINUS (de) Quercu prof Gand 10.12.1466 ; +1499

Wal 4051, 132v, 133v ; PB Gand ; Ephem I 215

276 AUGUSTINUS (van den) Wijngaerde prof Gand a.1655 ; 1660 vic Gand ; 1660 Lov ; P Gand 1661-1665 ; vic Her 1666 ; P SSM 1669-1.7.1677 ; vic Sch 1682 ; +1688

Wal 7043, 11 ; RAG ; RAR 45, 46 ; PB Gand ; RABg Oud KA 338

277 BALDUINUS don Kiel ; +1534

PB Kiel

278 BALDUINUS don Kiel ; +1547

PB Kiel

279 BALDUINUS Crommelins (Cornelius) °p : Rogerius, m : Jacomina Dorpers, Kortrijk/Courtrai ; presb sec ; prof Gand 27.11.1492 ; +1521

RAG B1288 (66) ; Wal 4051, 132v, 133v ; PB Gand

280 BALDUINUS (de) Kueninc (Liriemine) conv SSM a.1471 ; +1479

RAR 1 (116v, 266)

281 BALTHAZAR Cameracensis (Cornelisz) prof Delft ; 1570 Gand

Wal 7044, 121

282 BALTHAZAR Phales prof Zel ; +vic 1735

PB Zel

283 BALTHAZAR Phales prof Lier ; vic ; sac (pendant 42 ans /gedurende 42 jaar) ; +1740

PB Kiel

284 BALTHAZAR (de) Torrente don SSM ; +1519

PB SSM

285 BALTHAZAR (de) Wolf °Dendermonde, 1599 ; prof Her ; proc 1633-?.3.1658 ; P ?.3.1658-+13.4.1669

Lam 16, 189 ; MB 1450

286 BALTHAZAR Wolffs °Lov ; prof Lov 1664 ; +proc 1696

PB Lov ; MB 1486 n4

287 BARNABAS (de) Bargas °Oostende ; prof Lov 1677 ; Bg 1682-1685 ; sac Lov ; vic ; proc ; P 1706-1712

PB Lov ; RABg Oud KA 284, 338 ; MB 1487, 1488

288 BARTHOLOMEUS prof Arnhem ; initiator Li 1360 ; +4.4.1374

MB 497, 500 n3

289 BARTHOLOMEUS prof Her ; +19.2.a.1390

Lam 17

290 BARTHOLOMEUS don Zel ; +1535

PB Zel

291 BARTHOLOMEUS prof Zel ; +1551

PB Zel

292 BARTHOLOMEUS (van) Bauthem don Bg ; +SSM 1642

PB SSM

293 BARTHOLOMEUS (van) Branteghem prof Gand ; sac Lov 16.1.149

1502 ; +vic Gand 8.3.1516

Wal 4051, 51, 132v ; MB 1468, 1470

294 BARTHOLOMEUS Burgon (Burgoyne) prof London ; 2°prof Bg ; +21.11.1550

PB Bg ; Flandre III, 355

295 BARTHOLOMEUS Clairbaut (Claerboth, Claerbots) °Wavre ; prof Lov 1619 ; +1655

Wal 7048, 95v ; PB Lov ; MB 1484

296 BARTHOLOMEUS Clautiers (Thonis) °m : Catharina Clautiers ; prof Her ±1370 ; Torn/Noyon ; proc Her 1382 ; P ?-1398 ; proc 1407 ; +vic 27.8.1427

Lam 38-39, 49-50, 183 ; MB 1439

297 BARTHOLOMEUS Cromwaghen (Cromvogen) °?.3.1744 ; prof Her ; Her 1783

CR 139

298 BARTHOLOMEUS Florence presb sec ; prof Sheen 1585/1596 ; proc 1599 ; +14.5.1607

Long angl 168, 233

299 BARTHOLOMEUS Hangemans conv Lier (?) ; +1639

PB Kiel

300 BARTHOLOMEUS Hoeselt conv Zel ; +1534

PB Zel

301 BARTHOLOMEUS Kellam conv Sheen a.1626 ; +15.3.1637

Long angl 181, 182, 240

302 BARTHOLOMEUS Mattheus conv Gand 1398

Wal 4051, 133v

303 BARTHOLOMEUS Olay (Olaye) °Evere ; don Sch 24.6.1629 ; +19.11.1630

Wal 7043, 24 ; 7048, 152

304 BARTHOLOMEUS (de) Spina prof Li ; vic ; proc ; sac ; +2.4.
1497

MB 507 n9

304a BARTHOLOMEUS Thone prof Li ± 1772 ; presb 5.6.1773

A.Ev.Li 1729-94

305 BARTHOLOMEUS (van) Wilsen prof Lov 1596 ; sac Bg 1598-
1601 ; vic 1602-1604 ; Lov ; proc S.Sofie ;
+1614 (apostata?)

RABg Oud Ka 277 ; MB Lov 1480

306 BARTHOLOMEUS-REGINALDUS Delbrouck prof Li ; proc ;
P 1667-1677 ; Mont-Dieu ; proc Li 1689 ; +26.11.
1702

MB 517, 518

307 BAVO (van) Hultem prof Gand ; 1672 Lier ; 1673 Gand ;
1678 Bg ; 1679 Lov ; 1696 Gand ; +1716

RAG ; RABg Oud Ka 338 ; PB Gand

308 BENEDICTUS prof Lier ; proc ; +1578

PB Kiel

309 BENEDICTUS prof Noyon ; SSM 1569

PB SSM

310 BENEDICTUS (de) Backer prof Her ± 1732 ; Gand 1756 ; sac
SSM 1759-13.3.1761 ; + Her 1782

RAR 52 ; PB Her

311 BENEDICTUS Baxter prof Sheen ; +17.8.1648

Long angl 235

312 BENEDICTUS (de) Behault prof Her ; +1768 (id 69?)

PB Her

313 BENEDICTUS (de) Biefve prof Sch 3.2.1753 ; vic SSM 1767-1768 ; proc Sch 1773-+?.5.1781

Wal 7043, 14, 20v ; RAR 52

314 BENEDICTUS Bontinck prof Gand ; + subd 1728

RAG ; PB Gand

315 BENEDICTUS (vanden) Brule (Brulé) prof Lier ; vic Bg 1762-1764 ; vic SA 19.9.1767-?.5.1773 ; 1783 Lier ; +6.8.1785

RABg Oud KA 292, 323 ; CR 139 ; d'Ydew 295 ; PB Kiel ; PB SA

316 BENEDICTUS (du) Can (Ducan) °Jacobus, ?.6.1754, Aalst ; prof SSM 2.7.1779 ; 1783 SSM

CR 139

316a BENEDICTUS Carmans prof Zel ±1791 ; presb 21.9.1793

A.Ev.Li 1729-94

17 BENEDICTUS Casmans prof Lier ; + antiq 1696

PB Kiel

18 BENEDICTUS Coucke °Carolus, ?.1.1744, Markegem ; prof Gand 8.7.1767 ; 1780 sac Lov ; 1783 Lov ; + 1794 (?)

RAG ; CR 139, 430

19 BENEDICTUS Deron °Johannes, ±1628, Torn ; prof Torn 1651 ; +P Douai 8.9.1689

Desmons 149

20 BENEDICTUS Ducx (Duck, Duex) prof An ; + diac 1683

PB BD

21 BENEDICTUS Germees (Germer, Germes, Germeesch, Vermeersch, van Germees, Wangermeys) prof SSM 1670 ; presb 1673 ; 1677 Lov ; 1678 Lier ; 1679 SSM ; 1682 Bg ; + SSM 1726

RAR 45, 46,48, 49, 50 ; PB SSM ; RABg Oud KA 338

322 BENEDICTUS (de) Haese (Dehaese) prof Gand ; vic SSM 1679-1683 ; + vic Gand 1694

RAR 46, 48 ; PB Gand

323 BENEDICTUS (van) Hecke don Bg 1733 ; +1760

RABg Oud KA 289 ; PB Bg

324 BENEDICTUS Huynen proc Bg 1713-5.8.1716 (id 334?)

RABg Oud KA 287

325 BENEDICTUS Jansens prof An ; + sac 1715

PB BD

326 BENEDICTUS (van) Langendonck °Lov ; prof Lov 1717 ; +1754

PB Lov ; MB 1489 n3

327 BENEDICTUS Maes prof Her ; vic Zel 1714 ; +vic Zel 1718

PB Zel ; MB Zel

328 BENEDICTUS Mathei °Petrus, Li ; prof Li 21.3.1624

MB 515 n6, 517 n8

329 BENEDICTUS (van) Mechelen prof Kiel ; + 1492

PB Kiel

330 BENEDICTUS Ryckx °Josephus-Jacobus, ?.11.1733, Veurne ; prof Torn 5.2.1757 ; 1783 Torn ; +16.6.1789

CR 139

331 BENEDICTUS (van) Schonselen (Schouselen) °Paschasius, 12.2.1741, Beveren-Waas ; prof Bg 28.11.1776 ; pres 25.2.1777 ; sac 1777-1783

RABg Oud KA 292 ; CR 139, 354

332 BENEDICTUS Talboom prof Gand ± 1698 ; diac 1701 ; proc 1722-1733 ; + sac 1737

RAG ; SAG ; PB Gand

333 BENEDICTUS 't Kindt ('t Kint) °Petrus-Franciscus, p : Albertus, m : Josine Maes, 8.4.1739, Aalst ; prof Lov 21.9.1760 ; proc SA 1769-?.4.1772 ; P Lov 21.3.1773-1783

RABg Oud KA 323 ; CR 139 ; PB Zel ; MB Lov 1491 n16, 1492

334 BENEDICTUS Troyens prof An ; +sac 1731 (id 324 ?)

PB BD

335 BENEDICTUS Vrancx (Vranz, Franc) prof SSM a.1648 ; vic Sheen 1659 ; +SSM 1668

RAR 43, 44 ; Long angl 227 ; PB SSM

336 BENEDICTUS Wicaert (de Wickart) °Carolus, Bruxelles ; prof Sch 29.6.1709 ; vic SA 1723-+31.1.1744

Wal 7043, 20v ; RAG ; d'Ydew 206, n3, 255

BERNARDINUS Cox 346

337 BERNARDUS °Emmerech ; prof Arnhem ; P Li 1388/1389-1403 ; P Utrecht 1403-1410 ; P Li 1410-+12.10.1417

MB Li 501, 502 ; AAU, 53, 1929, 319

338 BERNARDUS don Bg ; +1504

PB Bg

339 BERNARDUS (van den) Berghe °Jacobus-Leonardus, 16.7.1757, Kortrijk ; prof Bg 26.7.1781 ; Bg 1783

RABg Oud KA 292 ; CR 139, 354

340 BERNARDUS Billet °Gand ; prof Gand ; vic Bg 1718 ; P Lov 1734-1738 ; coa Gand 1738-+1743

RABg Oud KA 287 ; MB Lov 1490 ; PB Gand

341 BERNARDUS Block prof Lier ; P 1750-1773 ; +coa 1775 ; conv. 1766-1773

PB Kiel ; PB BD

342 BERNARDUS (van) Boterdael °Josephus, Bruxelles ; prof Sch 14.10.1709 ; sac 15.11.1720-12.6.1726 ; +15.4.1737

Wal 7043, 15, 20v

343 BERNARDUS Boucher °±1738, Valenciennes ; prof Torn 5.2.1757
1773 coa mon Gosnay

Desmons 122

344 BERNARDUS (de) Boudt prof SSM ±1653 ; presb 1655 ; Bg 1670-
1671 ; 1676 Lov ; 1677 Her ; + SSM 1679

RAR 43, 44, 45, 46 ; RABg Oud KA 282, 299, 338 ; PB SSM

345 BERNARDUS Briscoe prof Sheen 24.6.1727 ; + sac 27.12.1748

Long angl 237

346 BERNARDUS (Bernardinus) Cox (Boc, Boe) prof Zel ; sac 1670;
1678 Lier ; 1679 Sch ; + antiq Zel 1699

RABg Oud KA 338 ; PB Zel ; MB Zel

347 BERNARDUS Daels °Diest ; prof Lov 1717 ; + Sch 1740

PB Lov ; MB 1489 n3

348 BERNARDUS Dheine (d'Heyne, D'Heine) °p :Ludovicus, seigneur Leeuwergem, 3.3.1697 ; prof SSM ?.9.1717 ;
presb 21.6.1721 ; sac 1745-1752 ; sr 1754-1765 ;
+ antiq 1772

RAR 13, 15, 50, 51, 52, 60

349 BERNARDUS François °Leonardus-Josephus, ?.8.1744; Bruxelle
prof SSM 12.7.1766 ; 1783 SSM

RAR 53 ; CR 139, 423

350 BERNARDUS Frotijk (Scotyl, Feolyt, Scotis) prof Gand ; 168
Her ; + Gand 1716

RAG ; PB Her ; RABg Oud KA 338

351 BERNARDUS Gaillard °Jacobus, Bruxelles ; prof Sch 21.11.
1647 ; + coa 19.9.1676

Wal 7043, 20

352 BERNARDUS Garemyn (Garremyn, Garemin) prof Gand ; P Bg 7.

1730-1732 ; P Gand 29.11.1732-?.10.1737 ; Her ; SSM 1750-+3.2.1765

RAG ; RAR 52, 59, 60 ; RABg Oud KA 288 ; PB Her

353 BERNARDUS Geulsen don Lov ; + 1759

PB Lov

354 BERNARDUS Kesseleers (Hesselaers) °Itegem ; prof Lov 1760; + 1761

PB Lov ; MB 1491, n16

355 BERNARDUS Ketelaere (Retelaers) prof An ; + antiq 1720

PB BD

356 BERNARDUS Lhost °Perpetuus, Dinant ; prof Li 25.11.1620 ; vic ; + 1651

MB 515 n6, 517

357 BERNARDUS (Leonardus) Micheroux prof Li ± 1732 ; coa ; P Lov ?.5.1754-+3.11.1761

A.Ev.Li 1729-94 ; MB 1491 ; MB 523

358 BERNARDUS Morren prof SSM (?) ; vic 1764-15.8.1767 ; proc 1767-1774 ; 1793 An (id 1875?)

RAR 12, 15, 52

359 BERNARDUS d'Outtelair (d'Outellair) prof Torn ; sac Bg 1640-1643 ; vic 1644-1658 & 1667-1668 ; +1680

RABg Oud KA 280, 281, 282 ; PB Bg

360 BERNARDUS Peeters don Lov ; +1717

PB Lov

361 BERNARDUS Peremans (Peermans) prof Zel ; presb 21.12.1776 ; 1794 Zel

MB Zel ; A. Ev.Li 1729-94

362 BERNARDUS Pissoet °Michael, 1741, Laken ; prof Gand 20.8.

1766 ; 1783 Gand ; 1790-1792 Gand

RAG ; CR 391

362a BERNARDUS (de) Stockhem prof Li ; diac 11.6.1672

A.Ev.Li 1671-72

363 BERNARDUS Truyts °Bruxelles ; prof Sch 19.5.1757 : devint chan. rég. S.Augustin Coudenberg en 1768./Werd regul. kan. S.Augustinus op den Coudenberg in 1768.

Wal 7043, 21 ; MB 1424

364 BERNARDUS Verlinden prof Lier ; + sac 1682

PB Kiel

365 BERTINUS Oliver prof Sheen ; vic ; Bg 1621 ; + Gand 12.10. 1627

Wal 7048, 33v ; Long angl 227, 234

366 BERTRANDUS prof Paris ; initiator Li ; P 1360-+8.10.1360

MB 497, 498 ; Ephem III 521

367 BERTRANDUS don Zel ; +1581

PB Zel

368 BERTRANDUS Rolin °Li ; prof Li ; +6.1.1624

MB 515 n6

369 BONAVENTURA (vanden) Kerchove prof Gand ; +1694

PB Gand

370 BONAVENTURA Rotsaert p : Bonaventura ; prof Bg 5.7.1676 ; SSM 7.6.1678-30.11.1678 ; 1679 Lier ; 1680 Sch ; + Bg 25.6.1691

RABg Oud Ka 283, 284, 301 ; RAR 46 ; PB Bg ; Flandre III 328

371 BONUS Carette °Tourcoing ; prof Torn ; sac ; vic Douai ; +11.11.1740

Desmons 151

372 BRUNO prof Kiel ; +18.4.1405

PB Kiel

373 BRUNO Prof Amsterdam (?) ; P Zel a. 1422-1424 ; + 1448 ?

PB Zel

374 BRUNO (van) Acker °Petrus-Emmanuel, Lokeren ; prof Gand 16. 2.1765 ; vic Bg 16.11.1771-1773 ; proc Lov 1775-1783

CR 391, 430 : RABg Oud KA 212

375 BRUNO (d') Avila prof Lier ; Her 1658 ; Zel 1659 ; Bg 1666-1667 ; 1676 Lier ; 1677 SSM ; + Lier 1695

RABg Oud KA 282, 338 ; PB Kiel ; ms Sélignac

376 BRUNO (van) Beneden prof SSM ; proc 1628-1630 ; proc An 1631 ; SSM 1643-+antiq 1668

Wal 7048, 176 ; RAR 12, 40, 41, 42, 43, 45 ; PB SSM

377 BRUNO Blomme don SSM ±1722 ; +1751

RAR 50, 51, 52, 59

378 BRUNO Brabants prof Bg ±1641 ; coa ; +30.3.1676

RABg Oud KA 280 ; RAA FK 22 ; PB Bg

379 BRUNO Clemens (Clement) °Nicolaus, Halle ; prof Zel ?.6. 1628 ; sac Bg 1637-1639 ; Zel 1648-1656 ; +1666 sac Bg

Wal 7048, 144 ; RABg Oud KA 280 ; PB BG ; PB Zel ; MB Zel

380 BRUNO (de) Cock (Kock) prof Bg 1731 ; proc 15.5.1735-13. 5.1739 ; coa 1740-1742 ; proc Gand 1749-1759 ; proc Bg 1759-+1777

RABg Oud KA 271, 288, 289, 290, 292, 301 ; RAG ; SAG

381 BRUNO (de) Cocq (Cock) prof Gand ± 1696 ; Lier 1703 ; Her

1703-1704 ; proc SA 1710-1722 ; P Gand 12.6.1723-1732 ; P Lov 1738-1739 ; P Gand 1739-1745 ; + coa Gand 1748

RAG ; SAG ; PB Gand ; RABg Oud KA 318, 319

382 BRUNO (le) COMTE ° Henricus-Petrus ; prof Her ; proc SA 24.5.1744-?.5.1757 ; proc Lov ; P Zel 1760/1761-1773 ; P An 1773-1783

PB Kiel ; PB Zel ; CR 139 ; RABg Oud KA 329, 330, 335; ACAE, XIV, 1965, 110

383 BRUNO Cordier °Philippus, +1745, Everbeke ; prof SSM 6.8.1766 ; vic 1776-1783 ; + Goeferdinge ?.7.1790

RAR 13, 53 ; CR 139, 423 ; PB SSM 554

384 BRUNO Cox prof Zel +1714 ; rector 1732-1734 ; + proc 1737

PB Zel ; MB Zel

385 BRUNO (van) Damme prof SSM 1696 ; sac 1706-1708 ; vic 1708-1709 ; P 1709-+?.6.1738

RAR 12, 13, 15, 49, 50, 57 ; VG 197-198

386 BRUNO David °Franciscus, ?.3.1730, Torn ; prof Torn 11.7.1751 ; Torn 1783 ; +1801 Chercq

Desmons 121 ; CR 139

387 BRUNO Donnez (Donné) ° Dominicus-Josephus, ?.2.1752, Torn; conv Torn 21.12.1778 ; Torn 1783 ; + 31.5.1790

CR 139 ; Desmons 122

388 BRUNO Dordracenus prof Lov 1615 (id 396?)

MB 1484

389 BRUNO Duriez °Jacobus, 1606, Lille ; prof Torn 1628 ; sac; coa Lille ; vic mon Gosnay ; P S.Omer ; +21.7.1680 Torn

Desmons 149

390 BRUNO (van) Dyeren (Dyerer, Dyener, Eichen, Liegen) prof

Lier ; +1639

PB Kiel

391 BRUNO Emtinck prof ? ; 1633-1635 coa SA ; 1637 vic SSM ; 1638-1641 proc

RAG; RAR 12, 41, 42 ; Wal 7047, 99

391a BRUNO (du) Fay prof Gr.Ch. 8.12.1632 ; P S.Omer 1650-1651 ; 1654 coa An ; 1655 Lille ; Li 1663-+1678

ms Sélignac ; RABg Oud KA 338

392 BRUNO Fierens prof Her ; +1736

PB Her

393 BRUNO Finch °Jacobus, Croston, 22.8.1748 ; prof Sheen 18. 10.1770 ; presb 1772 ; Sheen 1783 ; +1821 Hen-grave Hall

Long angl 238 ; Mem 6, 7, 12, 20-23

394 BRUNO Fleming °Ecosse/Schotland ; prof Sheen 11.5.1732 ; sac 1750 ; vic 1752-1753 ; P 6.10.1753-+1.12. 1761 ; aut

Long angl 237 ; Mem 3, 11

395 BRUNO Forien ° Albertus-Ferdinandus, Torn ; prof Torn ; +1712

Desmons 149

396 BRUNO Gauthone ? (Gantone) prof Lov ; + subd 1622 (id 388?)

PB Lov

397 BRUNO (van) Gestel °Gorinchem ; prof Lov 1679 ; 1682 Zel ; + Lov 1685

PB Lov ; RABg Oud KA 338 ; MB 1487

398 BRUNO (van) Gheel (Goel) prof Zel a. 1670 ; +1706

PB Zel ; MB Zel

399 BRUNO Gheysels prof Her ; + antiq 1661

PB Her

400 BRUNO Grégoire °1646 ; prof Li 1667 ; 1702 Mont-Dieu ; P Lier 17.3.1709-1714 ; + coa Li 1717

PB Kiel ; MB Li 522

401 BRUNO Hannet °Gulielmus-Martinus ; prof Li 8.12.1770 ; presb 10.4.1774 ; proc 1788-1798 ; +5.2.1813

A.Ev.Li 1729-94 ; MB 524, 525, 526

402 BRUNO Hebbelins prof Gand ; proc 1743-1746 ; vic Bg 2.6. 1747-1753 ; vic Her 1753-+1756

RAG ; SAG ; RABg Oud KA 290 ; PB Gand

403 BRUNO Hermans °Diest ; prof Lier ±1701 ; proc ; proc An ; P Lov 22.6.1722-?.11.1724 ; P Zel 1724-1729 ; P Bg 1729-7.4.1730 ; P An 1730-?.5.1733 ; P Her 1733-?.5.1734 ; P Zel 1734-?.5.1749 ; + Lier antiq & coa 1758

RABg Oud KA 288 ; PB Kiel ; PB Zel ; MB 1453 ; MB 1489

404 BRUNO (van) Heusden °Petrus, Antwerpen ; prof Gand 29.5. 1776 ; 1783 Gand

RAG ; CR 391

405 BRUNO Hofman °Bruxelles ; prof Sch 21.2.1745 ; sac 4.7. 1749-10.5.1750 ; vic ; proc Bg 18.5.1752-1.6.1757 proc SA 1757-30.10.1762 ; P 1.11.1762-+19.12.1768

Wal 7043, 11, 15, 20 ; RABg Oud KA 291, 322

406 BRUNO Langhedul prof Gand ±1655 ; proc ; 1660 vic ; proc 1663-1667 ; proc Zel 1670-1673 ; 1673 Lier ; proc Gand 1674-+1695

RAG ; RAG, B 1327 (99v, 119) ; B 1288 (187v) ; SAG ; RABg Oud KA 338 ; PB Gand ; MB Zel

407 BRUNO Lijst (Leidts, Leijst) prof An ; vic SA 1756-1767 ; + 1775 An (?)

RABg Oud KA 322, 323 ; PB BD ; PB SA ; d'Ydew 295

408 BRUNO (vander) Linden °Gulielmus, Gand ; Univ Lov 1618 ; prof Gand a. 1627 ; +1653

RAG ; PB Gand ; HMGOG 27, 1973, 177

409 BRUNO (vander) Linden (Gerlinden) don Bg a. 1736 ; +1759

RABg Oud KA 289 ; PB Bg

410 BRUNO Mailliet (Mallié) °Petrus-Carolus, p : Carolus, m : Maria-Elizabeth Meuris, 12.2.1693, Torn ; prof Torn 17.4.1713 ; presb 25.3.1718 ; sac ; proc 1723 ; P 18.8.1739-1746 ; +coa 5.8.1749

MB 488 ; Desmons 145

411 BRUNO Martin °Johannes, ?.10.1734, Bruxelles ; prof Sch 6.10.1755 ; 1776 SSM ; 1783 Sch

Wal 7043, 12v, 14, 21 ; CR 139

412 BRUNO Molin °Alexander, Houffalize ; prof Li 1.4.1612 ; proc ; + Gand 16.11.1653

MB 514 n16, 517 ; PB Gand

413 BRUNO (van) Nieuwenhuysen °An ; prof Lov 1700 ; + Zel 1762

PB Zel ; MB Lov 1488 ; MB Zel

414 BRUNO (van) Oudenhaeghen °Henricus, Bruxelles ; prof Sch 6.8.1623 ; presb 11.3.1629 ; sac 1638-1642 ; vic SSM 1642-1646 ; vic Sch 1659-+12.5.1660

Wal 7043, 10v, 15, 20 ; 7048, 80v, 149 ; RAR 42

415 BRUNO (d') Outelair ᵗ1558, Sint-Oedenrode ; superintendant baron Maldegem ; prof Gosnay 1605 ; proc 1608 ; P 1612-1621 ; P Sch ?.5.1621-+29.12.1639 ; conv. 1623-1626 ; vis 1626- + ; aut (oncle de/ oom van 946, 1918)

MB Sch 1418 ; Ephem IV 593

416 BRUNO Pede ° Gulielmus, 25.11.+1700, Bruxelles ; prof Sch 21.4.1720 ; proc 11.8.1724-1731 ; proc Lov 1736-1738 ; P SSM 1744-1752 ; P Her 1752-+30.9.1765

Wal 7043, 11v, 14, 20v ; RAR 12, 13, 14, 38, 39, 52, 59

417 BRUNO Philippi prof Zel 1738 ; vic 1760-1768 ; coa 1783-+1792

PB Zel ; MB Zel ; A.Ev.Li 1729-94

418 BRUNO (de) Preter prof An ; + vic 1729

PB BD

419 BRUNO (du) Rios (Rier, Riez, Riais) prof Torn ± 1628 ; P S.Omer ; vic mon Gosnay ; coa Lille 1658 ; + antiq Torn 1681

Desmons 149 ; ms Sélignac ; RABg Oud KA 338

420 BRUNO Simons prof Lier ; P 1693-1696 ; vic SA 14.6.1696-1701 ; Gand 1701 ; P Lier 1702-+1704

RABg, Déc 326 ; PB SA ; PB Kiel ; d'Ydew 241, 243, 295

421 BRUNO (de) Smet °Jacobus, 14.7.1753, Harelbeke ; prof Bg 21.7.1779/(9.9.1778) ; Bg 1783 ; Ile de Ré 1799 ; +3.2.1832 Harelbeke

RABg Oud KA 292 ; CR 139, 354 ; Van Bavegem 250

422 BRUNO (Egidius) Stumers (Stamarn) 1-r Zel ; +1560

PB Zel

423 BRUNO Tservrancx °Bruxelles ; prof Sch 2.2.1663 ; vic 7.9. 1676-1679 ; proc 14.5.1679-2.7.1684 ; sr & coa 1685 ; proc 20.8.1694-+23.7.1711

Wal 7043, 14, 15, 20 ; MB 8421

424 BRUNO Villegas (Willegas, de Vyllegas) °p : Adrianus ; prof Bg ±1685 ; + 19.11.1704

RABg Oud KA 284, 285, 286, 301 ; Flandre III 354 ; PB Bg

425 BRUNO Walravens °Thomas, ±1723, Meerbeke ; prof SSM 27.5. 1743 ; presb ?.6.1746 ; proc & coa 11.6.1750-24. 5.1755 ; Zel 24.5.1755-1756 ; 1783 SSM ; +14.8. 1787

RAR 12, 13, 14, 51, 52, 60 ; CR 139, 423

426 BRUNO Wutiers (Wutyers, Wuytiers) °p : Gaspardus ; prof Bg 9.12.1676 ; sac 1679-+12.1.1680

RABg Oud KA 283, 301 ; PB Bg ; RAA FK Lier 22

427 BURLISCHAUS (?) don Zel ; + 1579

PB Zel

428 CAROLUS don Bg ; +1541

PB Bg

429 CAROLUS (d')Ans proc Li 1738

MB 522 n12

430 CAROLUS (de) Doncker °Bruxelles ; prof Sch 16.1.1689 ; sac 20.10.1704-15.10.1720 ; vic 15.10.1720-+28.3.1721

Wal 7043, 11v, 15, 20v

431 CAROLUS (de) Douay prof Gr.Chartr. ; vic Sheen ; +14.11. 1657

Long angl 227

432 CAROLUS (van der) Guchte prof SSM ; vic 1627-1632 ; P Bg 8.6.1632-+11.4.1635/1636

RAR 40 ; RABg Oud KA 280 ; Wal 7048, 194 ; PB Bg

433 CAROLUS Harts prof Lier ; 1783 Lier ; +27.4.1788

CR 139

434 CAROLUS Lee °Benjamin, 22.6.1674, Middlesex ; prof Sheen 27.12.1714 ; presb 11.4.1716 ; proc 19.1.1721-1729 P 1729-+20.4.1740

Long angl 217-221

435 CAROLUS Liégois (Liégeois) °1660, Torn ; prof Torn 1696 ; + proc mon Gosnay 1718

Desmons 95, 150

436 CAROLUS Maris (Moris) prof Her ; + 1725

PB HER

437 CAROLUS Meldert prof Zel a. 1646 ; coa 1652-1655 ; proc 1656 ; P 1664-+1667

PB Zel ; MB Zel

438 CAROLUS Noyel (de la Noy) °Hieronymus, 1588, Binche ; prof Torn ; + antiq 1659

Desmons 148 ; RABg Oud KA 338

439 CAROLUS Peeters °Bruxelles ; don Sch 1.7.1591 ; +1606

Wal 7043, 24 ; 7047, 3v

440 CAROLUS Regdams °1705, Bruxelles ; prof Sch 30.9.1725 ; sac 3.6.1738-4.7.1749 ; proc 26.4.1750-?.5.1760 ; vic ; coa 1783 ; +14.4.1788

Wal 7043, 11, 14, 15, 20v ; CR 139

441 CAROLUS Schutens (Scuthens) don Zel ; +1682

PB Zel

442 CAROLUS Serraes °Gand ; univ Lov ; prof Her 10.1.1482 ; vic Her ; P Valenciennes 1495-1500 ; P Her ?.8.1500-?. 5.1532 ; +4.1.1541

Lam 13, 83, 90, 162, 184, 207-209 ; MB 1443

443 CAROLUS Tighe °London ; prof Sheen 23.1.1748 ; subd 8.6. 1748 ; Bg 1759 ; demissus

RABg Oud KA 290, 291 ; Long angl 237

444 CAROLUS (de) Wolf (Wulf) prof Gosnay ; proc 1634 ; vic Bg 1640-+1642

RABg Oud KA 280 ; PB Bg ; ms Sélignac

445 CAROLUS-FRANCISCUS (de) Gaest °17.1.1703, Torn ; prof Torn 1723 ; Gosnay ; +18.10.1765

Desmons 95

446 CHRISTIANUS cl-r Kiel ; +27.10.1377

PB Kiel

447 CHRISTIANUS don Zel ; + 1507

PB Zel

448 CHRISTIANUS nov Bg 1568-1569

RABg Oud KA 274

449 CHRISTIANUS don Lov ; +1610

PB Lov

450 CHRISTIANUS (de) Bruyne don SSM 1734 ; + 1780

RAR 15, 50, 51, 52, 59, 60

451 CHRISTIANUS Gabrielis don Her ; +1644

PB Her

452 CHRISTIANUS Hazzard don Sheen ; +27.2.1693

Long angl 240

453 CHRISTIANUS (van) Hontschote conv SSM 1347-1366

RAR 1, (32v, 42v, 43v, 68, 74v)

454 CHRISTIANUS (de) Leydis prof Zel ; +1475

PB Zel

455 CHRISTIANUS Noutz prof Lier ; P Zierikzee 1562 ; 2° prof Sch ; P Sch ?.5.1565-?.5.1596 ; P Lier ?.5.1596-+20.9.1599 An ; conv. 1573-1575 ; vis 1575-+

Wal 7044, 99v, 149 ; 7047, 56v ; RAG ; RAG, B 1288 (403) ; MB Sch 1408, 1411

456 CHRISTIANUS Reinfin (?) cl-r SSM ; +1420

PB SSM

457 CHRISTIANUS Sconeman prof Bg(?) ; Bg/SA 1443-1444

RABg ch

458 CHRISTIANUS Weyts °Oevel ; prof Sch 18.10.1671 ; + proc SA 15.6.1674

Wal 7043, 20

459 CHRISTOPHORUS don SSM ; + 1563

PB SSM

460 CHRISTOPHORUS Alred prof Sheen 1583 ; +1.7.1607

Long 171, 233

461 CHRISTOPHORUS Biet (Bert) don Lov ; 1658 Bg ; 1659 Her-+ 1672

PB Her ; RABg Oud KA 338

462 CHRISTOPHORUS Focant °Bruxelles ; prof Sch 16.4.1606 ; sac 1606-1607 ; +1655

Wal 7043, 14v, 19v ; 7048, 82v ; RABg Oud KA 338

463 CHRISTOPHORUS (van) Gent (Gandensis) conv Sch ; 2° prof Arnhem ; +1569

Wal 7043, 16v ; 7044, 119

464 CHRISTOPHORUS (van) Heetvelde °Petrus, Lov ; prof Lov 1620; vic Zel 1624-1628 ; vic Lov ; P Lov ?.5.1631-?.5. 1672 ; +4.6.1675 ; conv. 1647-1652 ; vis 1652-1672

RABg Acq 461 ; RAG ; PB Zel ; MB Zel ; MB Lov 1484, 1485

465 CHRISTOPHORUS Mallory conv Sheen a. 1626 ; +2.12.1637

Long angl 239

466 CHRISTOPHORUS Musgrave prof Sheen ; 1615 Sch

Wal 7047, 140v ; Long angl 233

467 CHRISTOPHORUS Natalis prof Li ; + sr 26.9.1670

MB 517 n11

468 CHRISTOPHORUS (van) Overheet prof Gand(?) ; proc 1544, 1546; P 1547-1551 ; Bg 1554/1555

RAG ; RAG B 1288(42, 90, 113, 224, 310, 314), B 1327 (69v, 99v) ; RABg Oud KA 271

469 CHRISTOPHORUS (van) Themseke (Tenzeke, Tremseke, Themsche, Theimzeke) prof Gand ; proc SA 1426-+1448

Wal 4051, 131v ; PB Bg ; PB SA ; d'Ydew 97, 104, 105

470 CLAUDIUS Alexander don Lier ; + 1678

PB Kiel

471 CLAUDIUS Boso (Bosco, Bosso) °Wien ; prof Lov 1666 ; 1676 SSM ; 1677 Lier ; 1680 An ; 1681 Her ; + Lov 1689

PB Lov ; RABg Oud KA 338 ; MB 1486

472 CLEMENS P Bg 1352-1354 (id 473 ?)

NdM 89

473 CLEMENS vic SA 1352(?)-+1366 (id 472 ?)

PB SA ; d'Ydew 182

474 COLARDUS Mesdach prof Gand ; +16.1.1515

RAG 1288(70) ; BMHG ; PB Gand

475 COLUMBANUS Townley °Ricardus, Lancaster ; prof Bourgfontaine 22.7.1700 ; proc Sheen 1705-1708 ; Bourgfontaine 1708-1718 ; P Sheen 1718-1722 ; +17.1.1729

Long angl 210, 230

476 CONRARDUS prof Her ; +1.3. p. 1390

Lam 17

477 CONRARDUS Dyglin prof Witham ; Bg ; 2° prof Bg ; +1568

Long angl 114

478 CONRARDUS Graart prof Her ; + proc 1609

PB Her

479 CONRARDUS Hughes (Huges) prof Zel a. 1646 ; +1654

PB Zel ; MB Zel

480 CONRARDUS Momme prof Zel ; 1401 Zel ; demissus 19.1.1411

PB Zel

481 CONSTANTINUS Bernart (Lenaert) prof SSM ; sac ?.10.1634-1642 ; sac Bg 1644-1645 ; +SSM 1658

RAR 41, 42, 44 ; RABg Oud KA 280 ; PB SSM

482 CONSTANTINUS Magnus °p : adv Magnus, Gand ; prof Gand a. 1658 ; vic SSM 1673 ; proc & vic SA ?.1.1680-1691 P Bg 6.6.1691-?.12.1691 ; P Gand 1692-+5.10.1701; conv. 1691-1693 ; vis 1696-+

RAA FK Lier 22 ; RAG ; RAG B 1327(109v) ; SAG 7 ; RABg Oud KA 285 ; Déc 258 ; PB SA ; MB Li 520-521 ; d'Ydew 295

483 CONSTANTINUS (van) Mechelen °An ; prof Lov 1645 ; +1666

PB Lov ; MB 1486 n4

484 CONSTANTINUS Melkebeek °Stanislas, ?.12.1739, Lede ; prof SSM 31.5.1772 ; SSM 1783

CR 139, 423

485 CONSTANTINUS Stauthals (Stanthals) prof Gand +1696 ; coa 1708 ; proc 1712-1720 ; +coa 28(?).1.1730

RAG ; SAG 1, 2, 9, 11

486 CORNELIUS conv Kiel ; +1529

PB Kiel

487 CORNELIUS don Kiel ; +1538

PB Kiel

488 CORNELIUS don Lov ; +1541

PB Lov

489 CORNELIUS don Zel ; +1555

PB Zel

490 CORNELIUS conv Lov ; +1558

PB Lov

491 CORNELIUS don Zierikzee ; +Lier 1579

PB Kiel

492 CORNELIUS don Zel ; +1770

PB ZEL

493 CORNELIUS Beec (Beer, Bert) +nov conv Kiel 1466

PB Kiel

494 CORNELIUS Bevelt prof Utrecht ; Bg 1574

Wal 7044, 135v

495 CORNELIUS Block (de Tolnis, Coelvis, Cohus) prof Zel ; initiator Sch 1456 ; sac 1458-1459 ; Zel 1462-+21.9. 1494 ; cop ; cantor

Wal 7043, 14v, 72v ; MB Zel ; BMHG

496 CORNELIUS Brastman ? (Kaeckman) don SSM a. 1675 ; +1696

RAR 46, 49 ; PB SSM

497 CORNELIUS Brielis prof Diest a. 1532 ; +15.3.1545 Hollandiae

PB Zel

498 CORNELIUS Brielis (Petri Brielis) prof Hollandiae ; S.Sofie 1528 ; Zel 1528-+30.9.1529

PB BD ; PB Zel

499 CORNELIUS Brilis prof S.Sofie ±1480 ; 2° prof Li ; +5.7. 1541 sr

MB 510 n4

500 CORNELIUS Christiaens (Christiani) univ Lov 1519 ; prof Bg; proc 1553-1560 ; rector 1560 ; proc 1561-1568 ; P 1568-1572 ; +18.3.1573

RABg Déc 257 ; Oud KA 271, 272, 273, 274 ; ch ; PB Bg

501 CORNELIUS Clercqs (Clerici, Clerx) prof Bg ; proc ; P 1516 (?)-+16.1.1528 ; conv 1524-+

RABg ch ; Wal 7044, 22v ; BMHG

502 CORNELIUS Diedolfenne (Dedolf) proc Torn ; P 1467 ; +1477

Desmons 135

503 CORNELIUS (van) Dordrecht prof Hollandiae/Arnhem ; 1486 Her ; +Li 3.7.1500

MB 507 n9 ; Lam 89, 119

504 CORNELIUS (de) Dyerm ? (Deir) prof Her ; +1611

PB Her

505 CORNELIUS Eeckhout (a Quercu) ° Aalst ; nov Her 1578 ; prof Utrecht ±1581 ; proc ; +Zel 1623

Wal 7044, 144v ; PB Zel

506 CORNELIUS Engels don Zel ; +1655

PB Zel

507 CORNELIUS (van) Essche °'s Hertogenbosch ; prof Lov 1628 ; +1656

PB Lov ; MB 1485

508 CORNELIUS Fekerdey (Iukardi) °Amsterdam ; prof Lov 1507 ; +1.1.1519

PB Lov ; MB 1473

509 CORNELIUS Giersche prof SSM ; +1505

PB SSM

510 CORNELIUS (vander) Goes (Petri, Boot) prof Zel ; P 1450-1458 ; +7.1.1465

PB Zel ; MB Zel

511 CORNELIUS Govaert (Ghoevaert) °Bg ; univ Lov 1495 ; prof Bg Zierikzee 1517 ; +Bg 7.3.1522

RAA FK Lier 22 ; PB Bg ; VdM Bijl V ; Flandre III, 311

512 CORNELIUS Hasselensis prof Lov 1612

MB 1484

513 CORNELIUS Hiele (Nieleme) don Gand 1458

Wal 4051, 133v

514 CORNELIUS (van) Hove prof Bg ; proc 1523-+6.2.1528

RABg Ch ; PB Bg ; Flandre III, 308

515 CORNELIUS Hysen de Axella (Issen) prof Gand ; +1508 vic

Wal 4051, 132v ; PB Gand

516 CORNELIUS Johannis prof Bg ; + 1.2.?

RAA FK Lier 22

517 CORNELIUS (vanden) Kerchove (Kerckhoven, Kerkovius) prof S. Sofie ±1538 ; P Lier 1558-1571 ; P S.Sofie 1571-1589 ; +27.1.1594

Wal 7044, 117 ; 7047, 23 ; PB BD ; PB Kiel

518 CORNELIUS Lesquire (L'esquire) don Lov ; +1710

PB Lov

519 CORNELIUS Loilonge ? (Hoilonge) don Zel ; +1706

PB Zel

520 CORNELIUS Mann de Nova Terra prof Li ; 2° prof S.Sofie ; +23.10.1526

MB 509 n11

521 CORNELIUS Mertens prof Lier ; +antiq 1657/1658

PB Kiel

522 CORNELIUS (vander) Muelen (Molanus) don Gand a. 25.3.1563 ; +1576

RAG ; PB Gand

523 CORNELIUS Oudenrock don Lov ; +1685

PB Lov

524 CORNELIUS (le) Roulcx (Leroulx, la Rousse, Le Roulx) prof Bg ±1578 ; vic SSM 1609-1610 ; +9.4.1630 antiq Bg

Wal 7047, 113v ; RABg Déc 257 ; Oud KA 277, 279 ; RAA FK Lier 22

525 CORNELIUS Rouberghere (Ronberghen, Roubaghere, Rouberghe) prof Zel ; sac Bg 1625-1626 ; +antiq Zel 1647

Wal 7048, 95v; RABg Oud KA 279 ; PB Zel

526 CORNELIUS (van) Schoonhoven (Jansonius) °Schoonhove ; ±1560 prof Hollandiae ; vic SA 1577-1621 ; +1.2.1623 ; aut

Wal 7044, 66v ; PB SA ; d'Ydew 182 ; Ephem I 148 ; Sch LN 34

527 CORNELIUS Stakeloo (Stackelop, Stackelos) prof Kiel ; +1491

PB Kiel

528 CORNELIUS Steyaert (Steylaert) °An ; magister artium ; prof Sch 20.6.1627 ; presb ?.9.1628 ; +23.3.1655

Wal 7043, 20 ; 7048, 132v, 146

529 CORNELIUS Theodorici (de Leydis) °Leiden ; prof Lov 1508 ; +10.5.1512

PB Lov ; MB 1473

530 CORNELIUS (van der) Velde (Campester) prof Bg ; +23.2.1534

PB Bg ; Flandre III, 310

531 CORNELIUS Vierendel °Pamel ; prof Sch 19.6.1540 ; +16.10. 1543

Wal 7043, 17v; 7044, 49v, 58

532 CORNELIUS Wayn 2° prof Zel 1505

PB Zel

533 CORNELIUS (van der) Weyden (de Pascua) °p : Rogerius van der Weyden, peintre/schilder, Bruxelles ; Univ Lov ; prof Her ±1448 ; +?.10.1473

PB Her ; Lam 22, 72, 228 ; Billiet 9

534 CORNELIUS Ziezeringen don Sch ±1495 ; +24.2.1545

Wal 7043, 18v ; PB Sch

CYRILLUS Chambers 903

535 DANCARDUS Coen (de Coortgene, Kortgene) prof Bg ; +3.2.1475

RAA FK Lier 22 ; PB Bg ; VdM Bijl V ; Flandre III, 307

536 DANIEL don SSM ; +1634

PB SSM

537 DANIEL Bulté °Valenciennes ; don Sch 8.1.1685 ; +24.5.1726

Wal 7043, 24v

538 DANIEL Carsau (Cassau, Cassan) don Lier ; +1698

PB Kiel

538a DANIEL (Joannes) Coc conv Bg 1372 ; initiator Torn 1377

Desmons 54

539 DANIEL (de) Croeck °Geraardsbergen ; prof Her ; proc 1395-1397 ; +27.11.?

Lam 20

540 DANIEL (van) Dormael don Lov ; +1764

PB Lov

541 DANIEL (vander) Elst (de Alneto) presb Ieper ; prof Bg ± 1320 ; vic 1321-1322 ; +21.4.1323

PB Bg ; VdM Bijl V

542 DANIEL Hildernis prof Kiel ; 2°prof Hollandiae ; +15.10. 1509 ; cop

PB Kiel ; Sch BB, 19

543 DANIEL Lakemart (Iakemaert) prof Bg ; +31.5.1546

PB Bg ; Flandre, III, 324

544 DANIEL (de) Lange conv An ; +1660

PB BD

545 DANIEL (de) Nova Terra P Zel 1521-+16.6.1526

Wal 7044, 15v ; PB Zel ; BMHG

546 DANIEL (van) Oudenaarde (Alarvado, de Aldernodo) prof Li ; SSM 1526-+11.1.1531

PB SSM ; MB 509, n11

547 DANIEL (van) Oudenaarde proc Li ; +10.1.1492 ; cop

Wal 7043, 113v

548 DANIEL Tuer prof Sheen ; proc 1618 ; 1620 Lier ; +vic Sheen 4.3.1623

Long angl 227, 230, 234 ; RABg Acq 461

549 DAVID (de) Bode prof Bg ; +24.10./6.11.1412 ; aut

PB Bg ; Flandre III 349, 377, 381 ; Sch LN, 13

550 DAVID Lewis conv Sheen a. 1579 ; +26.9.1627

Long angl 147, 239

551 DEODATUS Vischer (Wischer, Fischerus) °+1597, Emdam ; prof Sch 25.11.1615 ; +subd 13.12.1617

Wal 7043,20 ; Ephem IV, 497-498

552 DESIDERIUS Pensaert °p : Gulielmus, Bruxelles ; prof Lov 1542 ; +1583

Wal 7044, 57v, 78 ; PB Lov

553 DIDACUS Maldonato prof Sheen ±1598 ; +Mont-Allègre 20.3. 1621

Long angl 233 ; PB Sheen

554 DIONYSIUS proc Bg 1328-1329 ; P 1329-1332 ; P 1338-1340 (?)

RABg, ch ; VdM Bijl V

555 DIONYSIUS Christiani prof Li 8.3.1615 ; 1623 Her ; +vic Li 15.12.1658

RABg Acq 461 ; MB 514 n16, 517n

556 DIONYSIUS (le) Fever (de Fever, Leufent, le Febuer, le Ffebuer) prof Sch a. 1542 ; sac 1556 ; vic 1556-1560 & rector Zierikzee 1558 ; vic Sch 1562 ; sr Sch 1567-1568 ; sac 1569-1572 ; vic 1572-+5.9.1578

RABg Déc 257, Oud KA 271, 272, 273, 274 ; Wal 7044, 99v; Flandre III, 345

557 DIONYSIUS Geldens (Gelders) prof Gand +1720 ; proc 1734-1742 ; vic 1750-1755 ; P 1.3.1762-+?.3.1773

SAG ; RAG ; RAG, B 1288 (123v, 172v) ; PB Gand

558 DIONYSIUS (van) Glabbeek don Li 15.2.1542 ; +22.8.1555

MB 510, 510 n4

559 DIONYSIUS (van) Heumel °Mol ; prof Sch 15.8.1655 ; 1674-1675 Lov ; proc Sch 1677-1679 ; vic 1679 ; coa SA 1680 ; vic SA 1681-1682 ; proc Bg 1682-1683 ; SSM 1684 ; proc Sch 1685 ; proc SSM 1687-1690 ; vic 1690-1692 ; proc Sch 1692-1695 ; P 1695-+20.2.1700

Wal 7043, 11, 14, 20 ; RAR 48, 49 ; RABg Oud KA 284, 338

560 DIONYSIUS Luyckx °?.6.1729 ; prof Her ; 1783 Her ; +25.1.1789

CR 139

561 DIONYSIUS Magermans °p : Franciscus ; prof SSM ?.10.1716 ; presb ?.6.1719 ; vic 1721 ; sac 1729-1737 ; +1752

RAR 15, 50, 51, 52 ; PB SSM

562 DIONYSIUS (de) Monstreul °1591, Valenciennes ; prof Torn 1622 ; proc ; proc Gosnay 1654 ; rector Douai ; +Torn 30.4.1665

Desmons 148 ; ms Sélignac

563 DIONYSIUS Remel (Scomel) prof Zel ; vic ; +Gand 1582

PB Gand ; PB Zel

564 DOMINICUS Bracke °±1746, Schellebelle ; prof Gand 8.10. 1772 ; Gand 1783

RAG ; CR 391

565 DOMINICUS Cannada (Canede) °Espagne/Spanje ; prof Lov 1572

MB 1479

566 DOMINICUS Eeraerts (Everaerts) °Sint-Amands ; prof Gand ; vic Her 1737-1739 ; P Lov 17.8.1739-?5.1745 ; P Gand ?.5.1745-?.5.1748 ; vic Bg 1752-1753 ; Sheen; vic Bg 1758 ; coa Gand -+1772

RAG ; SAG ; RABg Oud KA 291 ; PB Her ; PB Gand ; ASHB, XVI, 1879, 220

567 DOMINICUS (vander) Elst (Helst) °Bruxelles ; prof Sch 7.8. 1712 ; proc 17.1.1720-11.8.1724 ; vic 1728 ; proc 7.1.1742-26.4.1750 ; +10.12.1750

Wal 7043, 11v, 14, 20v

568 DOMINICUS Meliot prof Gand ; SSM 1621 ; +Gand 1650

Wal 7048, 33v ; RAR 12 ; PB Gand

569 DOMINICUS (de) Meyer °Aspelaar ; prof Lov 1665 ; +vic Lov 1681

MB 1486 n4 ; PB Lov

571 EDMUNDUS Ireland proc Collège anglais Douai 1641-1647 ; prof Sheen ?.11.1649 ; +1.4.1652

Long angl 236 ; Gillow III 548

572 EDWARDUS Fettiplace prof Sheen ?.8.1646 ; +31.3.1659

Long angl 163, 235

573 EDWARDUS Formby don Sheen ; +21.4.1719

Long angl 210, 211, 240

574 EDWARDUS Rysden (Rishton) prof Sheen 1570 ; +6.11.1578

Long angl 147, 232 ; Lechat, 34

575 EGBERTUS (de) Wil (Wille, Wattwil) °Hulst ; prof Lov 1659 ; 1681 Gand ; 1682 Lov ; SSM 1689-1690 ; +Zel 1695

RABg Oud KA 338 ; RAR 49 ; MB 1486 ; PB Zel

576 EGIDIUS don Kiel 1503(?) ; 1521(?)

Bijdr.Gesch. 23, 1932, 143

577 EGIDIUS don Lov ; +1556

PB Lov

578 EGIDIUS (de) Allodio prof Her ; vic 1373 ; +15.9.1374

Lam 18, 31 ; PB Her

579 EGIDIUS Baas (Bas) prof Lier ; 1629 An ; +Lier 1653

PB Kiel ; RABg Acq 461

580 EGIDIUS (de) Bapaume (Papalniis, Bapalniis) prof Her ; proc ; +29.12.1454 ; aut

BMHG ; PB Her ; Lam 21, 60 ; MB 1433

581 EGIDIUS (de) Beka don SSM ; +1507

PB SSM ; VG 168

582 EGIDIUS (vanden) Berghen don An; 1678 Bg ; 1679 An ; Bg 1701-1702 ; +An 1709

PB BD ; RABg Oud KA 286, 300, 338

583 EGIDIUS (de) Bergis prof Li a.1455 ; +Utrecht 31.5.1470

MB 505 n9, n10

584 EGIDIUS (van) Blitterswyck °m : Elizabeth Bruloot ; prof Sch 8.2.1604 ; sac 1607-1609 ; proc SSM 1610-1611; proc Sch 1611-1621 ; vic SSM 1622-1624 ; 1625 Her; 1627-1628 proc SSM ; 1628-1630 proc Sch ; proc SSM 1630-+29.3.1639

RABg Acq 461 ; RAR 12, 40, 41 ; Wal 7043, 14, 15, 19 ; 7047, 113v, 121v, 154 ; 7048, 25, 176 ; RAA FK Lier 22

585 EGIDIUS (van) Boxstale don SSM a.1705 ; +1731

RAR 15, 50 ; PB Zel

586 EGIDIUS (vanden) Bosch don SSM a.1661 ; +1678

RAR 44 ; PB SSM

587 EGIDIUS (de) Brielis prof Zel ; +5.9.1518

BMHG ; PB Zel

588 EGIDIUS Bruloot (Borlotius) prof SSM 17.5.1576 ; proc 1605 ; +Lier 1617

RAR 40 ; Wal 7047, 137v ; PB Kiel

589 EGIDIUS (van) Brussel prof Sch 18.5.1545 ; +Maastricht (assassiné/vermoord) ± 1579

Wal 7043, 17v

589a EGIDIUS Chamart prof Torn ; +1618

RABg Acq 461

590 EGIDIUS Cuesel (Coesel, Ceusel) °Ninove ; prof Sch 14.2. 1508 ; vic 1520-1525 ; proc 1525-1527 ; vic 1527 ; proc 1535 ; +16.2.?

Wal 7043, 8v, 11v, 17, 135 ; 7044, 18, 21v

591 EGIDIUS Cuelins conv Gand ; 2° prof Val-Saint-Pierre ; +1471

Wal 4058, 127, 133v ; PB Gand

592 EGIDIUS (le) Frans (France) prof S.Omer ; +Lier 1642

PB Kiel

593 EGIDIUS Galle don Bg a.1692 ; +1742

RABg Oud KA 285, 286, 287, 288 ; PB Bg

594 EGIDIUS (vande) Galleti (vande Galles) prof Zel ; +antiq & vic 1572

PB Zel

595 EGIDIUS (van) Gent prof Zel ; +1558 vic

PB Zel

596 EGIDIUS Goossens °Londerzeel ; don Sch 25.1.1729 ; +1773

Wal 7043, 24v ; PB Sch

597 EGIDIUS (van) Harenbeke(?) conv Her a.1323

Lam 19, 31

598 EGIDIUS Heembeke °Bruxelles ; don Sch 15.5.1667 ; +17.12.1676

Wal 7043 , 24v

598a EGIDIUS Henrar prof Li ±1729

A.Ev.Li 1729-94

599 EGIDIUS (vanden) Houte prof SSM 1577 ; P 1584-1597 ; P Gand 1597-1598 ; P SSM 1598-+1604 Bruxelles

Wal 7044, 173v, 179 ; 7047, 50v, 62, 71v, 75, 87, 129 ; RAR 12, 28, 31, 33, 54

600 EGIDIUS (de) Lietsele (Sietsele) prof Her ; +18.3.a.1390

Lam 17

601 EGIDIUS (de) Liverloz °p : Gualterus de Liverloz, échevin/schepen Li, m : Johanna de Fossé ; prof Li ; proc; P 1648-+20.11.1667 ; conv. ; vis

MB 516 ; RAG

602 EGIDIUS Moens don Gand ; +7.1.1519

Wal 4058, 134 ; PB Gand ; BMHG

603 EGIDIUS Moyne don SSM ; +1639

PB SSM

604 EGIDIUS Oliviers (Oliveri) °Bg ; Univ Lov 1488 ; prof Bg ; sac 1527-1528 & 1539-1543 ; +17.4.1550

RABg Oud KA 271 ; Déc 267 ; Flandre III, 318 ; VdM Bijl V ; PB Bg

605 EGIDIUS Osco don Her a.1487 ; +1500

Lam 90

606 EGIDIUS Ploum (Pluym) °Venlo ; prof Lov 1639 ; +1670

PB Lov ; MB 1486 n4

607 EGIDIUS (a) Porta prof Lier ; + Tückelhausen 1587

PB Kiel

608 EGIDIUS (a) Prato °Bruxelles ; prof Sch 3.8.1552 ; Amsterdam 1569 ; Sch 1569-1577 ; Diest 1577

Wal 7043, 17v ; 7044, 73, 119, 141v

609 EGIDIUS Raepsaet vic SA 1350-+9.3.1352

PB SA ; d'Ydew 182 ; Ephem I 283

610 EGIDIUS Saffele °Gand ; don Her 1490 ; +21.7.1504

Lam 92, 113

611 EGIDIUS (de) Saint-Omer prof Bg ; +1389 ; cop

PB Bg ; OGE, 47, 1973, 13-20

612 EGIDIUS Sterke (Fortius) °Lennik ; presb sec ; prof Her 1486 ; proc 1497-+5.11.1521

Lam 88, 89, 131-132, 207

613 EGIDIUS Stevens don Her ; +1654

PB Her

EGIDIUS Stumers 422

614 EGIDIUS Suys (Soys) prof SSM ; +1505

PB SSM

615 EGIDIUS Theodorici van Bommel °Zaltbommel ; prof Lov 1598 ; Zel ; Gand 1605 ; +Lov 1614

Wal 7047, 73v ; MB 1481 ; MB Zel

616 EGIDIUS Thienpont prof Her ; +antiq 29.4.1680

PB Her

617 EGIDIUS Timmerman (Temmerman) prof Her ; vic Sch 1728 ; SSM 1748-1750

RAR 51, 52 ; Wal 7043, 11v ; PB SSM

618 EGIDIUS Tollembeek (Thollembeek) prof Her ±1365 ; +30.3./29.9.1425

Lam 20, 33, 48

619 EGIDIUS (de) Wint °Middelburg ; conv Sch 3.5.1681 ; SSM 1628 ; Lier 1630 ; Bg 1631 ; +Sch 9.1.1669

Wal 7043, 24 ; 7048, 146v ; RABg Acq 461

620 EGIDIUS Wynghe (Thielt) °Tildonk ; don Sch ; +30.9.1541

Wal 7043, 18v ; 7044, 55v

EJALTERUS de Prato 718

621 ELIGIUS (de) Haen (Haene) prof Her 1455 ; presb 1456 ; proc 1462-+22.2.1491

BMHG ; Lam 60, 89, 92, 207

622 EMBERTUS Hellinc (Hellincx) prof An a.1682 ; coa 1686 ; proc SA 1701 ; coa 1709-1711 ; P An 1711-1712 ; +1725

RABg Oud KA 317-319 ; PB Kiel ; PB BD ; Diercxsens VII, 442

623 EMMANUEL Georgii (Georgy, Joris) prof SSM a.1652 ; vic SA 1657-1659 ; vic SSM 1663-1664 ; vic Zel 1665-1666; P Zel 1666-1667 ; SSM 1673 ; Lier 1674-+1682

RABg Oud KA 315, 338 ; RAR 43, 45, 46 ; PB Kiel ; PB SA ; d'Ydew 218, 295 ; MB Zel

624 EMMANUEL (vander) Meulen (Verinculen) prof Bg 1738 ; presb 18.12.1739 ; sac 1748-+28.11.1749

RABg Oud KA 289, 290 ; Flandre III 356 ; PB Bg

625 ENGELBERTUS (de) Neve °Bruxelles ; prof Sch 5.2.1640 ; coa SA 1648-1654 ; proc 1655-+1662

Wal 7043 , 20 ; PB Sch ; RABg Oud KA 315

626 ENGELRAMUS prof Her ; P ?

Lam 12

627 ERASMUS Vroom °Roosendaal ; prof Hollandiae ; proc ±1560 ; rector 1576-1577 ; P 1577-1583 ; Sch 1590-1593 ; Li ; +Sch 1.4.1603

Wal 7047, 12, 68 ; Sch BB 18, 108-111, 118-119

628 EUSTACHIUS prof Zel ; +P Zierikzee 1520

PB Zel

629 EUSTACHIUS Bertencamps prof Her ; SSM 1599 ; Her 1599 ; +1621

PB Her

630 EUSTACHIUS Metrasse (Metraste) prof BG ; +sr 12.12.1477

PB Bg ; Flandre III, 358

631 EUSTACHIUS (de) Meurgier conv Gand ; +1537

PB Gand

632 EVERARDUS Digby prof London ; Bg ±1555 ; +Sheen (Angleterre/Engeland) a.1559

Long angl 117

633 EVERARDUS Huessen (de Hammone) prof Zel ; P 1406 ; +1416 ; aut

PB Zel ; Ann. VII, 372 ; Sch LN 14

634 EVERARDUS Huessen (de Hammone) prof Gand ; P 1392-1396 ; P SSM 1410-1417 ; P 1427-1436 ; P Bg 1439-+30.3. 1441

BRB II 1959, c1439 ; PB Bg ; VdM Bijl V

*635 EVERARDUS (van) Velthoven prof Sch 10.9.1527 ; P Lov 1543-1545 ; sac Sch 1545-1549 ; vic 1549-1551 ; proc 1551 ; +1555

cfr 636

*636 EVERARDUS (van) Velthoven presb sec ; prof Sch ; proc 1541; vic Lov ; proc Lov ; +1563(?) 1566(?)

Wal 7043, 80, 11? 14v, 17 ; 7044, 19, 55v, 72v, 78, 83; PB Sch ; MB Lov 1476 ; MB Sch 1406

637 EVERARDUS Walin (Vuallin, Valentius) marié/gehuwd ; prof Li ; P ?.4.1592-1595 ; Köln 1600 ; S.Omer ; +Li antiq 30.8.1625

Wal 7047, 59 ; 7048, 108 ; MB 512

638 EYMERICUS (Heymericus) conv Utrecht ; Kiel 1444-1446 ; Zel 1446 ; +Arnhem 5.1.±1460

PB Zel ; AAU 71, 1952, 118

639 FELIX (van) Veurne (a Furno) don Zel ; +1671

PB Zel

640 FERDINANDUS-JOSEPHUS Bonnevie °?.12.1744 ; prof Her ; 1783 Her

CR 139

641 FIRMINUS Mathaeus don Gand ; +1569

PB Gand

642 FIRMINUS Rohaut prof Noyon ; 2° prof Torn ; +vic Abbeville 1574

Desmons 147

643 FIRMINUS Tourment °p : Firminus, m : Elizabeth van Fresen, Mechelen ; prof Sch 6.8.1510 ; +17.12.1557

Wal 7043, 17, 139, 141 ; 7044, 12v, 69, 83, 86v

644 FLORENS (van) Haarlem Univ Lov ; prof Lov 1529 ; vic ; P

1543-+18.4.1453 ; aut

PB Lov ; MB 1463, 1476 ; Sch LN 28 ; Goethals IV 53-54, Ephem I 462

645 FLORENS (de) Liège prof Li ; +1426

MB 494

646 FRANCISCUS conv Bg ; +23.4.1390/1391

PB Bg

647 FRANCISCUS don Her ; +1580

PB Her

648 FRANCISCUS conv Bg a.1614 ; +1632

RABg Oud KA 277, 279 ; PB Bg

649 FRANCISCUS prof Lier ; +1638

PB Kiel

650 FRANCISCUS Aleyda prof Her ; +sac 1563

PB Her

651 FRANCISCUS (de) Becker prof An ; +1752

PB BD

652 FRANCISCUS Beckers prof Zel +1774 ; presb 2.3.1776 ; sac 1781-1782 ; vic 1782-1785 ; P 1786-1789 ; proc 1789-1792

A.Ev.Li 1729-94 ; PB Zel ; MB Zel

653 FRANCISCUS Bernard (Barnard, Barnarde) prof Sheen a.1578 P ?.10.1582-1585 ; +26.4.1594

Long angl 147, 161

654FRANCISCUS Bodart (Bodaert) °Wavre ; prof Lier ; proc SA 1666-21.6.1669 ; proc SSM 1669-1672 ; P Lov a. 1680-?.5.1694 ; P Her 1694-?.5.1696 ; P Lier 1696 +26.9.1701 ; conv. 1695-+

Wal 7043, 190 ; RAR 12, 45, 46 ; RABg Oud KA 316 ; PB Kiel ; PB Her ; MB 1487

655 FRANCISCUS Boissart (Brissart) presb sec ; prof Her ; Gand 1624-1626 ; +Her 5.7.1629

RABg Acq 461 ; Wal 7048, 80v, 160 ; PB Her ; Ephem II, 698

656 FRANCISCUS Boten (Boyten) don Gand ; +1466

Wal 4058, 133v ; PB Gand

657 FRANCISCUS (van) Cauwenberghe (Bauvenbugh) prof Gand a.1696; +1735

RAG ; PB Gand

658 FRANCISCUS (de) Caveneere °Neigem ; prof Sch 17.7.1553 ; proc Her 1557 ; proc Sch 1559-1560 ; P 1560-1565 ; proc 1565-1569 ; vic 1569-30.11.1576 ; Her 1576 ; Li 1580 ; Sch 1580 ; sac 1596 ; vic 1596-1602 ; +sr 28.5.1611

Wal 7043, 10v, 17v ; 7044, 76v, 83, 85, 91v, 120, 122, 138v, 149, 167v ; 7047, 43 ; MB 1406-1408, 1415

659 FRANCISCUS Cuylits °Johannes, 7.7.1745, Arendonk ; prof Her 16.9.1769 ; vic SA 1773-1783 ; +26.3.1788

RABg Oud KA 323 ; CR 139, 353 ; PB SA ; d'Ydew 295

660 FRANCISCUS Dethier proc Li 1716

MB 522 n5

661 FRANCISCUS Duto (Dutho, Dutot) °Franciscus, ?.7.1726, Roesbrugge ; prof Bg 21.2.1751 ; sac SSM 1753 ; 1783 Bg ; +23.8.1787

RABg Oud KA 291, 292 ; RAR 52 ; CR 139, 354

662 FRANCISCUS (van) Einthoven (Endhoven, Enthoven, Endoven) prof Her ; Sch 1729 ; vic SA 1737-+1742

PB SA ; PB Her ; MB 1423 ; d'Ydew 295

663 FRANCISCUS Fennick prof Sheen ; +subd 14.4.1677

Long angl 236

664 FRANCISCUS Flander don Li ; +30.1.1622

MB 515 n6

665 FRANCISCUS (de) Flore prof SSM ; +1527

PB SSM

666 FRANCISCUS Francisci °Li ; prof Li 22.3.1614 ; P 1626-+1.9.1648 ; aut

MB 495, 514, 515

667 FRANCISCUS (de) Ghelcke (Glecke) prof Gand a.6.3.1652 ; vic 1655 ; +antiq 1680

RAG ; PB Gand

668 FRANCISCUS Greene (Greynne) prof Zierikzee ; Bg 1565 ; +proc Sheen, Lov 24.3.1584

Long angl 230, 232 ; Sch Bg 64

669 FRANCISCUS Griethuysen prof Her ±1675 ; +1677

PB Her

670 FRANCISCUS (van der) Herrewegen °Galmaarden ; prof Her 14.6.1742 ; proc SSM 15.6.1745-30.5.1748 ; proc Her 30.5.1748 ; proc An ; proc Lov ; P Her 15.10.1765-1783 ; +28.12.1786

RAR 51, 52 ; CR 139 ; MB 1454

671 FRANCISCUS Huughes prof Bg 19.4.1593 ; +subd 1609

RABg ch ; PB Bg

672 FRANCISCUS (de) Labye (de la Beye) prof SSM 1711 ; vic Her 1726-1734 ; vic Lier 1734-1735 ; P Lier ?.8.1735-+1744

RAR 15, 50 ; PB Kiel

673 FRANCISCUS Libert °Henricus, 1740, Lov ; prof Gand 11.6.1763 ; proc 1770-1783 & 1791-1792

RAG ; CR 139

674 FRANCISCUS Lomel (Lounel, Louvel) prof Zel ; +sac 1601

PB Zel

675 FRANCISCUS (Joannes) (van) Loo (Vanlo) prof An ; +1707

PB BD

676 FRANCISCUS (vander) Meulen (Molanus, Muelene) prof Lier ; rector Bg 1615 ; ?.8.1615-13.6.1632 ; vic Lier 1632-+26.5.1639

RABg ch ; Oud KA 278, 279, 280 ; Wal 7047, 140 ; 7048, 144 ; RAA FK Lier 22 ; PB Kiel

677 FRANCISCUS Meulenbergh don Her ; +a.1528 (neveu/neef 1700)

Lam 142

678 FRANCISCUS (van) Nieuwenhove °Adrianus, ?.2.1742 ; prof Her ; 1783 Her ; +26.2.1794

Cr 139 ; PB Her

679 FRANCISCUS (d') Oesterlinck °Haarlem ; prof Lov 1531

MB 1475

680 FRANCISCUS Pape don Gand ; +1524

PB Gand

681 FRANCISCUS Peeters don Lier ±1690 ; +1747

PB Kiel

682 FRANCISCUS Petri °Amsterdam ; prof Lov 1514 ; 2°prof Amsterdam 1527 ; +1539

Wal 7043, 146 ; PB Lov ; MB 1473

683 FRANCISCUS (le) Pipper °Lille ; prof Gosnay ; Sch 1624-1627 ; 1627 Gosnay

Wal 7048 , 81, 130

684 FRANCISCUS Planchon °Torn ; prof Sch 15.8.1638 ; 1661 Gand;

1682 Sch ; +antiq 10.3.1685

Wal 7043, 20 ; RABg Oud KA 338

684a FRANCISCUS Ponsart prof Li ±1729

A.Ev.Li 1729-94

685 FRANCISCUS (de) Post °Lov ; prof Lov 1700 ; +1728

PB Lov ; MB 1488

686 FRANCISCUS Preters don An ; +1700

PB BD

687 FRANCISCUS (de) Rijcke (de Riche) prof Bg 1673 ; sac 1678 ; 1678 SSM ; 1679 Bg ; Sch 1686 ; Zel 1689 ; Sheen 1694 ; Her 1694-1699 ; sac Bg 1699-5.8.1716 ; +10.9.1717

RABg Oud KA 282, 283, 284, 285, 286, 299, 301, 338 ; PB Bg ; Flandre III 340

688 FRANCISCUS Rodolphi prof SSM ; +1540

PB SSM

689FRANCISCUS (la) Ruelle (Laruel) °?.3.1735 ; prof Lier ; 1783 Lier ; +5.11.1789

CR 139 ; PB Kiel

690 FRANCISCUS Ruffelaert 1-r Her 1529 ; +1561(?)

Lam 225

691 FRANCISCUS Schotte °Bruxelles ; presb sec ; prof Lov 1614 ; sac 1615-1621 ; P Her ?.2.1621-?.5.1625 ; P Lier ?.5.1625-+1.11.1639 Torn

PB Kiel ; Desmons 100 ; MB 1449 ; MB 1484 ; Ephem IV 73

692 FRANCISCUS Searex(?) (Scop) don Her ; +1581

PB Her

693 FRANCISCUS Snijders prof Zel ±1735 ; vic 1741 ; +vic 1744

PB Zel ; MB Zel ; A.Ev.Li 1729-94

694 FRANCISCUS Suckant (Suctranus, Bucant) prof Bg a. 1561 ; sac 1567-1568 ; proc 1568-1572 ; +17.5.1574

RABg Déc 257 ; Oud KA 271, 272, 273, 274 ; RAA FK Lier 22 ; Flandre III 322

695 FRANCISCUS Talemannius de Wam de Edam ; instituteur/onderwijzer ; prof Lov 29.3.1515 ; presb 7.1.1516 ; vic 1522-1525 ; proc ; vic SA 1525-1532 ; P Lov a.25. 10.1532-+21.12.1539

Wal 7043, 147 ; 7044, 51; PB SA ; MB 1463, 1470, 1475 ; Ephem IV 551

696 FRANCISCUS Thimbleby prof Sheen 1622 ; proc 1626 ; +17.2. 1647

Long angl 227, 234 ; Antheunis 84

697 FRANCISCUS Thomson (Thompson, Hercules Tyrwhit) prof Sheen 24.6.1711 ; vic 1726 ; +8.3.1727 ; aut

Long angl 208, 228, 237, 256, 257

698 FRANCISCUS Tou °Theodorus, Amsterdam ; prof Sch 17.9.1680; vic ; proc SSM 1686-1687 ; P ?.9.1692-?.5.1697 ; vic SA 27.5.1701-1703 ; P Bg 1703-?.6.1706 ; +Sch 20.7.1708

Wal 7043, 11, 20v ; RAR 9, 13, 15, 25, 48, 49 ; RABg Oud KA 286 ; d'Ydew 295 ; MB 1421

699 FRANCISCUS Waelen magister Bruxelles ; cl-r Sch 1483 ; don; demissus

Wal 7043, 101

700 FRANCISCUS Warner postulant Sheen 1667 ; +3.4.1667 ; enterré/begraven Sheen

Long angl 189-190

701 FRANCISCUS Welle °Biervliet ; Univ Lov ; prof Her 1474 ; presb 6.1.1476 ; +27.12.1504 ; cop

Wal 7043, 128 ; PB Her ; Lam 73, 89, 96, 114-115

702 FRANCISCUS Williams °Josephus p : Thomas, m : Elizabeth Monington, 25.8.1729, Flintshire ; prof Sheen 13.10.1759 ; presb 20.9.1760 ; vic 1768 ; P 4.9.1777-1783 ; +Little Malvern 2.1.1797

Long angl 238 ; Mem 5, 6, 7, 11, 16, 21, 22, 29 ; RABg Acq 464, 467 bis

703 FRANCISCUS-JOSEPHUS (le) Beau °21.7.1747, Etrun ; philo Douai ; prof Torn 2.7.1767 ; Douai 9.3.1773 ; Val-Saint-Pierre 1783 ; Torn 1783 ; +24.2.1819

CR 139 ; Desmons 121 ; Vos III 265

704 FRANCO prof Gand ; +1364

Wal 4058, 131v

705 FRANCO (du) Bois (dou Bois) prof Gr.Chartr. ; P Bg 1372-1376 ; rector Torn 1376 ; P Torn -+23.9.1394

PB Bg ; Desmons 52, 124 ; Sch Bg 26

706 FREDERICUS Brant °Bruxelles ; presb sec ; prof Her 1482(?); sac 1509, 1511 ; +26.2.1537

PB Her ; Lam 148, 161

707 FREDERICUS Fredricx °Gelderland ; prof Sch 10.8.1654 ; proc 1684/1694 ; vic ; +4.11.1719

Wal 7043, 11v, 14, 20v

708 FREDERICUS Ghekieren (Ghellerson) cl-r Gand ; +29.3.1435

Wal 4058, 134 ; PB Gand

709 FREDERICUS Kogelkenius (Goclenius, Gogkelenius) prof Her ; Bg 1626 ; Roermond 1627, 1630 ; +Her 1641

Wal 7048, 130v ; RABg Oud KA 279 ; PB Bg

710 FREDERICUS (de) Massche prof Zel ; +1427

PB Zel

711 FREDERICUS (van) Waenrode conv Zel a.27.12.1412 ; +1418

PB Zel ; AAU, 51, 1925, 123

712 GABRIEL (van) Brussel prof Her ; Torn 1675 ; Her 1680 ; Gand 1681-1686 ; +Her 19.12.1688

PB Her ; RABg Oud KA 338

713 GABRIEL Dupen °Artois ; prof Torn ; +vic Valenciennes 1663

Desmons 148

714 GABRIEL Lippens don SSM 1691 ; +1745

RAR 49, 50, 56, 57 ; RABg Oud KA 286 ; PB SSM

715 GABRIEL Offhuys (Offinis) chan. régul. S.Jacques-Coudenberg/reg. kan. S.Jacobus-Coudenberg ; prof Sch 26.7.1502 ; 2°prof Lov 1505 ; +22.6.1535

Wal 7043, 16v, 121v ; 7044, 42v ; MB 1473

716 GABRIEL Poels prof Lier ; +vic An 1722

PB Kiel ; PB BD

717 GALIANUS (van) Peene prof Bg ; sac 1530-1539 ; proc 1540-1544 ; vic 1547-1554 ; vic & sr 1555-+19.4.1558

RABg Déc 257 ; Oud KA 271 , 298 ; ch ; Flandre III, 318

718 GALTERUS (Ejalterus) de Prato (Praeto, Practo, Pratanus) prof Bg a.1533 ; SSM 1547 ; +1573

RABg Déc 257 ; Oud KA 271 ; PB SSM

GANGERIUS 730

719 GASPARDUS prof SSM ; 1589

Wal 7044, 179v

720 GASPARDUS don Gand ; +1539

PB Gand

721 GASPARDUS don Lov ; +1550

PB Lov

722 GASPARDUS Cocx prof Zel ; proc 1628, 1648 ; P 1651-1652 ; proc 1652-+1656

PB Zel ; MB Zel

723 GASPARDUS (van) Craesbeeck prof Lier ±1665 ; vic 1682 ; + coa 1721

PB Kiel ; RABg Oud KA 338

724 GASPARDUS Grandmaire (Grammair) °Bastogne ; prof Lov 1604 ; Gand 1619 ; +Lov 1658

RABg Acq 461 ; PB Lov ; MB 1482

725 GASPARDUS (vander) Stock (Scacht) °p : Egidius, sécrétaire, secretaris, Lov ; Univ Lov ; prof Her 8.12.1444 ; sac Sch 1456-1458 ; proc 1458-1460 ; Hollandiae 1461 ; vic Sch 1462-1466 ; proc 1466-1470 ; proc Delft 1470-1480 ; P 1480-1482 ; P Her 1482-+7.10. 1495 ; conv. 1486-1492 ; vis 1493-1495

Wal 7043, 8v, 11v, 14v, 72 ; BMHG ; MB 1443

726 GASPARDUS Teunis don Zel ; +1727

PB Zel

727 GASPARDUS Vanderuna(?) prof Gand ; +1533

PB Gand

728 GASPARDUS Verkens (Verenz) don Lov ; +1666

PB Lov

729 GASPARDUS (van) Wynghen (Wingen, Wighen) prof Sch 14.9. 1528 ; vic 1550-1557 & 1558-+25.8.1559

Wal 7043, 8v, 17 ; 7044, 22, 72v, 83, 91v ; MB 1406

730 GAUGERIUS (Gangerius) prof SSM ; +vic 1514

PB SSM

731 GELDOLPHUS (vander) Heyden (de Mirica) prof SSM a.1418 ; proc 1431-+1447

RAG, F. Ghellinck 31 ; PB SSM ; VG 162

732 GEORGIUS don Kiel ; + 1529

PB Kiel

733 GEORGIUS prof SSM ; +1544

PB SSM

734 GEORGIUS Baxter don Sheen ; +13.12.1653

Long angl 241

735 GEORGIUS (Joannes) Bennet prof Sheen 1576 ; +Roermond 24.2. 1579

Long angl 147, 232 ; Wal 7044, 149v

736 GEORGIUS Brown conv Sheen ; +12.9.1617

Long angl 239

737 GEORGIUS Cooman °Mechelen ; prof Sch 12.4.1565 ; presb 9.9. 1569 ; +15.8.1572 (frère de/broer van 2471)

Wal 7043, 18 ; 7044, 106, 120, 132v

738 GEORGIUS (van) Donc (Vardonc, Vanderdonc) °Ieper ; Univ Lov 1503 ; prof Bg ; +6.4.1534

RAA FK Lier 22 ; PB Bg ; Flandre III, 317

739 GEORGIUS (de) Drusco (Drustro) prof Gand ; +1541

PB Gand

740 GEORGIUS Eglionby prof Sheen ?.4.1597 ; +20.10.1627

Long angl 234

741 GEORGIUS (vanden) Eynde prof An ; 1783 An

CR 139

742 GEORGIUS Ferrye +nov conv Sheen 26.10.1575

Long angl 239

743 GEORGIUS (van) Gent don Bg ; +1521

PB Bg

744 GEORGIUS Gheerbode cl-r SSM a.1441 ; +1443

RAR 1(258v) ; PB SSM

745 GEORGIUS Gibens (Gybens) don Zel ; +1748

PB Zel

746 GEORGIUS Hunter °Northumberland ; Univ Valladolid ; prof Sheen 21.10.1694 ; P 1700-1715 ; +31.12.1727

Long angl 207, 208, 237

747 GEORGIUS Keuler °Pontianus, 25.2.1734, Fauvillers ; prof Gosnay 21.11.1757 ; P 1773-1778 ; P S.Omer 1778 ; 2°prof Li 1791 ; P Zel 6.12.1791-1794 ; Dulmen

PB Zel ; MB Zel ; MB Li 524

748 GEORGIUS Leons prof SSM ; +1523

PB SSM

749 GEORGIUS Lys °?.10.1729 ; prof An ; 1783 An ; +25.10.1784

CR 139

750 GEORGIUS Millian (Mellian) °Bruxelles ; prof Sch 8.11.1650; vic 1663-1667; coa SA 1673 ; Her 1674 ; +vic 27. 8.1676

Wal 7043, 10v, 20 ; PB Her ; RABg Oud KA 338

GEORGIUS (de) Neve 857

751 GEORGIUS Pauwels don An ; +1764

PB BD ; Flandre III, 333

752 GEORGIUS Potshooft (Pothorst) prof Bg ; +7.8.1477

PB Bg ; Flandre III, 333

753 GEORGIUS Roobaert prof Bg ; +22.12.1534

RABg Déc 257 ; Oud KA 298 ; PB Bg ; Flandre III, 360

GEORGIUS Suteux 860

754 GEORGIUS Transam (Tyas) °London ; presb sec 29.9.1626 ; prof Sheen 29.6.1637 ; vic 1647-1654 ; P 1654-+17

6.1668 ; aut

Long angl 184-191

755 GEORGIUS Volkier   prof Gand ; sac ±1455-1485 ; proc SA 4.12.
1485-+16.8.1489 ; aut

Wal 4058, 130, 130v, 132v ; PB Gand

756 GEORGIUS Willems   °p ; Johannes, m : Margareta Hoestermans,
Gand ; prof Her 24.6.1504 ; sac 1524-+14.3.1547

Lam 132

757 GEORGIUS (vanden) Winckel   °1755, Kaprijke ; entré/ingetre-
den Bg 18.11.1781 ; nov Bg 1783

CR 354

758 GEORGIUS Zoetamijs   °p : Adrianus, m : Aldegonda Leyns ;
conv Gand 1499(?) ; +1528

Wal 4058, 133v ; RAG, B 1439 (51) ; PB Gand

759 GERALDUS   prof Her ; +sac 1547

PB Her

760 GERALDUS (de) Leyden   prof Zel ; +1419

PB Zel

761 GERALMUS (Geralinus) Querebbe (Quarebbe)   °Lov ; Univ Lov
1443 ; prof Her ±1445 ; presb 1447 ; Li 1453 ;
Mont-Dieu 1455 ; +1469 Normandie

MB 505 n10 ; Lam 22

762 GERARDUS   P Kiel 1338

PB Kiel

763 GERARDUS   conv Her 1390 ; +30.11.?

Lam 20

764 GERARDUS   cl-r Zel ; +1391

PB Zel

765 GERARDUS conv SSM ; +1497

PB SSM

766 GERARDUS prof Zel ; +vic 1500

PB Zel

767 GERARDUS prof Zel ; +vic 1544

PB Zel

768 GERARDUS (Sloot ? Boot ?) conv SSM ; +1638

RAR 22 ; RAG, B 1439 (63)

769 GERARDUS Alostanus prof Her ; +Li 1586

PB Her

770 GERARDUS (de) Amerzoden (Amezoden) prof Kiel ; +11.7.1422

PB Kiel

771 GERARDUS Amstelrodamus vic SA 1366-1369 ; +?.4.1380

PB SA ; d'Ydew 182

772 GERARDUS Apothecarii prof Li ; +29.9.1441

MB 505 n10

773 GERARDUS (d') Ardenne don Li ; 22.12.1551

MB 510 n4

774 GERARDUS Bellaert prof Zel ; +1412

PB Zel

775 GERARDUS Boet prof BG ; +25.11.1453

PB BG ; Flandre III 355

776 GERARDUS Buxhoren O.S.B. ; prof Gand ; 2°prof SA ; +13.11.1485

Wal 4058, 129v, 132 v ; PB BG

777 GERARDUS (de) Cassolodia prof Trier ; 2°prof Gand ±1417

Wal 4058, 125

778 GERARDUS (de) Craeyert conv Utrecht ; +Bg 31.1.1416

BMHG 233 ; Sch, Necr.Utr. 109

779 GERARDUS Cruysberck don maison allemande(?)/Duits huis(?) ; +Gand 24.5.1661

PB Gand

780 GERARDUS (Arnoldus) Eligius Radelet (Eloy, Surianus) °21.7. 1590, Durbuy ; prof Sch 3.3.1613 ; SA 16.11.1616 ; SA 1620-1621(?) ; vic S.Sofie 12.11.1621-1625 ; vic An 1625 ; vic Sch 1630-+30.12.1641 ; aut

Wal 7043, 1v, 10v, 19v ; 7048, 81v, 95v ; Sch LN 34, 40; Goethals III 152-161 ; Sacris Erudiri 16, 1965, 480, 481 ; Ephem IV 604

781GERARDUS (vanden) Ende (van Vinde, van Vijnde) °Mechelen ; prof Lov 1651 ; +sac 1668

PB Lov ; MB 1486 n4

782 GERARDUS Fabius prof Zel ±1521 ; P Amsterdam ?-1568 ; +Zel 26.4.1571

Wal 7044, 117, 122v ; PB Zel

783 GERARDUS (van) Goetsenhoven °Diest ; prof Zel ; P Zel 1544-+2.1.1559

Wal 7044, 74v ; PB Zel ; MB Zel

784 GERARDUS Haghen van Breda prof Her 1429 ; +17.4.1465 ; aut; cop

Wal 7043, 74 ; Lam 22, 52, 65, 78 ; Sch LN 19 ; MB 1433

785 GERARDUS (de) Liège °p : Renerius, m : Barbara, Li ; prof Li ; +26.1.1492

MB 507 n2

786 GERARDUS Masseau prof SSM ; +1625

PB SSM

787 GERARDUS Moens (de Lintris) prof Li 1552 ; proc ; P 1562-1580 ; +19.4.1606

MB 510, 511, 513 n9

788 GERARDUS (de) Monshuc(?) prof Zel ; +1424

PB Zel

789 GERARDUS Moons (Moens, Motus) prof Zel ; 1574 Allem./ Duitsl. ; +1576 Regensburg

Wal 7044, 135v ; PB Zel

790 GERARDUS Naghel °Delft ; presb sec ; prof Her ±1425-1430 ; proc ; vic ; P 1435-1437 ; +1.1.1471

Lam 11, 13, 52, 68, 183, 196 ; MB 1441 ; Ephem I 1

791 GERARDUS (de) Oerdren prof Kiel ; P 1336, 1338 ; +28.1.? (P Bg ?)

RAA FK Lier 22

792 GERARDUS Pannert (Pannardus) prof Monnikhuizen ; P Zel 1415-+1416

PB Zel ; MB Zel ; Sch AAU 72, 1953, 98

793 GERARDUS Pennebroeck °Haarlem ; prof Lo 1513 ; proc ; +1553

PB Lov ; MB 1473

794 GERARDUS (de) Puteo don Bg ; +1555

PB Bg

795 GERARDUS (van) Santen (de Zantis) °p : Johannes de Lerno, Saintes ; prof Her 1338 ; proc 1343-1347 ; Zel ; Li 1371 ; +15.3.1377 ; aut ; cop

Lam 17, 26, 27, 28, 53 ; MB 500 n3 ; MB 1433 ; Sch LN 11

796 GERARDUS (van) Schiedam (Stredamius) prof Li ; P Amsterdam

1415 ; P Hollandiae 1416 ; P SSM 1421-1427 ; P Li 1427-1434 ; P SSM 1436-+14.10.1442 ; aut

RAR 1 (52v ,89, 142v, 148, 149, 156v, 162, 164v), 14 ; RAG F. Ghellinck 37, 40, 42 ; Wal 7043, 55v ; Ephem III 539 ; Sch LN 18 ; MB 494, 501 n14, 503, 505 n10 ; Lam 57

797 GERARDUS Schulte (Sculteti) prof Gr. Chartr ; P Zel 1415 (?)-1421 ; +Li 4.5.1421

PB Zel; MB Zel ; MB 502 n12

798 GERARDUS (de) Tiel prof Li ; +vic 26. 1.1425

MB 502 n12, 503 n8

799 GERARDUS Verstraete (Verstrate) prof Gand ; P 1401

Wal 4058, 131 ; RAG ch 192

800 GERARDUS (de) Vet (Vos) prof Gand 1459 ; proc Bg ; Kiel ; +Gand 10.12.1497 ; cop

Wal 4058, 132v, 133v ; RAA FK Lier 22 ; PB Gand ; PB Kiel

801 GERARDUS Vrerix (Urerix) prof Zel ; +1693

PB Zel

802 GERARDUS (van) Wercouden prof Utrecht ; SSM ; +Bg 11.10. 1459

PB Bg ; BMHG ; Sch AAU 71, 1952, 119

803 GERARDUS (de) Ymsel don Sch ; +3.9.1525

Wal 7043, 18v ; 7044, 18

804 GERARDUS (de) Zutphen proc Li ; sac ; +P Mont-Dieu 9.10. 1494

MB 507 n9

805 GILBERTUS Jump °11.5.1705, Lancaster ; prof Sheen 24.6. 1726 ; sac ; proc ; P 24.4.1743-1753 ; vic 1754 ; +30.6.1772

Long angl 230, 237 ; CR 75

806 GIRARDUS (de) Rossem   prof Zel ; +vic 1431

PB Zel

807 GIRARDUS Vinck   don Lier ; +1615

PB Kiel

808 GISBERTUS   prof Li ; +proc 15.3.1439

MB 504 n2

809 GISBERTUS Bauhuys (Ghyselbrecht van Bauwhuysen, Bauhutius) °±1571, An, commerçant/handelaar ; prof Lov 1598 ; rector Sch 1605 ; P 1606-1608 ; P Bg 1608-13.4. 1614 ; P Sch 1614-1621 ; vic SA 2.7.1621-2.8.1627; P Lov 2.8.1627-1631 ; vic-+22.9.1635 ; conv. 1612; trad

Wal 7043, 3v ; 7048, 33v, 133 ; RABg Oud KA 277, 278 ; RAR 40 ; PB SA ; MB 1392, 1414, 1417 ; MB 1464 ; MB 1481, 1485 ; Goethals IV 150-160

810 GISBERTUS Bijll   prof SSM ; sac 1620-1629 ; sac Bg 1630-1638 ; sr SSM 1640 ; vic 1641 ; sr 1641-1646 ; sac 1647-1652 ; sr 1652-1662 ; +antiq 1664

RAR 40, 41, 42, 43, 44, 45 ; RABg Oud KA 279, 280 ; PB SSM

811 GISBERTUS Busen   prof Zel ; +1515

PB Zel

812 GISBERTUS (van) Geertruidenberg (de Monte Sanctae Gertrudis) prof Li ; 2°prof Zel ; +1487

PB Zel

813 GISBERTUS (van) Lederdam   prof Her ±1390 ; +vic 26.10.1441 ; cop

PB Her ; Lam 21, 56

814 GISBERTUS (van) Massemen   prof Her a.1390 ; +29.5.?

Lam 18

815 GISBERTUS (a) Praet don Sch 22.11.1520 ; +7.5.1536

Wal 7043 , 18v ; PB Sch

816 GISBERTUS Weert (de Beer) prof Bg ; +1439

PB BG

817 GISILENUS (van) Hamme (Hammius) prof Gand ; proc 1598-1603; +1638 ; aut

Wal 7047, 92, 126 ; RAG, B 1327, 91v, 92, 113v, 138 ; PB Gand

818 GISLENUS Hugo (de) Borsalia (Huyghens) prof Delft ; vic SA 1558-1565 ; Bg 1565-1567 ; +Delft 1569

Wal 7044, 119 ; RABg Oud KA 274 ; PB SA ; d'Ydew 182

819 GODEFRIDUS prof Zel ; +sac 1491

PB Zel

820 GODEFRIDUS don Zel ; +1554

PB Zel

821 GODEFRIDUS Boele °Bilzen ; nov Sch 1462 ; demissus

Wal 7043, 72v

822 GODEFRIDUS (de) Clivis prof Kiel ; +5.9.1400

PB Kiel

823 GODEFRIDUS Clutz °p : Johannes, Maastricht ; prof Li +1519; P 1523-1537 ; P S.Sofie 1537-1539 ; P Li 1539-+15. 10/13.11.1540

Wal 7044, 47, 55v ; PB BD ; MB 509

824 GODEFRIDUS (van) Dalhem (Darlem) °p : Simon ; prof Li ; P Hollandiae 1524-1525 ; +An 22.3.1525

MB 509 n11 ; Sch BB 18, 93

825 GODEFRIDUS Fabri prof Her a.1390 ; +13.4.1423

Lam 20

826 GODEFRIDUS Fabri   prof SSM ; +1408

PB SSM

827 GODEFRIDUS (van) Halmale   °p : nob Constant van Halmale, m : Catherina van den Werve, 3.5.1547, An ; prof Lov 1.11.1570 ; vic Lier 1599 ; rector 1600-1601 ; vic Sch 1602-1606 ; vic Lov 1606 ; Mont-Dieu ; +Lov antiq 18.4.1631 ; aut ; correcteur/corrector ; miniaturist/enlumineur

Wal 7043, 10v ; 7044 , 120 ; 7047, 56v, 62 ; PB Kiel ; MB 1415 ; MB 1464,1479, 1482 ; Ephem I 517

828 GODEFRIDUS Harenberghe   °Lov ; don Her 1490 ; +4.10.1524

Lam 92, 136

829 GODEFRIDUS Hautbiert   °Renaix/Ronse ; conv Her ±1413 ; Sch 1455 ; +Her 25.7.1473

PB Her ; Calbrecht 24 ; Lam 23, 71, 203

830 GODEFRIDUS (van) Hemert (Vaukemert, van Tremert)   prof Gand a.1696 ; +sac 1703

RAG ; PB Gand

831 GODEFRIDUS Janssens (de Tollene)   Univ Paris ; prof Her +1471 ; +24.1.1500

Wal 7043, 106v, 108v ; Lam 69, 89

832 GODEFRIDUS Marchant   °Feignies sous Maubeuge ; prof Torn 11.11.1720 ; vic Lille ; proc 1743 ; P Torn 1746-1772 +Lille 30.10.1775

Desmons 145

833 GODEFRIDUS Nicholai   prof SSM ; +1485

PB SSM

834 GODEFRIDUS (d') Oeteren   don Li ; +1424

MB 502 n12

835 GODEFRIDUS (de) Platea   prof Zel ; +1474

PB Zel

836 GODEFRIDUS Sabattini don Lier ; +1663

PB Kiel

837 GODEFRIDUS Snyders (Sneyers, Seyers) prof Zel ; vic SA 1711-1712 ; +1713

PB Zel; PB SA ; d'Ydew 295

838 GODEFRIDUS Storm don Gand ; +1665

PB Gand

839 GODEFRIDUS Urbain °Johannes-Baptista, 19.12.1729, Quaregnon ; philos te Douai ; prof Torn 8.11.1753 ; proc ; 1783 Torn ; +4.4.1811

CR 139 ; Desmons 119 ; Vos V 150

840 GODESCALCUS prof Bg ; +1438

PB Bg

841 GODESCALCUS (de) Seron °An ; prof An(?) ; 2°(?)prof Li ; proc Kiel 15.5.1415 ; P SSM 1417-1418(?) ; P Li 1425-1427 ; P Zel 1428-1434 ; P Li 1434-+16.10.1439

RAR 1(25, 92, 153) ; RAG, F.Ghellinck 32 ; PB Zel ; MB Zel ; MB 502, 503

842 GOMMARUS don Lier : +1615

PB Kiel

843 GOMMARUS (de) Antwerpia don Zel ; +1539

PN Zel

844 GOMMARUS (vanden) Eynde (Hende) prof Lier ; 1673 Her ; 1674 Sch ; proc Her a. 17.6.1683 ; P SSM 17.6.1683-+18.8.1692

RABg Oud KA 338 ; RAR 12, 13, 15, 22, 25, 46, 48, 49 ; PB Kiel ; PB Her

845 GOMMARUS Janssens conv Lier ; 1783 Lier

CR 139

846 GOMMARUS (van) Riel don Lov ; +1713

PB Lov

847 GOMMARUS Thomas °?.5.1745 ; prof Lier ; 1783 Lier

CR 139

848 GOSWINUS (Herwinus) Batendic (Butendiic) prof Bg ; +17.12.1493

PB Bg ; Flandre III 359

849 GOSWINUS (de) Beka °Gand ; dr utriusque iuris ; presb sec; prof SSM a.1411 ; 2°prof Gand ; P 1417-1418 (?) ; P SSM 1418(?)-1420(?) ; P Torn 1420(?)-1423(?) ; P Dijon 1423-? ; +24.5.1429 ; aut

Wal 4058, 125, 131v ; Wal 7043, 40v ; BRB 8579 (285, 302) ; RABg ch ; Ephem II 146 ; Desmons 127 ; Sch LN 17 ; NBW VI, 18-19

850 GOSWINUS Comhair °p : Gerardus, m : Bertha, ±1370, Zaltbommel ; prof Zel ±1400 ; P ?-1415 ; 2°prof Gr.Ch ; proc ; 1435 episc. Islande/Ijsland ; 1446 Zel ; + Gr.Ch 20.7.1447 ; aut

PB Zel ; MB Zel ; Sch LN 18 ; AAU 51, 1925, 101-173

851 GOSWINUS Mullinck °Arnhem ; P Zel 25.10.1434-+25.10.1437

PB Zel ; MB Zel

852 GOSWINUS Petri °Bastogne ±1541 ; presb sec ; prof Li ± 1581 ; sac ; vic ; +12.12.1611

MB 514 n16

853 GOSWINUS (de) Quarmont Univ ; prof Torn ±1447 ; +vic(?) 1461

Desmons 129, 146

854 GREGORIUS (de) Doncker °Johannes-Georgius, Bruxelles ;

prof Sch 19.3.1683 ; vic 1712-1716 ; proc 12.12. 1716-+15.1.1720

Wal 7043, 11, 14, 20v ; MB 1421

855 GREGORIUS Geys °Mechelen(?), Lov(?) ; prof Sch 26.7.1659 ; sac 1665-1672 ; vic Zel 1674-1677 ; vic Sch 1677-+18.2.1679

Wal 7043, 11, 15, 20 ; RABg Oud KA 338

856 GREGORIUS Macquet Univ ; prof SSM ; vic SA 1659 ; vic(?) Bg 1665-1667 ; vic SA 1667-+?.12.1675

RAR 45 ; RABg Oud KA 282 ; PB SA ; d'Ydew 295 ; ms Sélignac

857 GREGORIUS (Georgius) (de) Neve don Lov ; 1647 An ; +Lov 1694

PB Lov ; RABg Oud KA 338

858 GREGORIUS Raeymakers °Geel ; prof Lov 1626 ; P Bg a.13.4. 1654-+18.9.1656

RABg Oud KA 281 ; PB Bg ; MB 1484

859 GREGORIUS (vander) Speie (Spege, Speice) prof Bg ; +24.3. 1514

RAA FK Lier 22 ; BG BG ; Flandre III, 314

860 GREGORIUS (Georgius) Suteux (Sutrix) prof Lier ; 1660 sac; proc Sheen 1680 ; +Lier 1689

Long angl 228 ; PB Kiel ; RABg Oud KA 338

861 GUALTERUS prof Her ; +30.9.a.1390

Lam 20

862 GUALTERUS don Kiel ; +1519

PB Kiel

863 GUALTERUS Goudanus (Gondanus) prof Zel ; +1591 Li

PB Zel

864 GUALTERUS (de) Heeschedem(?)   prof Gand ; XVe s.(?)

Wal 4058 , 126v

865 GUALTERUS Johannis   prof SSM ; +1480

PB SSM

866 GUALTERUS (de) Keyser   proc Bg 1334

RABg ch

867 GUALTERUS Langius   °Wommersom ; prof Lov 1563 ; demissus

PB SSM

868 GUALTERUS Pitts   prof Sheen a.1579 ; vic ; P 17.2.1590-?.7. 1596 ; 1596-1604 ailleurs/elders ; Sheen 1604 ; +1.12.1611

Long angl 164-166

869 GUALTERUS (de) Reti (Retri)   prof Zel ; +1491

PB Zel

870 GUALTERUS Schupkens   don Lier ; +1662

PB Kiel

871 GUALTERUS Simius   prof Li 16.1.1555 ; +20.3.1589 (id 872 ?)

MB 510, 510 n4

872 GUALTERUS Simons   prof Li ; +22.3.1588 (id 871?)

MB 512 n6

873 GUALTERUS (de) Thuringhen(?)   don Zel ; +1517

PB Zel

874 GUALTERUS Wivens   don Bg ; +1463

PB Bg

875 GUERANDUS (de) Juliaco   +vic Zel 1414

PB Zel

876 GUIDO Heynkens prof Bg 1574 ; vic Würzburg ?-1585 ; proc Bg 1585-1605 ; vic 1605-1608 ; proc 1608-1.6.1617 vic 1617-+1619

RABg Déc 257 ; Oud KA 271 , 276, 277, 278, 279 ; PB Bg

877 GUIDO Mertens don SSM a.1661 ; +1669

RAR 44 ; PB SSM

GUIGO Haelterman 1160

878 GULIELMUS don Kiel ; +1509

PB Kiel

879 GULIELMUS prof Kiel ; vic Lier 1553

PB Kiel

880 GULIELMUS don Zel ; +1557

PB Zel

881 GULIELMUS don Her ; +1582

PB Her

882 GULIELMUS don Gand ; +1619

PB Gand

883 GULIELMUS don S.Sofie ; +An 1637

PB Bd

884 GULIELMUS (van) Alecque (Auquerc, Aken) don An ; 1672 Gand; 1673 Lov ; +An 1703

PB Bd ; RABg Oud KA 338

885 GULIELMUS Apsel (Absel) van Breda Univ Lov 1429 ; prof Her 1430 ; P Bg 1462-1465 ; +Her 5.8.1471 ; aut

Wal 7043, 72v, 83v ; PB Bg ; Sch LN 20 ; Goethals I, 23-24 ; Ephem III 20

886 GULIELMUS (van) Artevelde presb sec ; prof Gand ±1398

Wal 4058, 131v ; RAG, B 1288, 36

887 GULIELMUS (de) Beckere (de Zuene) °Bruxelles ; don Sch 1526 ; +17.6.1556

Wal 7043, 18v ; 7044, 69, 84

888 GULIELMUS (van) Beieren °p : Gulielmus VI de Bavière/van Beieren, marié/getrouwd ; cl-r Bg 1452 ; +23.4. 1455

Wal 7043, 62 ; Flandre III 319 ; Ephem I 201 ; Sch Bg 10, 48

889 GULIELMUS Bennet prof Sheen ; +12.8.1574

Long angl 232

890 GULIELMUS Bets (Beth, Boet) prof Bg ; sac 1535-1537 ; +9. 5.1538

RABg Déc 257, Oud KA 298 ; RAA FK Lier 22 ; Flandre III 321

891 GULIELMUS (van) Beyeren °+1540, Zaltbommel ; prof Lov 1562 ; vic 1570-1579 ; P ?.12.1579-1596 ; Li ; +11.8.1604

Wal 7047, 59 ; MB 513 n9 ; MB 1479, 1480

892 GULIELMUS Bibaut (Bibau) °p : Stephanus, m : Margaretha Oudaris, +1475, Tielt ; prof Gand 1499 ; proc 1506 ; P Hollandiae 1514(?)-1521 ; P Gr.Ch 1521-+ 24.7.1535 ; conv. 1511-1513 ; vis 1513-1521

Wal 7043, 142v; 154v ; 7044, 7, 43-45, 83 ; RAG ; Goethals I 52-55 ; Sch BB 18, 85 ; NBW VI, 34-36

893 GULIELMUS Blevin °Lancaster ; don Sheen +1730 ; +1766

Long angl 240

GULIELMUS Block 1008

894 GULIELMUS (van) Boxtel prof SA ; +1421

PB Bg ; d'Ydew 91

895 GULIELMUS (van) Branteghem °p : Johannes, +1480, Aalst ; prof Gand ; Delft 1527-1530 ; Kiel 1530-1537 ; +1553 ; aut

Wal 7044, 37 ; Sch LN 29 ; BNB II 908-909 ; NBW VI 50-51

896 GULIELMUS (van) Breda prof Li ; 2°prof Roermond ; +22.9.
1468

MB 505 n10 ; OGE, 13, 1939, 51-53

897 GULIELMUS Brielis prof Zel ; +1527

PB Zel

898 GULIELMUS (de) Brielis prof Zel ; +1542

PB Zel

899 GULIELMUS Busere prof Gand ; P Bg 1340-1350 ; vis 1346-1350

Wal 4058, 131v ; RABg ch ; Sch Bg, 24-25

900 GULIELMUS Busere don Kiel ; +1463

PB Kiel

901 GULIELMUS Caellebaut p : Joannes, Aalter ; prof Gand ;
±1383

Wal 4058, 131

902 GULIELMUS (de) Castro (a Castero, Casero, Casen) prof Sch ;
sac 1575-1575 ; vic 1575-1578 ; en fuite/gevlucht;
Li 1584 ; Roermond 1585 ; quelque temps en Allemagne/een tijdje in Duitsland ; cop

Wal 7043, 8v, 14v, 18 ; 7044, 138v, 162 ; MB 1408 n11,
n14

903 GULIELMUS (Cyrillus) Chambers prof Sheen ±1603 ; +11.11.
1629

Long angl 233

904 GULIELMUS Colford prof Sheen 21.12.1597 ; +subd 4.4.1601

Long angl 168, 233

905 GULIELMUS Come conv Kiel ; +1433

PB Kiel

906 GULIELMUS (de) Coninc conv Kiel ; +27.4.XIV°s

Bijdr.Gesch. 23, 1932, 142

907 GULIELMUS Creyte (Chiariar)   prof SSM ; +12.1.1500

RAA FK Lier 22 ; PB SSM ; BMHG

908 GULIELMUS Damman   °nob ; prof SSM ±1686 ; presb 1689 ; proc 1690-1691 ; vic 1696-1697 ; proc 1697-?.5.1706 ; P ?.5.1706-1709 ; P Gand 1714-1723 ; vic SSM 1723 -1725 ; P Bg 1732-1738 ; SSM coa +1740

RAR 12, 25, 48, 49, 50 ; RAG ; RABg Oud KA 286, 287, 288 ; PB SSM

909 GULIELMUS (de) Diest   prof Zel ; +1544

PB Zel

910 GULIELMUS (van) Dordrecht   prof Li a.1434 ; +30.11.1448

MB 505 n10

911 GULIELMUS (de) Faena   prof SSM ; +1566

PB SSM

912 GULIELMUS Gascoigne (Gascoin)   prof Sheen 1579 ; +6.8.1588

Long angl 147, 232

913 GULIELMUS (van) Geel (Gheel)   prof Zel ; presb 19.9.1671 ; vic SSM 1674 ; vic Her 1679 ; Gand 1680 ; +Zel 1690

RAR 46 ; PB Zel ; RABg Oud KA 338 ; A.Ev.Li 1671-72

914 GULIELMUS Gerardi (Gerardszoon)   °Lov : prof Lov 1559 ; SSM 1572 ; 2°prof Zierikzee ; +Li 1578

PB Lov ; MB 1478 ; Sch, HB 53, 1935, 211

915 GULIELMUS Gillis (Aegidii, Aegidianus)   prof Gand a.1609 ; +antiq 1649

RAG ; BRB 8579 (297, 304) ; PB Gand

916 GULIELMUS Gret   conv Her ; +1481

PB Her

917 GULIELMUS (de) Groot (Groodt) °?.6.1729 ; prof Her ; +14.6. 1783

CR 139 ; PB Her ; MB 1455

918 GULIELMUS Gruuthuse prof Kiel ; +SA 27.12.1528

PB Kiel

919 GULIELMUS (van) Haeght (Haecht) °Lov ; prof Lov 1616 ; proc 1622 ; proc Bg 1622-1660 ; +proc Lov 1663

RABg Oud KA 278, 279, 280, 281 ; Wal 7048, 66v ; RAG ; PB Lov ; MB 1484 n17

920 GULIELMUS (van) Halewijn °nob ; Univ ; prof Gand ; vic ; P 1471-1475 ; proc SA 1475 ; P Val-Saint-Pierre 1488 -1490 ; P Abbeville ; +SA 24.8.1500

Wal 4058, 127v, 130v, 131v ; RAG,B1288, 19 ; RAG FK 169 PB SA ; Ephem III 71

921 GULIELMUS Hall °London ; presb sec ; prof Sheen 19.4.1693 ; P 1696-1699 ; Her 1699 ; vic Bg 1702-1703 ; vic Sheen 1715 ; P 1715-1718 ; +proc 6.11.1718

RABg Oud KA 286 ; Long angl 200, 228, 236 ; PB Sheen

922 GULIELMUS Hark prof Zel ; +1487

PB Zel

923 GULIELMUS (Joannes) Hawkins conv Sheen ; +Anglet/Engeland 12.5.1647

Long angl 239

924 GULIELMUS Holmes (Helmes) prof Sheen ; +Lov 1578

Long angl 147, 232

925 GULIELMUS (vander) Hooven prof Her +1682 ; vic Sheen 1699 ; Gand 1704 ; Lier 1704 ; +15.1.1740 antiq & coa Her

PB Her ; PB Sheen

926 GULIELMUS Hovius °Zevenbergen ; prof Lov 1600 ; +antiq 1647

PB Lov ; MB 1482

927 GULIELMUS Jacopsen (Jacobsen)   prof Gand a.1716 ; vic Sch 1716-1719 ; vic SA 29.5.1719-29.11.1723 ; +1747 Gand

Wal 7043,11 ; RAG ; PB SA ; d'Ydew 250

928 GULIELMUS Jansen   don Gand ; +1714

PB Gand

929 GULIELMUS Joannes   prof Zel ; 1532

PB Zel

930 GULIELMUS Kantert   °+1533, Amsterdam ; postulant Sch 10.11. 1551 ; demissus ; plus tard/later prof Köln

Wal 7044, 74v

931 GULIELMUS Kersmaecker   °Lier ; don Sch 12.1.1617 ; +19.11. 1630

Wal 7043, 24

932 GULIELMUS Ketelbant   °Anderlecht ; don Sch ; +1774

Wal 7043, 24v

933 GULIELMUS Laets   don Zel ; +1720

PB Zel

934 GULIELMUS Lambrechts   don Zel ; +1673

PB Zel

935 GULIELMUS (de) Langhe   prof Zel ; +antiq 1620

PB Zel

936 GULIELMUS Leendt (Leone, Loone)   prof Delft ; Arnhem ; Köln 1574 ; Lier 1598 ; SSM 1598 ; Gand 1606

Wal 7047, 50v ; PB Gand ; HB 49, 1932, 361 & 60, 1948, 281

937 GULIELMUS Lousset (Lauset, Lauzel, Laucel, Lanssel) prof Torn ; P Mont-Dieu 1497, 1499, 1502-1506 ; P Torn 1507-1508 ; P Val-Saint-Pierre 1508-1511 ; P Torn 1512-+25.1.1516

Desmons 136

938 GULIELMUS Maes OESA ; 23.2.1625 postulant Sch ; demissus

Wal 7048 , 92v

939 GULIELMUS (van) Mechelen prof Lov ±1528

MB 1475

940 GULIELMUS (van) Mechelen prof Zel ; Lov 1504 ; 2°prof Lov 1505 ; sac 1505-1511 ; proc ; vic SA 21.6.1513-1522 +Lov 9.1.1523

Wal 7043, 146 ; PB SA ; d'Ydew 182 ; MB 1470, 1473

941 GULIELMUS (de) Meersen prof Li ±1390 ; P 1417-17.10.1418

MB 501 n14, 502

942 GULIELMUS Militis prof Gand ; +SA 1509 (id 944 ?)

PB Gand

943 GULIELMUS (de) Myda prof SSM ; proc 1482-+21.2.1504

RAR 1(273) ; RAA, FK Lier 22 ; PB SSM ; BMHG(18.2)

944 GULIELMUS (van der) Myen (Rye) proc SA 1493, 1497, 1503 (id 942 ?)

RABg ch ; d'Ydew 131

945 GULIELMUS Ossen don Zel ; +1505

PB Zel

946 GULIELMUS (d')Outelair °Sint-Oedenrode, 1610 ; Univ Lov ; prof Sch 18.10.1632 ; vic Bg 1641-1643 ; P Zel 1657-+1665 (frère de/broer van 1918 ; neveu de/ neef van 415)

Wal 7043, 20 ; 7048, 200 ; RABg Oud KA 280 ; PB Zel

MB Zel

947 GULIELMUS (le) Page   prof Li ; Bg 1702

MB 522

948 GULIELMUS Pauwels (Pauli)   prof Gand ; +1556

RAG ; PB Gand

949 GULIELMUS (de) Peelt   prof Li ; +28.3.1481

MB 506 n3

950 GULIELMUS Plochoyt (Plochoys)   prof Bg ; +vic 8.6.1498

RAA FK Lier 22 ; PB Bg ; BMHG

951 GULIELMUS Poelgeest   cl-r Her ; +10.8.1451

PB Her ; Lam 21, 59

952 GULIELMUS Powel (Prioli)   prof Sheen 1566 ; sac ; +Lov 6.1.1581

Long angl 231 ; PB Sheen

953 GULIELMUS Ram   prof Her ; +27.9.a.1390

Lam 18

954 GULIELMUS Reynalds   prof Henton ; +Sch 19.8.1555

Wal 7044, 82v ; Long ch 2

955 GULIELMUS Rijngaut (Rynguant)   °Lokeren ; prof Lov 1697 ; +Gand 1718

PB Gand ; MB 1488

956 GULIELMUS Russel   prof Sheen 1583 ; +18.7.1587

Long angl 232, 233

957 GULIELMUS Rustinam (Luckerman)   conv SSM ; +1478

PB SSM

958 GULIELMUS Scapenaerst conv Bg ; +16.8.a.1555 (id 961 ?)

Flandre III 335

959 GULIELMUS (van) Schoonhoven prof Utrecht ; Bg 1572 ; Utrecht 1572

BB 18, 105

960 GULIELMUS Skinner don Sheen 1635 ; +1654

Long angl 180, 241

961 GULIELMUS Slotmakere cl-r Bg ±1324 (id 958 ?)

VdM Bijl V

962 GULIELMUS Sluter conv Zel ; +1424

PB Zel

963 GULIELMUS (de) Smit (Faber) prof (?) Bg ; +1349

RABg ch ; VdM Bijl V

964 GULIELMUS (M.) Staes °Gulielmus-Josephus, ?.9.1742 , Lov ; prof Lov 1763 ; vic Bg 1768-1769 ; 1783 Lov

RABg Oud KA 292 ; CR 139 ; MB 1492 n3

965 GULIELMUS (vander) Straeten (de Platea) °Zingem ; O. Praem; conv Her 1504 ; +27.2.1516

PB Her ; Lam 128

966 GULIELMUS Terwenschoof prof Her ; +22.6.a.1390

Lam 18

967 GULIELMUS Tsas °Antonius, Bruxelles ; prof Sch 21.8.1678 ; sac 1682-1684 ; proc 2.7.1684-22.7.1685

Wal 7043, 14, 15, 20v ; MB 1421

968 GULIELMUS (van) Turnhout prof Zel ; proc 1412 ; +vic 1420

PB Zel ; AAU 51, 1925, 124

969 GULIELMUS Vaernewijck °p : Thomas, nob ; prof (?) Bourgfontaine ; P Gand 1334-+28.6.1349

Wal 4058, 124v ; RAG, ch 26 ; B 1288 (23v) ; HMGOG 25, 1971, 6,7, 11, 12

970 GULIELMUS (de) Vogele (Vueghele, Vogelieis, Volucris, Voltuoris) prof SSM ; proc 1517 ; proc Bg 1526 ; proc SA 1529, 1531 ; P SSM 1533-+1545

RAR 8, 27, 30, 55, 73 ; RABg, ch ; PB SSM

GULIELMUS Walravens 162

971 GULIELMUS (de) Wandenoy (Wadenoyen) Univ Paris 1368-1378 ; prof Vauvert ; vis Picardiae ; P Kiel 1386(?)-+ 25.3.1405

Wal 7043, 34 ; PB Kiel ; Lam 41 ; Sch Bg 34 ; Annales VII 183-184 ; Ephem I 372

972 GULIELMUS Willems prof Lier ; proc 1608 ; P Lier 1608-1625; rector An 1625-+27.9.1625

Wal 7047, 96v ; 7048, 95v, 108 ; PB BD ; PB Kiel

GULIELMUS Zulre 1844

973 GULIELMUS-ADRIANUS Brouwershaven prof Gr.Chartr. ; 1588 proc Lier

Wal 7044, 173v

974 GULIELMUS-FRANCISCUS Hélin °+1680, Torn ; prof Torn ; proc 1712-1722 ; proc Valenciennes ; proc mon. Gosnay 1726-+5.6.1748

Desmons 151

975 GULIELMUS-JOSEPHUS Pollet °Lov ; prof Lov 1736 ; +1749

PB Lov ; MB 1490 n7

976 HECTOR prof Bg ; +27.5.?

RAA FK Lier 22

977 HECTOR Gardiner conv Sheen ; +Li 3.6.1591

Long angl 239

978 HERIGERUS prof Her ; +3.5.a.1390

Lam 18

HEMERICUS van Brussel 99

979 HENRICUS conv Kiel ; +1340

PB Kiel

980 HENRICUS P Kiel 1329 ; +27.10.? (id 980a, 981 ?)

PB Kiel

980a HENRICUS vic mon. Gosnay ; +27.10.1334 (id 980, 981 ?)

PB Kiel

981 HENRICUS P Her a.1329 (id 980, 980a ?)

MB 1436-1437 ; Lam 13, 40

982 HENRICUS prof Bg ; +1343

PB Bg

983 HENRICUS conv Zel ; +1512

PB Zel

984 HENRICUS conv Kiel ; +1514

PB Kiel

985 HENRICUS don Gand ; +1530

PB Gand

986 HENRICUS don SSM ; +1530 (id 987 ?)

PB SSM

987 HENRICUS don SSM ; +1531 (id 986 ?)

PB SSM

988 HENRICUS conv Lov ; +1534

PB Lov

989 HENRICUS don Kiel ; +1541

PB Kiel

990 HENRICUS don Kiel ; +Lier 1547

PB Kiel

991 HENRICUS prof Kiel ; +vic Lier 1562 (id 1019, 1037 ?)

PB Kiel

992 HENRICUS conv Hollandiae ; 1565 Li

BB 18, 104

993 HENRICUS don Gand ; +1584

PB Gand

994 HENRICUS don SSM ±1537 ; +1601

Wal 7047, 62 ; PB SSM

995 HENRICUS prof Lier ±1617 ; +1619

PB Kiel

996 HENRICUS prof Lier ; +1638

PB Kiel

997 HENRICUS (van) Alkmaar (de Alemania) prof Lov 1508 ; +3.8.1510

PB Lov ; MB 1473

998 HENRICUS Amelius (Ortho, Orto) °Ortho ; prof Li ; vic Gand 1598 ; vic Li 1601 ; vic Lov 1601 ; rector Bg 1602 -1604 ; SA 1604 ; vic Li 1609 ; vic S.Sofie 1609 ; Bg 1614 ; +sr & vic Li 31.1.1627

Wal 7047, 70, 92, 111; 7048, 127 ; RABg Oud KA 277

999 HENRICUS (van) Amsterdam Univ Lov 1434 ; prof Bg ; +16.2. 1474

PB Bg ; VdM Bijl V ; Flandre III 309

1000 HENRICUS Anglicus +Kiel 1541

PB Kiel

HENRICUS (van) Antwerpen 1209

1001 HENRICUS Asscheric (?) Bg 1386 ; +3.3.?(?)

RAA FK Lier 22 ; VdM Bijl V

1002 HENRICUS (de) Bastogne prof Li ; proc ; P 13.4.1493-+30.4. 1504 (oncle de/oom van 1757)

MB 507

1003 HENRICUS Beckbeek van Oldenzaal prof Monnikhuizen ; 1393 initiator Amsterdam ; P 1398-1404 ; P Bg 1410-+16. 1.1415 ; cop

PB Bg ; Flandre III 305 ; Sch, Bg 37

1004 HENRICUS Berghe prof Kiel ; 2°prof Freiburg ; +1437

PB Kiel

1005 HENRICUS Bijl (Bijll) °Venlo ; prof Lov 1616 ; proc Her 1625-1629 ; 1629 SA ; +1654 Her

RABg Acq 461 ; Wal 7048, 152 ; PB Lov ; MB 1484

1006 HENRICUS (de) Bilsen prof Li ±1449 ; +22.7.1500

MB 507 n9

1007 HENRICUS (von dem) Birnbaum (de Pyro) °±1400, Köln ; Univ Paris, Köln, Bologna ; professeur Lov, Köln ; prof Köln 14.3.1436 ; vic 1437 ; P Zel 1442-1445 ; P Li 1445-1447 ; P Wesel 1447-1454 ; P Réthel ; P Trier; +Köln 19.2.1473

PB Zel ; Desmons 130 ; NBW V 76-79

1008 HENRICUS (Gulielmus) Block prof Zel ; proc 1391 ; +1440

PB Zel ; NBW II 143

1009 HENRICUS Borre °Utrecht ; prof Utrecht ±1429 ; vic ; Her ; +2.4.1473

Lam 71

1010 HENRICUS (van) Breuseghem prof Lier ; An 1625 ; proc Sch 1626 ; P SSM 1626-1630 ; P An 1630-1640 ; P Lier 1640-1657 ; +1659

Wal 7048, 95v, 106v, 176 ; RAR 14, 41 ; PB BD ; PB Kiel

1011 HENRICUS (van) Brouwershaven don Lov ; +1518

PB Lov

1012 HENRICUS (van) Brussel prof Her ; +P Beaune 19.10.1435

Lam 21, 48

1013 HENRICUS (de) Bruyne (Brunen) P Kiel & Lier ±1542-+18.4. 1548

Wal 7044, 61 ; PB Kiel ; BMHG

1014 HENRICUS Christiani °p : Mathias ; prof Li ±1610 ; proc ; vic SSM 1638-1640 ; +Li 17.1.1659

RAR 41, 42 ; MB 514, 517n

1015 HENRICUS (van) Coesfeld prof Monnikhuizen ; P 1373-1378 ; P Hollandiae 1378-1381 ; P Zel 1381-1402 ; P Hollandiae 1402-+9.7.1410 (Bg) ; conv. Rheni 1404-1406 ; vis Rheni 1406-1410 ; vis Picardiae 1410

PB Zel ; Dictionnaire de Spiritualité Catholique, VII, 1968, 182-184 ; BB 18, 52-59

1016 HENRICUS Cool (Kool) prof Utrecht ; vic SA 1565-+1578

Wal 7044, 145 ; PB SA ; d'Ydew 147

1017 HENRICUS Danijs prof SSM ; proc ? 1418 ?, 1426 ?

RAR 12 ; RAG F. Ghellinck 31

1018 HENRICUS David prof SSM ; +1472

PB SSM

1019 HENRICUS (van) Dendermonde (Teneramundensis) 1549 Lier (id 991 ?)

Wal 7044, 69v

1020 HENRICUS (de) Duvelandia P Kiel 1469-1478 & 1480-+21.1. 1497 ; conv. 1484-1488

PB Kiel ; BMHG ; Lam 82, 86

1021 HENRICUS Duytz (Duyth) conv Kiel ; +14.8.1515

PB Kiel

1022 HENRICUS Geelen (Gielen) °Roermond ; prof Roermond ; vic Sch 30.3.1721-27.2.1724 ; P Lov 18.11.1724-1734 ; P Her 1734-1735 ; +1747 proc & coa Roermond

Wal 7043, 11 ; PB Her ; MB 1453 ; MB 1489-90

1023 HENRICUS Gheyterst prof Kiel ; +11.12.1503

PB Kiel

1024 HENRICUS (vanden) Haag (de Hagis, de Haga) prof Zel a. 1428 ; +1457

PB Zel ; Ephem II 508 ; AAU, 51, 1925, 124

1025 HENRICUS (van) Hasselt P Zel 1496-1497

MB Zel

1026 HENRICUS Hemeloys don Sch ; +1.11.1610

Wal 7043, 18v

1027 HENRICUS Hertvelde (van den Heetvelde) °Bruxelles ; conv Sch 6.6.1460 ; +12.11.1472

Wal 7043, 15v, 70v, 86

1028 HENRICUS Hills prof Sheen 8.3.1690 ; diac 19.12.1699 ; +3.5.1730

Long angl 237

1029 HENRICUS (Herman) Hinckaert °p : Johannes, nob, Bruxelles; prof Sch 7.6.1492 ; +25.6.1529

Wal 7043, 16v, 113 ; 7044, 21v, 24v ; MB1403 n12, 1406

1030 HENRICUS Huesdanus (van Heusden) prof Arnhem ; vic SA 1546 -1549 ; +1569 Utrecht ?

PB SA ; d'Ydew 143, 182

1031 HENRICUS Jeuck prof Bg ; P 1459-1462 ; +10.6.1465

PB Bg ; Flandre III 325 ; Sch Bg, 49 ; VdM Bijl V

1032 HENRICUS Kermpt prof Sch 19.5.1552 ; P Erfurt ; +vic Würzburg 1566

Wal 7043, 17v ; 7044, 73, 83, 108 ; MB 1406

1033 HENRICUS Kreiten (Creyten, Kreicen) prof Bg ; vic ; +18.6. 1473

PB Bg ; Flandre III 327 ; BMHG (17.7)

1034 HENRICUS (van der) Laen °p : Everardus, m : Sophia, Ysselstein ; Univ ; presb sec ; prof Utrecht 1422 ; P 1426-1427 ; P Bg 1428-1433 ; +4.1.1438 Utrecht

PB Bg ; Sch Bg, 41

1035 HENRICUS (de) Lentris (Lintris) prof Zel ; +1523

PB Zel

1036 HENRICUS (van) Leuven (Bovanii, Lovanii, Bovami) prof Kiel; +15.1.1500 (id 1044 ?)

PB Kiel ; BMHG

1037 HENRICUS (van) Leuven (de Lovanio) Lier 16.1.1549 (id 991?)

Wal 7044, 69v

1038 HENRICUS (van) Loen °1406, Lov ; Univ Lov ; prof Her 19.7. 1442 ; vic 1442 ; P 1445-1456 ; rector Sch 1456 ; P 1458-1475 ; Her ; vic 1477-+3.2.1481 ; conv. 1449 ; aut

MB 1392, 1397, 1399, 1400 ; MB 1433, 1442 ; Goethals II, 78-81 ; Ephem I 152

1039 HENRICUS (van) Luik (de Leodio) prof Kiel ; +sac 26.9. 1430

PB Kiel

1040 HENRICUS (van) Luik (van Luyck, a Leodio) proc Zel 1554-1555 ; P 1561 ; conv-+24.8.1572

MB Zel ; Ephem III 138

1041 HENRICUS Lupi presb sec ; prof Gand ; vic ; XIV°s

Wal 4051, 131 ; BRB 8579 (294) ; RAG

1042 HENRICUS (de) Mandris (van Manderic) cl-r Zel a.1416 ; + 1431

PB Zel ; AAU, 51, 1925, 124

1043 HENRICUS (de) Mechlinia conv Zel ; +1520

PB Zel

1044 HENRICUS (vander) Meer (de Mari) °Lov ; prof Kiel ; Sch 1456-1458 ; +15.1.? (idem 1036 ?) ; cop

BMHG ; F. Prims, Geschiedenis van Antwerpen, 11, 1933, 254

1045 HENRICUS Mello don Zel ; +1680

PB Zel

1046 HENRICUS Mercx (Mers, Merex) don Lier ; +1667

PB Kiel

1047 HENRICUS Meynardi de Herlen (Maynardi van Haarlem) prof Gand ; 2°prof SA ; +7.11.1465

Wal 4051, 131v ; PB Bg ; d'Ydew 107

1048 HENRICUS Middelborch °Bruxelles ; prof Sch 1.7.1565 ; proc 1568-1569 ; +6.10.1577

Wal 7043, 11v, 18 ; 7044, 106, 143

1049 HENRICUS (de) Molendino prof Zel ; P(?) 1501 ; +1520

PB Zel ; MB Zel

1050 HENRICUS Montaert (Montcart) prof SSM ; +1523

PB SSM

1051 HENRICUS (de) Monte prof Kiel ; Lier 1549 ; 2°prof Strasbourg ; +1559

Wal 7044, 69v ; PB Kiel

1052 HENRICUS (de) Monte Sanctae Gertrudis conv Zel ; +1560

PB Zel

1053 HENRICUS (van) Mouwerick conv Zel a.1410

AAU, 51, 1925, 124

1054 HENRICUS Mutsert °An ; prof Kiel ; P Li 1520-1523 ; P Kiel 1525-1529 ; +2.11.1531

Wal 7044, 15v ; PB Kiel ; MB 508

1055 HENRICUS Nullen °'s Hertogenbosch ; prof Vauvert ; P Her 1402-+13.8.1409 ; 1409 conv.

PB Her ; Lam XV, 12, 40, 183 ; MB 1439 ; BMHG

1056 HENRICUS Opitter prof Li ; vic ; proc ; +1558

MB 510

1057 HENRICUS Orsoy °Wesel ; Univ Erfurt 1409 ; prof Arnhem ; P Roermond ±1421-1432 ; P Zel ±1443-?.1.1448 (?.4.1449) ; P Arnhem 1449-1456 ; +6.8.1462

PB Zel ; MB Zel ; AAU, 72, 1953, 107

1058 HENRICUS Orsoy prof Hollandiae ; proc ; P Li 1474-1482 ; +Hollandiae 21.5.1484

BB 18, 77-78 ; MB 506

1059 HENRICUS Ory °p : Johannes ; prof Sch 5.2.1489 ; proc 1522-1525 ; vic 1525-+10.2.1531

Wal 7043, 8v, 11v, 16, 109v ; 7044, 10v, 18, 31

1060 HENRICUS Petit °Enghien ; prof Her a.1658 ; vic An 1669 ; P Her 1669-1677 ; vic SA 1677-1680 ; P Lier 1680-+1694

PB SA ; PB Kiel ; d'Ydew 295 ; MB 1451 ; Lam 16, 190

1061 HENRICUS Petri prof Kiel ; +27.11.1513

PB Kiel

1062 HENRICUS Peys prof Zel a.1628 ; sac 1646, 1652 ; +antiq 1665

PB Zel ; MB Zel

1063 HENRICUS (de) Quercu conv Strasbourg ; 2°prof Gand ; +29.9.1476

Wal 4051, 129, 134 ; PB Gand

1064 HENRICUS Raeymaeckers °Kasterlee ; prof Sch 19.8.1674 ; sac 1680-1682 ; vic 1683-1685 ; vic Her 1691 ; P 1692-1694 ; vic Bg ?.6.1694-1696 ; P Sch 1703-1711 P Zel 1711-+2.8.1711

Wal 7043, 11, 15, 20 ; RABg Oud KA 285 ; PB Zel ; Lam 16, 190 ; MB Zel ; MB 1421-1422 ; 1451

1065 HENRICUS Rechoven (?) prof Zel ; +1464

PB Zel

1066 HENRICUS (van) Roermond don Kiel ; +1540

PB Kiel

1067 HENRICUS Roye (Roe) °p : Joannes, Bruxelles ; prof Sch 17.11.1470 ; sac 1487-1498 ; +sac 18.8.1525

Wal 7043, 14v, 16, 81, 100, 105 ; 7044, 18

1068 HENRICUS Rudolphi °'s Hertogenbosch ; prof Lov 1515 ; +proc 25.8.1528

PB Lov ; MB 1473

1069 HENRICUS (van) Saksen prof Li ±1386 ; +15.8.1445

MB 505 n10

1070 HENRICUS Schellinc prof Kiel ; +26.10.1518

PB Kiel

1071 HENRICUS Schoole conv Gand ; +1439

Wal 4058, 133v ; PB Gand

1072 HENRICUS (van) Schoonhoven prof Kiel ; +Li 1425

MB 502 n12

1073 HENRICUS Sleen prof Her ; +vic 20/22.7.1426 ; cop

PB Her ; MB 1433

1074 HENRICUS Smesman °Gand ; don Sch ; +13.1.1530

Wal 7043, 18v ; 7044, 26v

1075 HENRICUS (de) Spina conv Her p.1456 ; 2°prof Val-Saint-Pierre

Lam 23

1076 HENRICUS (vander) Spinnen prof Lier ; vic Sch 27.2.1724-2.4.1728 ; +antiq & coa Lier 1772

Wal 7043, 11 ; PB Kiel

1077 HENRICUS Stapleton prof Sheen ; +5.3.1647

Long angl 235

1078 HENRICUS Steenbeke cl-r Gand ; +24.7.1439

Wal 4051, 134 ; PB Gand

1079 HENRICUS Sterke (Fortis) °Her ; presb sec ; 1-r Her ?.11. 1531 ; +7.7.1532

Lam 160

1080 HENRICUS Strimersch (Streymeersch, Strumeersch) don Gand a.1521 ; +1550

RAG, B1327(69v, 132), B1288(226v) ; RAG ; PB Gand

1081 HENRICUS (van) Surpele conv Bg 1377

RA Hasselt, FK, Cart 15, 18v

1082 HENRICUS Swinnen prof Zel ±1675 ; P Bg 1706-1716 ; P Zel 1717-+?.11.1724

RABg Déc 257 ; Oud KA 286, 287 ; PB Bg ; PB Zel ; MB Zel

1083 HENRICUS Symonis de Amsterdam prof Kiel ; +13.11.1462

PB Kiel ; BMHG

1084 HENRICUS Turgheert +nov conv Her 16.8.1390

Lam 19

1085 HENRICUS (van) Utrecht prof Her ; vic ; +23.7/8.1433 ; cop

Lam 21, 52

1086 HENRICUS (de) Vasseur °Normandie ; conv Sch 3.7.1601 ; +8. 4.1638

Wal 7043, 24

1087 HENRICUS Verloo prof Hollandiae ; proc ; +Sch 3.8.1593

Wal 7047, 12v ; BB 18, 114

1088 HENRICUS (vande) Voorde (Voerde, Werde, Vroede) prof Her ; 2°prof SA ; +23.12.1434

PB Bg ; Lam 21, 52, 57

1089 HENRICUS (de) Vroede (Vroet) prof Bg ; proc ; vic ; P 1465 -1477 ; P S.Sofie 1478-+8.11.1484 ; aut

Wal 7048, 101v ; RAA FK Lier 22 ; RABg Oud KA 274 ; PB Bg ; Sch, Bg 52 ; Ephem IV 104 ; Sch LN, 24

1090 HENRICUS Ward prof Sheen 1570 ; +Lov 1578

Long angl 147, 232

1091 HENRICUS Wert   don Kiel ; +Lier 1547

PB Kiel

1092 HENRICUS Wesaliae   prof Gand ; +vic Würzburg 6.3.1539

PB Gand

1093 HENRICUS (de) Wessalia   prof Her ; +15.9.a.1390

Lam 18

1094 HERCULES (van) Winckele   °Bruxelles ; prof Sch 8.4.1567 ; sac 1567 ; proc 1569 ; rector SSM 11.1.1575-22.5.1584 ; P Bg 22.5.1584-24.6.1597 ; P Sch 24.6.1597-1599 ; P Lov 1599-1608 ; P Sch 1608-?.11.1609 ; +Zel 5.7.1611 ; conv. 1597-1601 ; vis 1601-1610

Wal 7043, 3, 18 ; 7044, 108, 137, 146, 159v, 173v ; 7047, 44, 44v, 122v ; RAG ; RAR 9, 12, 28 ; RABg Déc 257 ; Oud KA 276, 277, ch ; Lam 134, 219-220 ; MB 1411, 1415, 1481-1482

1095 HERMANNUS   don Zel ; +1529

PB Zel

1096 HERMANNUS Baers   prof Gand ; XIV°s

Wal 4058, 131, 131v

1097 HERMANNUS (de) Burle (Kueller)   prof SSM ; +vic 1455

PB SSM

1098 HERMANNUS (Herman-Jozefus) Bun (Buy)   prof Zel ; Bg 1672 ; 1673 Zel ; +1686

PB Zel ; RABg Oud KA 338

1099 HERMANNUS Clincke   prof Arnhem ; 2°prof Kiel ; P Bg ±1395-+16.6.1410

PB Bg ; Sch Bg 35 ; BMHG (22.6)

1100 HERMANNUS Coolsmet van Lochem   °±1420, Lochem ; prof SSM

±1444 ; 2°prof Sch 1458 ; sac 1459-1460 ; +7.3.1504 ; cop

Wal 7043, 14v, 15v, 69, 124v ; MB 1390, 1402 ; Ephem I 275

1101 HERMANNUS (van) Deurse (Randeurse) prof Zel ; +1541

PB Zel

1102 HERMANNUS (de) Dordraco prof Zel ; +1553

PB Zel

1103 HERMANUUS (van) Eynatten (Heymaker) °Utrecht ; P Zel 8.3.1502-+7.8.1521 ; conv. ±1518-+ (id 1559 ?)

PB Zel ; MBHG ; MB Zel ; Lam 165, 209

1104 HERMANNUS Hardy prof Li 1569 ; sac ; vic ; +1575

MB 511 n11

HERMANNUS Hinckaert 1029

1105 HERMANNUS (de) Humborch (Viche, Humbrook) don Sch 1473 ; conv 20.3.1474 ; +24.5.1494

Wal 7043, 16, 74, 115v

1106 HERMANNUS Mostels prof Kiel ; +7.1.1459

PB Kiel

1107 HERMANNUS Oesenbrugge prof Gand ; +29.10.XIV°s (id 1108 ?)

Wal 4058, 131v

1108 HERMANNUS Orinc (Oyrinc) °Bg ; prof Gand ; +1442 (id 1107 ?)

PB Gand

1109 HERMANNUS Sneek (Friso, Lubeck) prof Kiel ; sac ; vic ; rector 1504-1505 ; P 1505-1517 ; +21.10.1531 ; conv. 1513-+

Wal 7044, 36 ; PB Kiel ; BMHG ; Lam 165

1110 HERMANNUS Steenken (de Petra) °Schüttorf ; Univ ; prof Zel ; vic SA 1402-1404 & 1406-+23.4.1428

PB Zel ; Wal 4051, 265 ; Goethals II 34 ; d'Ydew 78-95 ; Axters III 218 ; Ephem I 502

HERWINUS Butendiic 848

1112 HIERONYMUS don Her ; +1638

PB Her

1113 HIERONYMUS (van) Diest °Mechelen ; prof Lov 1520 ; +1533

PB Lov ; MB 1473

1114 HIERONYMUS Fogelweyder (Rogallvinzer, Vogelvenzer) °Bruxelles ; prof Lov 1653 ; 1678 Lier ; 1679 Lov ; +1695

PB Lov ; RABg Oud KA 338 ; MB 1486

1115 HIERONYMUS Gallot prof Gosnay ; Torn 1653 ; vic Gosnay 1662-1667 ; Lille 1667-+20.4.1680 ; aut

ms Sélignac

1116 HIERONYMUS Hoppenbrouwer (Haspenbrawert, Haspenbravert) prof An ; 1681 Lier ; 1682 coa SA +An 1692

PB BD ; RABg Oud KA 338

1117 HIERONYMUS Hertals °Lov ; prof Lov 1676 ; +antiq 1719

PB Lov ; MB 1468 n15

1118 HIERONYMUS (vanden) Kerchove (Kerckhove) prof Gand ; proc 1666-1677 ; P SSM 1677-1683 ; P An 1683-1685 ; proc Gand 1685-1688 ; P Bg 1688-6.6.1691 ; P Gand 1701-+1714 ; conv. 1702-+ ; trad

RAG ; RAG, B1439 ; SAG FK 1,2, 11 ; RAR 14, 15, 46, 48; Wal 7043, 5v ; RABg Oud KA 284, 285

1119 HIERONYMUS Nijverseel °Bruxelles ; presb sec ; prof Sch 15.9.1680 ; vic SA 1691-1696 ; P Sheen 1699-1700 ; P Sch 1700-+12.6.1700

Wal 7043, 20v ; Long angl 205-208 ; PB SA ; d'Ydew 295 ;

MB 1421, 1422

1120 HIERONYMUS (vander) Straeten (de Platea) prof Bg a.1532 ; sac 1539-1540 ; +15.11.1554

RABg Déc 257 , Oud KA 271 ; Flandre III 354

1121 HIERONYMUS Vermeulen prof Lier ; +1653

PB Kiel

1122 HIERONYMUS (de) Wijdt (Wides, Wytz, Widez) après + épouse/ na + echtgenote ; prof S.Omer ; P 1600-1609 ; P Gosnay 1609-1612 ; vic mon Gosnay 1612-1614 ; P Her 1614-+14.9.1616

PB Her ; Lam 14, 134, 188, 222 ; MB 1449 ; J.de Pas XVII ; ms Sélignac

1123 HILARION (van) Berchem °Lov ; prof Lov 1717 ; +proc 1757

PB Lov ; MB 1489 n3

1124 HILARION Plonquin prof Lier ; Her 1658 ; +Lier 1693

PB Kiel ; ms Sélignac

1125 HILARION Stroobandt (Stroobant, Stroybant) °Joannes, Bruxelles ; prof Sch 21.10.1628 ; presb ?.9.1629 ; sac 1642-1665 ; vic 1669-+21.3.1674

Wal 7043, 11, 15, 20 ; 7048, 146v, 147v, 157

1126 HILARIUS Boyens prof Zel ; diac 25.5.1652 ; antiq 1670 ; +antiq 1694

PB Zel ; MB Zel ; A.Ev.Li 1642-1652

1127 HILARIUS (de) Castella P Li 1740-1753 ; vis

RAG ; MB 522

1128 HILARIUS Thyssens (Thiessen) prof Li 2.2.1753 ; Zel 1794 ; +1800

A.Ev.Li 1729-94 ; MB 523 n1, 524, 524 n8

1129 HILDEWARDUS Oste (Oeste, Ostee) P Zel 1426-1428 ; proc 1434

P Hollandiae ±1434-1438 ; rector Zel 1438-1439 ; P Zel 1439-+12.10.1440

PB Zel ; MB Zel ; Sch BB 18, 72

HORBALDUS 1130

1130 HUBALDUS (Horbaldus) Roelandi prof Kiel ; +23.10.1487

PB Kiel

1131 HUBERTUS don Lov ; +1623

PB Lov

1132 HUBERTUS Beeckman °Li ; prof Roermond ; P Cantavii ; +6.11. 1678

MB 518n

1333 HUBERTUS (van) Edingen (de Angia) °p : Philippus, Geraardsbergen ; presb sec ; prof Schnals ; 2°prof Her ±1530 ; +10.2.1563

PB Her ; Lam 161 ; MB 1445

1333a HUBERTUS Fauconpret (Focompret) prof S.Sofie ; 1618 Sch ; +S.Sofie 1624 ; aut

RABg Acq 461 ; L. Verschueren, Historisch Tijdschrift, 14, 1935, 372-404 ; 15, 1936, 7-58

1334 HUBERTUS (a) Francia °Bourgogne ; prof Sch 17.5.1543 ; sac 1557-1558 ; à l'étranger dès/naar het buitenland vanaf 1558

Wal 7043, 14v, 17v ; 7044, 68, 86v

1335 HUBERTUS Knobbaut (Rubnat, Cnobboult, Knonbarelt) °Bruxelles ; prof Lov 1532 ; proc Amsterdam 1541-1545 ; rector Lov 1545-1546 ; P Lov 1546-6.10.1551 ; vic S.Sofie 1551-1560(?) ; vic Sch 1560-1562 ; rector Basel 1562 ; vic Zierikzee 1562 ; 1567 sac Lier ; vic SSM 1567-1572 ; 1572 Lov ; +antiq 19.4.1581

Wal 7043, 8v ; 7044, 92, 99v, 126 ; PB Kiel ; PB Lov ; MB 1475 n4, 1477

1136 HUBERTUS (de) Lacu prof Sch 4.12.1504 ; 2°prof Strasbourg; +vic 25.8.1537 ; cantor

Wal 7043, 16v, 127 ; 7047, 47v

1137 HUBERTUS (van) Loon °'s Hertogenbosch ; prof Sch 14.2. 1499 ; P S.Sofie 1502-+13.12.1530

Wal 7043, 16v ; 7044, 31 ; PB BD

1138 HUBERTUS (vander) Muelen (Meulen, de Molendino) prof Bg ; proc ; +29.7.1519

PB Bg ; Flandre III 332

1139 HUBERTUS Weemans don Lov ; +1690

PB Lov

1140 HUGO (vander) Biesen (Biessen) prof An ; proc SSM 1691-1694 ; proc SA 1702-1703 ; P An 1703-1711 ; P Sch 1711-+1714 ; conv.

RABg Oud KA 318 ; RAR 13, 49 ; Wal 7043, 3 ; PB Kiel ; PB BD ; MB 1422

1141 HUGO Bloot (Bloet, Bolet) °Delft ; O.S.B. ; prof Her ; P Mont-Dieu 1455-1459 ; 1459 Her ; +12.9.1474

PB Her ; BMHG ; Lam 22, 60, 74-75 ; Gillet 234 ; Ephem III 272

1142 HUGO Bollins prof Lier ; +Gand 1681

PB Gand

1143 HUGO Briet °Eustachius ; Li ; prof Li 22.3.1614

MB 514

1144 HUGO Buvet prof Bg ; sac 1657-1664 ; antiq 1672-1675 ; vic 1676-+1679

RABg Oud KA 281, 282, 283 ; PB Bg

1145 HUGO (de) Clercq prof Bg a.1698 ; An 1704 ; SSM 1719 ; Lier 1720-+diac 1728

RABg Oud KA 285, 286, 287 ; PB Bg

1146 HUGO Custodis 1-r Zel ; +1562

PB Zel

1147 HUGO Cuvillon °29.5.1594, Lille ; prof Torn 17.11.1616 ; Lille 1641 ; +?.4.1645

Desmons 93, 148

1148 HUGO (van) Dalen don Her ; +1659

PB Her

1149 HUGO (van) Delft (Delphensis) prof Kiel ; P Hollandiae 1424-1428 ; vic SA 1428-1448 ; +Kiel 24.12.1449

PB SA ; PB Kiel ; Ephem I 281 ; d'Ydew 182 ; BB 18, 70-71

1150 HUGO (van) Deuren °Overijse ; prof Lov 1708 ; proc ; proc An ; vic Lov 1738 ; vic Bg 1740-1743 ; vic SA 1744 ; vic Her 1744 ; P Lier 24.11. 1744-1745 ; P Lov 1745-1754 ; +coa 1756

RABg Oud KA 289, 321 ; PB Kiel ; MB 1488, 1490-1491

1151 HUGO (van) Deventer prof Lier ; +subd 1656

PB Kiel

1152 HUGO Deys prof Zel ; sac 1714 ; +antiq 1742

PB Zel ; MB Zel

1153 HUGO Dooms don An ; +1714

PB BD

1154 HUGO (de) Fonte prof Her ; +vic 1540

PB Her

1155 HUGO Francot prof An ; vic SSM 1752-1753 ; +Lier 1770

RAR 52 ; PB Kiel

1156 HUGO Gaethoffs (Gaethovius, Gaethoven, Gaethovy) °Reynerius

Beringen ; prof Sch 12.4.1643 ; vic 1656-1659 ; P SSM 27.6.1659-14.6.1662 ; P Lier 1662-1666 ; P An 1666-1672 ; P Zel 1672-1679 ; P Sch 1679-+5.1. 1695 ; conv. 1679-1680 ; vis 1680-+

RAR 13, 44, 45 ; Wal 7043, 3, 11, 20 ; PB Kiel ; PB BD; Ephem I 222 ; MB Zel

1157 HUGO (van) Gessel (Gesselius) prof SSM 3.8.1637 ; proc 1642-1650 ; P ±2.12.1650-27.6.1659 ; P Bg 1659-+23.8.1661

RAR 6, 12, 42, 43, 44 ; RABg Oud KA 281 ; PB Bg ; VG 189 ; Flandre III 336

1158 HUGO Glous (?) prof Zel ; +1669

PB Zel

1159 HUGO (de) Graeve °Honorius, Bruxelles ; don Sch 16.4.1643; +1670

Wal 7043, 24 ; PB Sch

1160 HUGO (Guigo) Haelterman (Aelterman, Goelterman) don Gand a.1710 ; +1741

RAG ; PB Gand

1161 HUGO (van) Halle prof SSM 1687 ; sac 1690 ; proc 1696 ; sac 1698-+1738

RAR 15, 49

1162 HUGO Hermans prof Lier ; proc ; P 1703-1708 ; proc ; +1741

PB Kiel

1163 HUGO (van) Heymbeke °Nicolaus, ?.3.1745, Koekelberg ; prof SSM 11.12.1768 ; sac 1783

RAR 60 ; CR 139, 423

1164 HUGO Hoebens prof Gand ; vic SA 1723-1728 ; vic Lov ; + SSM 1742

PB Gand ; d'Ydew 195

1165 HUGO Ilbert °Franciscus-Josephus, 1752, Ivoir ; prof Torn 21.11.1780 ; presb 22.12.1781 ; 1783 Torn ; +1805

CR 139 ; Desmons 120, 122 ; Vos IV 257

1166 HUGO Janssens prof Her ; vic SSM 1754-1759 ; vic Her 1759; proc SA ?.M.1762-8.6.1764 ; proc SSM 1764-15.8. 1767 ; proc SA 1767-1769 ; P Bg 20.12.1769-+10. 4. 1777

RAR 12, 13, 15, 52, 60 ; RABg Oud KA 292, 323 ; PB Bg

1167 HUGO Lanneau °Nicolaus, 28.2.1750, Avelgem ; prof Bg 22.7. 1770 ; ?.9.1771 presb ; vic 1773-1775 ; coa 1776 ; proc 1.10.1776-18.4.1777 ; P 1777-30.10.1779 ; proc 1780-1783

RABg Oud KA 271, 282 ; CR 139, 354 ; PB Bg

1168 HUGO Lauwaerd proc Bg 1352

VdM Bijl V

1169 HUGO (vander) Linden °Johannes, Bruxelles ; don Sch 20.8. 1675 ; +7.1.1726

Wal 7043, 24v

1170 HUGO (van) Lippeloo °Diest ; prof Her 1699 ; vic 1702 ; proc 1703 ; P ?.8.1714-?.3.1728 ; +6.7.1728

Lam 191 ; MB 1452

1170a HUGO Martens prof Zel ±1788 ; presb 27.2.1790

A.Ev.Li 1729-94

1171 HUGO Matte prof Gand ; P 1635-1637 ; P Torn 1637-1638 ; P Zel 1638-1641 ; proc Gand 1643 ; 1654 Li ; 1655 Gand ; +24.6.1663

RAG ; SAG FK 10 ; RABg Oud KA 338 ; PB Zel ; MB Zel ; Desmons 143

1172 HUGO (van) Molingen (Molinghen, Melinghen) °p : Gulielmus van Molingen, m : Johanna Moreau, Dalhem ; prof Li ; P SSM 1666-1668 ; P Gand 1668-1673 ; P Lov 1673-1677 ; P Li 1677-+29.8.1678 ; conv. 1672-1679

RAG; RAR 25, 45 ; Wal 7043,5v; MB 517 ; MB 1486

1173 HUGO Mutsaert prof Zel 1742 ; proc SSM 1755-1756 ; proc Zel 1783 ; +1785

RAR 52, 60 ; PB Zel ; MB Zel ; A.Ev.Li 1729-94

1174 HUGO Neven prof Zel ; +1691

PB Zel

1175 HUGO (van) Nockeren don Gand ; +1677

PB Gand

1176 HUGO Pirot prof Gand ; vic 1696 ; proc ; P Bg 1700-1702 ; P SSM 1702-1706 ; proc Gand 1706-1708 ; P Lier 1708-+25.11.1708 (id 1973 ?)

RAG;SAG FK 9, 11 ; RAR 12, 15, 49, 50, 57 ; RABg Oud KA 285, 286 ; PB Kiel ; PB Zel

1177 HUGO (van) Riet prof An ; +subd 1737

PB Zel

1178 HUGO Robbrecht proc SSM 1371

RAR 1(f°151)

1179 HUGO Schoevaerts (Schovaerts, Schoevaerdts) °Bruxelles ; prof Sch 25.11.1727 ; SSM 1748 ; sac Bg 1759-+16. 3.1763

Wal 7043, 20v ; RAR 51 ; RABg Oud KA 291, 292 ; MB 1423

1180 HUGO Simons prof An ; P An 1677-+?.6.1677

PB Kiel ; PB BD

1181 HUGO (van) Steenbergen conv Her 6.1.1478 ; +20.3.1512

Lam 80, 90, 125, 140

1182 HUGO Stefné prof Li 8.12.1740 (?) ; 1773 Li ; aut

MB 495

1183 HUGO (vander) Straeten prof Gand ; proc 1648-1652 ; vic 1652 ; 1660 proc An ; proc Gand 1661-1662 ; proc SA 1662-8.10.1664 ; P Bg 17.6.1669-9.12.1672 ; P

Gand 1673-+?.7.1677

RAG ; RAG, B 1439(41) ; RABg Oud KA 282, 316, 338 ; PB Gand

1184 HUGO (de) Tanton prof Li ; proc ; +18.5.1533

MB 509 n11

1185 HUGO Taylor (Taylour) conv London ; 1518/1530 ; 2°prof Bg 1547 ; 3°prof Sheen 1557 ; proc ; +Bg 30.9.1575

Wal 7044, 138 ; Wal 4051, 245-246 ; Long angl 124, 230

1186 HUGO Tomboy (Tombois) °Joannes-Baptista, ±1754, Enghien ; prof Her ±1780 ; presb 14.6.1783 ; +Enghien 1.4.1804

CR 139 ; Vos III 354

1187 HUGO Verduyn °Tielt ; prof Sch 18.10.1757 ; apostata

Wal 7043, 21

1188 HUGO (van) Wercouden °Utrecht ; prof Bg ; 1458 Utrecht ; +vic Bg 19.3.1492

RAA, FK Lier 22 ; Flandre III 314 ; BMHG (21.3) ; AAU 71, 1952, 119

1189 HUGO Wiven °Delft ; prof Her ; Her 1459, 1460, 1468

Lam 207

1190 HYACINTHUS Landry prof Nancy ; P Bg 7.6.1757-1767 ; P Nancy-+1775

RABg Oud KA 291, 292 ; PB Bg

1191 HYPPOLITUS don Her ; +1581

PB Her

1192 IGNATIUS Bertin °9.7.1729, Hensies ; prof Gosnay 22.7.1753 proc 1766 ; P S.Omer 1770-1772 ; P Torn 1772-1783 ; Lille ; +coa Gosnay 26.2.1790

CR 139 ; Desmons 118, 122, 145

1193 IGNATIUS (van) Dunneghem prof Bg 18.8.1736 ; sac 1745-+30.12.1747

RABg Oud KA 289, 290 ; PB Bg ; Flandre III 361

1194 IGNATIUS Norris °9.4.1740, Kent ; prof Sheen 22.7.1766 ; presb 19.9.1767 ; proc 1770-1780 ; Her 1780-+1783

CR 466 ; Long angl 238 ; Mem 1, 3, 12 ; PB Sheen

1195 IGNATIUS (de) Roo prof Gand a.1729 ; +coa 1739

RABg Oud KA 288 ; PB Gand

1196 IGNATIUS Schellinckx prof Lier ; +antiq 1.1.1784

CR 139 ; PB Kiel

1197 ISIDORUS don SSM ; +1650

PB SSM

1198 JACOBUS P Zel 1368, 1369

MB Zel

1199 JACOBUS cl-r Bg ; +1376 (id 1293 ?)

PB Bg

1200 JACOBUS prof Bg ; +4.1.?

RAA FK Lier 22

1201 JACOBUS conv Gand ; +1409

Wal 4051, 133v ; PB Gand

1202 JACOBUS don Zel ; +1544

PB Zel

1203 JACOBUS don SSM ; +1530

PB SSM

1204 JACOBUS don Lier ; +1557

PB Kiel

1205 JACOBUS don Her ; +Amsterdam 1558

PB Her

1206 JACOBUS don Lier ; +1560

PB Kiel

1207 JACOBUS prof Delft ±1545 ; +Lier 1603

Wal 7047, 68 ; PB Kiel

1208 JACOBUS (van) Antwerpen prof Her ; +a.1390

Lam 20

1209 JACOBUS (Henricus) van Antwerpen prof Lier ; +1562

Wal 7044, 69v ; PB Kiel

1210 JACOBUS (de) Avenis (Avennes) cl-r Bg ; +1399

PB Bg ; VdM Bijl V

1211 JACOBUS Baenst (Baem, Bam, Brem) 1-r SSM a.1449 ; +1462 ; cop

PB SSM ; VG 163

1212 JACOBUS (de) Bellomonte prof Kiel ; +10.4.1429

PB Kiel

1213 JACOBUS (vanden) Berghe °Bruxelles ; prof Sch 28.7.1647 ; vic An 1659-1660 ; vic Sch 1660-1663 ; vic Bg 1674-1675 ; 1675 Sch ; 1676 Lov ; Zel 1679-+1679

Wal 7043, 10v, 20 ; RABg Oud KA 283, 338 ; PB Zel ; ms Sélignac

1214 JACOBUS Berinckx don Lier ; +1700

PB Kiel

1215 JACOBUS Bertwisle (Clayton) prof Sheen ; vic ; Bg 1673-1674 ; 1676 Lier ; 1677 Sheen -+23.6.1684

Long angl 226, 236 ; RABg Oud KA 282, 338

1216 JACOBUS Boele °nob, Gand ; prof SSM 1684 ; sac 1689-1690 ; Gand ; Bg ; Zel ; vic SSM 1698, 1703-1707, 1709-1714 & 1720-1721 ; 1721 coa -+1741

RAR 15, 49, 50, 51, 52 ; RABg Oud KA 284, 285

1217 JACOBUS Bonet don Lov ; +Zel 1727

PB Zel

1218 JACOBUS (van) Borselen (de Bursalia) °nob, Zeeland ; Univ; prof Her 1475 ; vic 1481 ; P 1481-1482 ; vic 1482-1483 ; coa SA 1483-1494 ; +Her vic 15.8.1499

Lam 13, 75, 184, 207 ; Ephem I 150 ; d'Ydew 124

1219 JACOBUS (de) Briele prof Bg ; +21.9.a.1555

Flandre III, 341

1220 JACOBUS (de) Bruxella don SSM a. 1536 ; +1544

RAR 55 ; PB SSM

1221 JACOBUS Bullestraet conv Lov ; +1617

PB Lov

1222 JACOBUS Cambier (Cambrer, Chambre) °+1412, Gand ; bailli/baljuw Geraardsbergen ; don Sch 1472 ; +6.1.1477

Wal 7043, 18v, 85v ; PB Sch

1224 JACOBUS Clercx (Clerici) °Gand ; prof Her 18.6.1503 ; presb 1507 ; +vic 7.3.1553

Lam 132 ; PB Her

1225 JACOBUS Cobergher (Coeberger) prof Her 17.11.1648 ; +1656

PB Her ; MB 1450

1226 JACOBUS Coegen (Corgen) prof Bg ; +SSM 1563 (id 1228 ?)

PB SSM

1227 JACOBUS (de) Coen (Choeri, Croy, Coene) prof Bg ; +sac 5.1.1484 (id 1261 ?)

PB Bg ; Flandre III, 303

1228 JACOBUS Cogge prof Bg ; Utrecht ; Her ; sac Sch 1561-1564 (?) ; +3.2./27.2.? (id 1226 ?)

Wal 7044, 14, 94, 99v ; RAA FK Lier 22 ; Flandre III, 311

1229 JACOBUS Cooman °Gand ; prof Sch 29.4.1504 ; +10.3.1525

Wal 7043, 16v, 127

1230 JACOBUS Dabber Bg 1411 (id 1307 ?)

VdM Bijl V

1231 JACOBUS Dehousse °Henricus-Laurentius, p : Gulielmus, m : Maria-Catharina Bringo, 22.9.1754, Notre-Dame-aux-Fonts ; prof Li 14.12.1777 ; presb 17.2.1779 ; 1794 Li

A.Ev.Li 1729-94 ; MB 524, 524 n8

1232 JACOBUS (vander) Delft (Vaendel, Vrondelf) prof Bg ; P 1507(?)-1516(?) ; sac ; vic ; sr 1529-+6.2.1537

RABg Déc 257 ; ch ; Oud KA 298 ; RAA FK Lier 22 ; Sch Bg 59

1233 JACOBUS Denijs prof Gand 1599 ; vic 1606 ; vic SSM 1607-1608 ; rector 1608-?.11.1609 ; vic Gand ; P 22.8. 1610-+20.9.1625 ; vis 1613-1616 ; aut

Wal 7043, 87, 96v, 105 ; 7048, 106v, 108, 191, 199 ; RAR 12 ; RAG ; Ephem III, 324 ; Goethals II 136-139

1234 JACOBUS Deynaert conv Bg ; +13.11.1470

PB Bg ; Flandre III, 353

1235 JACOBUS Dobbel prof Gand ; +SSM 1642

PB Gand ; PB SSM

1236 JACOBUS (de) Dordraco (Hugonis) prof Sch 15.1.1530 ; sac 1549-1550 ; P Würzburg 1555 ; +sr Sch 8.9.1569

Wal 7043, 14v, 16v, 17 ; 7044, 71v, 82, 120

1237 JACOBUS (de) Dordraco prof Hollandiae ; 1532 Li

Sch BB 18, 94

1238 JACOBUS Ducaers (Ducars) °?.4.1746, Bruxelles ; prof Lov 1766 ; Her 1783 ; +23.10.1793

CR 139 ; PB Lov ; MB 1492 n3

1239 JACOBUS Dupont prof Val-Saint-Pierre ; 2°prof Torn ; proc 1493, 1502 ; P a. 1502 ; P Val-Saint-Pierre 1513-1516 ; vic mon Gosnay ; +vic Torn 1523

Desmons 136

1240 JACOBUS Eden S.J. S.Omer ; prof Sheen ?.2.1698 ; +7.11.1706

Long angl 237, 254

1241 JACOBUS (van) Edingen (de Angia) prof Kiel ; sac ; +19.10.1531

PB Kiel

1242 JACOBUS Fabri °+1450, Gand ; presb sec ; prof Her 1479 ; Lov +1501-1505 ; vic Torn 1510 ; +sr Her 30.11.1529

PB Her ; MB 1470 ; Lam 80, 89, 145-147 ; Desmons 147

1243 JACOBUS Flamen don Her ; +1676

PB Her

1244 JACOBUS (de) Gallo prof Her ; Her 1373 ; +1.8.? (id 1245 ?)

Lam 18, 31

1245 JACOBUS (de) Gallo prof Gand ; XIV°s (id 1244 ?)

Wal 4051, 131v

1245a JACOBUS Garcon prof Torn ; +1629

RABg Acq 461

1246 JACOBUS Gerardi °Bg ; prof Bg ; +1427

PB Bg ; VdM Bijl V

1247 JACOBUS Goossens prof Her ; proc 1608-1609 ; Zel 1620 ; +1627 (?)

Wal 7048, 17v ; Lam 220

1248 JACOBUS Goutters prof SSM 1638(?) ; +diac 1641

RAR 41 ; PB SSM

1249 JACOBUS Groitelmi (?) prof Gand ; +proc 1553

PB Gand

1250 JACOBUS (van) Gruitrode (Vanden Eertweghe) °Gruitrode ; prof Li ; P 21.1.1440-1445 ; P Zierikzee 1445-1447 ; P Li 24.6.1447-+12.2.1475 ; aut

OGE 5, 1931, 435-470 ; OGE 6, 1932, 230-231 ; Sch LN, 22 ; MB 494 ; Lam 73 ; HB 53, 1935, 171 ; Ephem I 174

1251 JACOBUS (de) Haese prof Gand ; sac 1750-+1756

RAG ; PB Gand

1252 JACOBUS (van) Hamme prof Her +1706 ; Sch diac 21.9.1709 ; presb Li 14.6.1710 ; 1721 Lier ; 1722 proc Her ; proc SA ?.4.1734-?.1.1735 ; Her proc 1748 ; P Gand 1748-1756 ; coa Her 1756-+1758

RAG ; RAG, B 1288(393) ; SAG FK 3 ; PB Her ; PB Gand

1253 JACOBUS (de) Heutere (Houter) °Delft ; prof Her ; 1448 SA ; 2°prof SA ; +22.10.1474

PB SA ; Lam 22, 75 ; d'Ydew 106, 115

1254 JACOBUS (van) Holland prof Li ; +14.2.1423

MB 502 n12

1255 JACOBUS (van) Honschoote P SSM 1384

Lam 34

1256 JACOBUS (de) Hoochstrate   prof Kiel ; +vic 1527

PB Kiel

1257 JACOBUS Hootsmans   prof Lier ±1730 ; P Zel ?.5.1773-?.12.
1782 ; coa & sr 1785-1787 ; +1790

PB Kiel ; PB Zel ; MB Zel

1258 JACOBUS (de) Ipris   conv Gand ; premier/eerste conv

Wal 4051, 133v

1259 JACOBUS Kelderman   don Bg ; +27.10.1556

PB Bg ; Flandre III, 350

1260 JACOBUS Kevel   prof Gand ; XIV°s

Wal 4051, 131

261 JACOBUS (de) Knut (Chriach, Tuylz, Quilz, Quik)   P Bg 1477
-2.1.1484 (id 1227 ?)

PB Bg ; Sch Bg 54 ; Flandre III 303

262 JACOBUS Lathouwere   prof Zel ; Zel ?.5.1412

AAU 51, 1925, 124

263 JACOBUS Laurent   °Braine-le-Comte ; don Sch 3.11.1598(?) ;
+19.11.1640

Wal 7043, 24 ; 7047, 48v ; 7048, 143v

264 JACOBUS Lavens   °?.3.1749 ; prof Lier ; 1783 Lier

CR 139

265 JACOBUS Legillon   °Petrus, p : Franciscus ; prof Bg 25.5.
1675 ; sac 1677-1683 & 1695-1696 ; proc 1702-1706 ;
+26.3.1713

RABg Oud KA 282, 283, 284, 285, 286, 287, 299 ; PB Bg ;
Flandre III, 315

266 JACOBUS (de) Leyerdam (Lederdam)   prof Kiel ; +1413

PB Kiel

*1267 JACOBUS (van) Liedekerke prof Bg/Gand ; P Her 1358-1360 ; P Gand 1361-1365 ; P S.Omer ; P Her 1377-1378 ; P SSM 1380 ; P Li & rector SSM 1380-1389 ; +1.2.139(

Wal 4051, 125, 131v ; MB 500 ; MB 1437, 1438

1268 JACOBUS Loemelius prof Hollandiae ±1566 ; +Lier 3.6.1621

Wal 7048, 49v ; PB Kiel ; BB 18, 117

1269 JACOBUS Long °London ; prof Sheen 13.12.1716 ; diac 24.1: 1718 ; proc 1734 ; Sch 1734 ; vic Sheen ; proc 1753 ; P ?.5.1753-6.10.1753 ; coa Sch 1754 ; +7.1 1759 ; aut

Long angl 226, 237 ; Mem 11

1270 JACOBUS (de) Looz prof Li a.1456 ; proc ; sac ; rector 1487 ; P 1488-+18.3.1493 (frère de/broer van 212

MB 506, 506 n8

1271 JACOBUS (de) Lubeca prof Zel ; 1525 SA ; +sr Zel 1545

PB Zel

1272 JACOBUS Masquillier °±1750, Gand ; prof Gand 11.8.1776 ; sac ; 1783 Gand ; 1790-1792 Gand

RAG ; RAG FK 8 ; CR 391

1273 JACOBUS Meerman (?) don Gand ; +1536

PB Gand

1274 JACOBUS Meessen prof Zel ; +1483

PB Zel

1275 JACOBUS (de) Mirica prof SSM 1424 ; +1474

PB Zel

1276 JACOBUS Naghel °Aalst ; prof Her ; proc 1370 ; +5.1.? (frère de/broer van 2412)

Lam 20, 31, 32, 182

1277 JACOBUS Noe don Sheen ; demissus ±1710

Long angl 240

1278 JACOBUS (de) Nova Terra conv Zel ; +16.6.1526

PB Zel ; BMHG

1279 JACOBUS Noyens (Noodens) °Gierle ; prof Sch 13.4.1681 ; sac 1692-2.2.1697 ; +?.9.1698

Wal 7043, 15, 20v ; MB 1421

1280 JACOBUS (d')Olyslagher (Olkslagher) prof SSM a.1418 ; +1451

RAG F.Ghellinck 31 ; PB SSM

1281 JACOBUS Orford °±1723 ; don Sheen 6.1.1753 ; 1783 Sheen ; 1790 Sheen ; +Hengrave Hall 10.1.1797

CR 466 ; Mem 6-8, 13, 20-23, 29-32 ; Long angl 240

1282 JACOBUS Peeters (Peters) prof Lier ; proc ; vic Bg 1720-1727 ; vic Sch 1728-1729 ; proc Zel ; Li ; +proc Lier 17.6.1740

Wal 7043, 11 ; RABg Oud KA 287, 288 ; RAA FK Lier 22 ; PB Kiel ; MB 1423

1283 JACOBUS Petri don Zel ; +1547

PB Zel

1284 JACOBUS Pierssens (Piersens) prof Bg 1.5.1723 ; diac 26.5.1725 ; presb 6.6. 1727 ; coa 1738-1739 ; proc 1739-1752 ; proc Sheen ±1755-1757 ; proc Bg 1757-1759 ; proc Gand ±1760-±1761 ; coa Bg 1767-1769 ; +a.14.3.1770

RABg Oud KA 287, 288, 289, 290, 291, 292 ; RAG ; SAG FK 11 ; Long angl 230 ; PB Bg

1285 JACOBUS Ponet don Lov ; +1727 Zel

PB Zel

1286 JACOBUS (du) Pont proc Torn 1493, 1502 ; +P 20.5.1502(?)

MB 485 ; ASHB 9, 1872, 363-367

1287 JACOBUS Pottebier don Gand 1490 ; +22.3.?

Wal 4051, 134 ; BMHG

1288 JACOBUS Puys (Peys) don Zel ; +1714

PB Zel

1289 JACOBUS Remoige (Bemoige, Romaige) prof An ; +1714

PB BD

1290 JACOBUS Ribreul (Ribeel) prof Zel ; +1569

PB Zel

1291 JACOBUS (van) Riebeek °Bg ; prof Lov 1547 ; demissus

MB 1477, 1478

1292 JACOBUS Roggel prof Li ; +Jülich 6.12.1506

MB 507 n16

1293 JACOBUS (van) Ruddervoorde cl-r Bg ; proc 1351, 1353, 1369 ; +1373 (idem 1199 ?)

RABg, Déc 256 ; ch ; PB Bg ; Sch Bg 10, 26 ; d'Ydew 46, 306

1294 JACOBUS Ruebs °Bg, ±1385 ; prof Gand 1409 ; P Gosnay ; P Gand 1420-+7.3.1460 ; conv. 1432-1449 ; vis 1449-+

Wal 4051, 131v ; RAG ch ; RAG B 1288,(43, 54, 117v, 118, 121v, 302, 302v, 310, 310v) ; Ephem I 274 ; NBW VI, 848-850

1295 JACOBUS (vanden) Ruege Bg 1411

VdM Bijl V

1296 JACOBUS Russche (Ruusch) prof Hollandiae ; vic Sch 1459-1462 ; vic Hollandiae ; P 1465-+4.7.1473

Wal 7043, 8v, 72 ; BB18, 76 ; BMHG 286

1297 JACOBUS Sahon don Her ; +1648

PB Her

1298 JACOBUS Sas prof Lier ; proc 1679-+1695

PB Kiel ; RABg Oud KA 338

1299 JACOBUS Schellekens °Lier ; conv Sch 11.2.1602 ; +1.8.1626

Wal 7043, 24

1300 JACOBUS (de) Tongry prof Montreuil ; P Torn 1412-1417 ; P Gosnay(?) ; +2.11.1422

Desmons 126 ; MB 484 ; ms Sélignac

1301 JACOBUS Varwel prof Torn ; proc 1513, 1514 ; P 1517-1524 ; +22.9.1525

Desmons 136

1302 JACOBUS Vervaet °?.1.1753 ; prof An ; 1783 An

CR 139

1303 JACOBUS Vighe prof Li ; 2°prof Arnhem ; +6.8.1455

MB 505 n10

1304 JACOBUS Vlaminckx prof An ; +1738

PB BD

1305 JACOBUS (de) Vlieghere prof Bg 1644 ; sac 1665 ; +15.9.1670

RABg Oud KA 280, 282 ; PB Bg ; Flandre III, 341

1306 JACOBUS (de) Vroede °Bg ; prof Bg ; +19.4.1513

RAA FK Lier 22 ; PB Bg ; Flandre III, 318 ; VdM Bijl V

1307 JACOBUS (van) Westkapelle (Gheradi, Waescapel, Gerritsz) prof Bg a.1419 ; 1424 Utrecht ; 1425 Amsterdam; 1426 Freiburg (id 1230 ?, id 1312 ?)

BRB 1959 ; Sch Bg 41

1308 (vanden) Winckele (de Officina, de Officiniis) °An

prof Gand 1500 ; vic a.1534 ; P 1538-+?.4.1542

Wal 7044, 107 ; RAG ; PB Gand ; Lam 108

1309 JACOBUS (van) Woldercum prof Amsterdam ; Her 1504

MB 1444

1310 JACOBUS Wolfon prof Mount-Grace ; P ; Bg ; 2°prof Bg ; +1558 (id 1829 ?)

Long angl 122

1311 JACOBUS (de) Zadalere (Zadelers) °Jacobus-Johannes, ?.10. 1731, Bruxelles ; prof Lov 1754 ; 1783 Lov ; +14. 4.1793

A.Ev.Li 1729-94 ; CR 139 ; PB Lov ; MB 1491, 1492

1312 JACOBUS (vanden) Zande Bg 1411 (id 1307 ?)

VdM Bijl V

1313 JACOBUS-GABRIEL Chantry °?.12.1733, Guegnies ; conv Torn 6.10.1766 ; 1783 Torn ; +1801

Desmons 122 ; CR 139

1314 JACOBUS-MARTINUS Wautiez °?.6.1739 ; prof Torn ; 1783 Torn

CR 139

1315 JOACHIM Foulon °Johannes, ±1753, Kortrijk ; prof SSM 24(?) 10.1778 ; Gand 1783

RAR 53 ; RAG ; CR 391

1316 JOACHIM (du) Gardin °Valenciennes ; prof Valenciennes (?) 1665 ; sac ; vic ; proc 1701, 1702 ; P Valenciennes (?) ; P Torn 24.2.1710-+8.11.1720

MB 488 ; Desmons 143

1317 JOACHIM Mortelette °?.4.1740, Lille ; philos Douai ; prof Torn 24.6.1765 ; presb 20.12.1766 ; vic 1778-1783 ; 1783 Douai ; Lille ; +1805

CR 139 ; Vos V 42 ; Desmons 106, 118, 122

1318 JOACHIM (de) Paum (Passus)   don SSM a.1635 ; +1639

RAR 41 ; PB SSM

1319 JOACHIM Scoerbroot (Severbrooc, Lambruet)   °Lov ; prof Lov 1560 ; proc SSM 1570-1573 ; +Lov 22.1.1579

Wal 7047, 108 ; PB Lov ; MB 1479 n10 ; OGE, 47, 1973, 284

1320 JOANNES   prof Bg ; +1321

PB Bg

1321 JOANNES   prof SSM ; P 1351-? ; +1362 (?) (id 1410 ?)

RAR 14 ; PB SSM ; VG 153

1322 JOANNES (de Witte ?)   P Kiel ; +27.4.1386/20.4.1387 (?)

PB Kiel

1323 JOANNES   prof Gand ; +1387

PB Gand

1324 JOANNES   °Bartholomeus ; don Her ±1422 ; +1472

LAM 23, 70

1325 JOANNES   prof SSM ; 2°prof Bg ; +1494

PB SSM

1326 JOANNES   don Bg ; +1504

PB Bg

1327 JOANNES   don Zel ; +1522 (id 1328 ?)

PB Zel

1328 JOANNES   conv Zel ; +1522 (id 1327 ?)

PB Zel

1329 JOANNES   don Bg ; +1524

PB Bg

1330 JOANNES don Kiel ; +1529 (id 1331 ?)

PB Kiel

1331 JOANNES don Kiel ; +1530 (id 1330 ?)

PB Kiel

1332 JOANNES don Zel ; +1530

PB Zel

1333 JOANNES don Kiel ; +1534

PB Kiel

1334 JOANNES don Kiel ; +1536

PB Kiel

1335 JOANNES prof SSM ; +1544

PB SSM

1336 JOANNES prof Zel ; +diac 1547

PB Zel

1337 JOANNES don Bg ; +1553 (id 1817 ?)

PB Bg

1338 JOANNES don Lov ; +Li 1570

PB Lov

1339 JOANNES don Zel ; +1579

Wal 7044, 149v ; PB Zel

1340 JOANNES don Her ; +1587 (1562 SSM ?)

PB Her

1341 JOANNES prof Köln ; 1600 Li

Wal 7047, 59

1342 JOANNES conv Lov ; +1625

PB Lov

1343 JOANNES don Lov ; +1662

PB Lov

1344 JOANNES don Lier ; +1626

PB Kiel

1345 JOANNES prof Lier ; +1638

PB Kiel

1346 JOANNES (van) Aalst relig ; conv Her 1326 ; +30.11.1361(?)

Lam 19, 30, 195, 224

1347 JOANNES (van) Aalst prof Bg ; vic 1533-1539 ; P 1540-1543; sr 1544-+25.5.1550

RABg Déc 257 ; Oud KA 271, 298 ; PB Bg ; Flandre III, 323

1348 JOANNES (van) Aarschot don Kiel ; +1502

PB Kiel

1349 JOANNES (vanden) Abeelen don Sch 9.12.1743 ; +1775

Wal 7043, 24v ; PB Sch

1350 JOANNES Adam prof S.Omer ; vic Bg 1318-+1321 (id 1351 ?)

VdM Bijl V

1351 JOANNES Adam vic Bg 1318-1321 ; P Her ; +15.12.? (id 1350 ?)

Lam 12, 24, 182 ; Sch Bg, 20 ; MB 1436

1352 JOANNES Agis prof Kiel ; +SA 1505

PB Kiel

1353 JOANNES Albi prof Kiel ; +1388

PB Kiel

1354 JOANNES Alleyns prof Bg ; vic 1529-+12.11.1534

RABg Déc 257 , Oud KA 298 ; PB Bg ; Flandre III, 353

1355 JOANNES Amands prof Her ; proc ±1491-±1497 (id 1356 ?)

Lam 207

1356 JOANNES Amands proc Lier ; +9.7.? (id 1355 ?)

Lam 207

1357 JOANNES Ammonius °p : Jacobus, Gand ; prof Her 11.11.1500; +27.10.1543 ; aut (frère de/broer van 2023)

Wal 7047, 121 ; Lam 109-110, 114-115, 163-164, 209-212; MB 1444, 1445 ; Goethals II 110-111 ; Eigen Schoon 3, 1913, 33-35

1358 JOANNES Ancelin prof Li/S.Omer ; Lov 1615-1619 ; Li 1619-1625 ; 1625 Roermond

Wal 7047, 140v ; RABg Acq 461

1359 JOANNES Andreas don Her 1446 ; +18.9.1501

Wal 7043, 123v

1360 JOANNES Andreas don SSM ; +1552

PB SSM

1361 JOANNES Anglicus don Lier ; +1557

PB Kiel

1362 JOANNES (d')Anthinne (Dantin, Danthinne) °Huy ; prof Lov 1604 ; vic S.Sofie 1615 ; vic SSM 1618-1622 ; vic Sch 1622-1625 ; vic Lov 1625-+1641 ; aut

RABg Acq 461 ; Wal 7047, 5v , 7048, 82v, 117v ; RAR 40 ; PB Lov ; MB 1464

1363 JOANNES (d')Antoing prof Torn ; +P Val-Saint-Pierre 4.3. 1488

Desmons 147

1364 JOANNES Antonii (Thonis) don Her 1485 ; +30.4.1527

PB Her ; Lam 88, 141

1365 JOANNES Apostel (l'Apostole) °+_1577, Mechelen ; O.Carm ; entrē/intrede Lov ; prof Sch 10.11.1599 ; sac 1601 -1606 ; vic 1606-1612 ; +sr 5.2.1633

Wal 7043, 10v, 19v ; 7048, 201 ; MB 1415, 1482

1366 JOANNES (de) Aquis prof Gand XIV°s

Wal 4051, 131

1367 JOANNES (van) Arendsberghe (Gerardi de Monte Aquilae) prof Utrecht 1527 ; proc 1531 ; vic SA 1533-+21.7. 1546

PB SA ; BMHG ; AAU 71, 1952, 139 ; d'Ydew 137, 142, 182

1368 JOANNES Arnheim prof Her ; +20.7.1424

PB Her ; Lam 18

1369 JOANNES (de) Arnhem prof Li ; Zel ; 1411 Li

PB Zel

1370 JOANNES Arnold presb sec ; prof Sheen 1576 ; vic ; P 1585 -+24.12.1589

Long angl 162-164 ; Guilday 48

1371 JOANNES (d')Arras (de Attrebato) O.Carm ; prof Lugny ; proc ; P Mortemer/Sēlignac 1408-1411 ; P Her 1411- +30.7.1430 ; conv. 1414-1418 ; 1419-1430 ; vis 1430-+

BMHG ; Lam 43-46, 183 ; MB 1440 ; Ephem II 571

1372 JOANNES (van) Asperen prof Hollandiae ; Bg 1421, 1427

Sch Bg 41

1373 JOANNES (van) Assche prof Her ; proc 1526-a.1538 ; P 1546-1549 ; vic SA 1549(?)-1552 ; vic Her 1552-+6.9.1554

PB SA ; Lam 13, 143, 185 ; MB 1445 ; d'Ydew 182

1374 JOANNES (de) Atigra(?) prof Kiel ; +1496

PB Kiel

1375 JOANNES (de) Audomaro prof Her ; vic Delft ; P Zierikzee 1477-±1483

Wal 7043, 93

1376 JOANNES (d')Autey (Anthey) P Torn 1404, 1406 ; +26.10.1409

MB 484 ; Desmons 126

1377 JOANNES (de) Backer OSB ; prof Bg ±1320 ; P 1324-1328 ; P 1333-1334 ; P 1337-+?

RABg ch ; Sch Bg 21, 22 ; VdM Bijl V

1378 JOANNES Baelmans °Lov ; prof Lov 1650 ; 1660 vic ; +proc 1672

PB Lov ; RABg Oud KA 338 ; MB 1486 n4

1379 JOANNES Baert prof Gand 18.8.1552 ; vic Bg 1559-1565 ; rector Her 1565-1566 ; P Gand 1566-1597 ; P 1601-+14.5.1604 ; conv. 1575 ; aut

Wal 7044, 240, 276, 309, 346, 355 ; 7047, 111, 117, 126, 129 ; BRB 8579(304) ; RAG ; RAG FK 16 ; RAG B 1288 (108, 389) ; RABg Oud KA 272 ; Ephem II 120 ; d'Ydew 167 ; PB Her ; MB 1446 ; NBW VI, 11-12

1380 JOANNES Baes don Bg a.1676 ; +1701

RABg Oud KA 301 ; PB Bg

1381 JOANNES Balduyni prof Kiel ; +20.7.1525

PB Kiel

1382 JOANNES (van) Balen Univ Lov ; prof Her ±1440 ; P Amsterdam 1448-1454 ; vic Her 1456 ; vic Sch 1456-1459 ;

P Zel 1459-1469 ; +Her 21.10.1475

Wal 7043, 8v, 91 ; PB Her ; PB Zel ; Lam 21, 61 ; MB Zel ; Ephem IV 21

1383 JOANNES Barbier (Barwiez, Barwier)   prof Bg ; +9.12.1456

PB Bg ; Flandre III, 358

1384 JOANNES Barnesly   prof Sheen 3.9.1661 ; diac 17.2.1663 ; presb 10.3.1663 ; +10.10.1680

Long angl 235

1385 JOANNES Baronaige (Baronagie)   °Lov ; prof Lov 1604 ; vic Bg 1618-1639 ; +Lov 1655

Wal 7048, 5v ; RABg Oud KA 279, 280 ; PB Lov ; MB 1482

1386 JOANNES Bastonier   °±1480 , Braine-le-Comte ; OSB ; prof Torn 1528 ; ∓8.7.1541 ; aut

Desmons 146 ; Sch LN 28

1387 JOANNES Baudin (Vandi)   don Bg ; +1555

PB Bg

1388 JOANNES Beeckmans   don Lier ; +1736

PB Kiel

1389 JOANNES Beeckmans   don Lier ; +1743

PB BD

1390 JOANNES Belhoest (Belhoste)   proc Li 1403-1410 ; P Val-Saint-Pierre 1418 ; +1442

MB 493 ; C.A.P.L. 37, 1946, 58-64 ; 30, 1948, 38-41

JOANNES Bennet 735

1391 JOANNES Berblock   °Bg ; prof Gand 1608 ; 1625 Gand

RAG ; RABg Oud KA 277 ; Wal 7048, 95v

1392 JOANNES Berdon   prof Coventry ; 2°prof Bg a.1555 ; +14.3.

1558 (id 1598 ?)

RABg Déc 257 ; Flandre III, 313 ; Thompson 498

1393 JOANNES (vanden) Berghe (de Monte) don ; demissus ; se marie, après + épouse/huwt, na + echtgenote,conv Gand 1474 ; +19.4.1479 (père de/vader van 1394 & 2198)

Wal 4058, 129-129v, 133v

1394 JOANNES (vanden) Berghe (de Monte, de Monte S.Gertrudis) p : Johannes (1393) ; P Kiel 1473-+30.11.1480

PB Kiel ; Lam 82 ; NNBW IX, 273 ; BMHG

1395 JOANNES (de) Bergis prof Kiel ; +vic 31.12.1521

PB Kiel

1396 JOANNES (van) Bever °Joannes-Cornelius, 28.2.1727, Heembeek ; prof Sch 23.1.1747 ; proc SSM 1756-1764 ; proc Sch 1764-1770 ; P SSM 1770-?.10.1779 ; P Bg ?.10.1779-1783 ; +1794

RAR 12, 13, 52, 53, 60 ; RABg Oud KA 271 ; CR 139, 354; Wal 7043, 11v, 14, 20v ; PB Bg

1397 JOANNES Bierkens (Biekens) °Breda ; prof Lov 1653 ; +Gand 1665

PB Gand ; MB 1486

1398 JOANNES (de) Biest presb sec Geraardsbergen ; prof Sch 29.1.1461 ; vic 1475-1504 ; +17.9.1507 ; cop

Wal 7043, 8v, 15v, 71v ; MB 1390, 1402 ; Catalogue : Le 5° centenaire de l'imprimerie dans les Pays-Bas, Bruxelles, 1973, p.16

1399 JOANNES Blanchart SSM 1710

RAR 50

1400 JOANNES Blanck (Blot, Ernouls) °Enghien ; Univ ; prof Her 1433 ; +7.1.1484

PB Her ; Lam 22, 86

1401 JOANNES Blijthman conv Sheen 2.1.1579 ; +31.1.1621

Long angl 239

1402 JOANNES (van) Blitterswyck °1588, Bruxelles ; prof Sch 22.1.1606 ; sac 1620-1634 ; proc SA 1637-1658; +28.7.1661 ; aut ; trad

Wal 7043, 15, 19v ; 7047, 135 ; 7048, 82v ; RABg Oud KA 312-314 ; MB 1392 ; Sacris Erudiri 16, 1965, 479-485 ; Sch LN, 35-36

1403 JOANNES Bloc prof Gand ; XIV°s

Wal 4058, 131 ; RAG FK 152

1404 JOANNES Bloquerey (Bloquerin, Blocqueria) prof Lier a. 1582 ; +Miraflores 1616

PB Kiel ; Bijdr Gesch 23, 1932, 150

1405 JOANNES (de) Bloyere don Sch 12.11.1509 ; +20.6.1519

Wal 7043, 18v, 139, 159

1406 JOANNES Boelaert 1507 intrede/entré Sch ; demissus

Wal 7043, 132v

1407 JOANNES Boeren °?.1.1734 ; conv An ; 1783 An

CR 139

1408 JOANNES Bohemus don Zel ; +1441

PB Zel

1409 JOANNES Bolhusen (Volhusen, Bollanhuyssen) prof Gand ; P Amsterdam 1421-1448 ; vic Gand 1448-+27.8.1455

Wal 7043, 67 ; BRB 8579(293) ; Wal 4051, 126, 131v ; Ephem II, 360 ; HB 54, 1936, 46-50

1410 JOANNES (de) Bollezeele (Bolliuzel, Bollieuzeel, Bolliuziel, Boullinzele) proc S.Omer 1319 ; P SSM 1328-+ 1332 ; P Gosnay 1340-1352 ; conv. 1348-1350 (id 1321 ?)

RAR 2, 14, 15 ; RAG F. Ghellinck 7, 9, 11, 12 ; J.de Pas XX ; d'Ydew 45

1411 JOANNES Bombeke (Bonlic, Bonimbreut) prof Gand a.1554 ; +sac 1562

RAG ; PB Gand

1412 JOANNES Bor conv Her ; +1475

PB Her

1413 JOANNES Borle (van) Utrecht prof Li ; sac ; +proc 9.10. 1509

MB 507 n16

1414 JOANNES (du) Bosquiel Univ Paris ; prof Torn ; sac ; P 1540-+8.9.1567 ; vis 1547-+

Desmons 137 ; BMHG ; Ephem III 238

1415 JOANNES Boswell prof Sheen 19.3.1712 ; +diac 20.3.1742

Long angl 237

1416 JOANNES Botyn (Boutin, Boytin) prof Gand ; P Lübeck ; + Gand 19.10.1444

Wal 4051, 126, 131v ; PB Gand

1417 JOANNES (van) Bouchaute proc Her 1319-1321 ; P Kiel 1324 ; P Her 1328 ; P SSM 1332-1334 ; +Her(?) 5.4.1338

Lam 12, 24, 25, 182 ; RAG F.Ghellinck 14, 15 ; RAR 1 (199) ; MB 1436

1418 JOANNES Boye conv Her ; +10.5.1474

Wal 7043, 88 ; Lam 23, 73, 198

1419 JOANNES (de) Brabancia Univ ; cl-r Zel ; +18.11.1477

PB Zel ; BMHG

1420 JOANNES Braeckman (Brachmann) don Lier ; +1573

PB Kiel

1421 JOANNES Braendefer (Brasdefer) prof Her ; +proc 1579

PB Her

1422 JOANNES Brakelmans (Braeckelman) prof Gand ; proc 1527, 1533 ; +1536

RAG ch 159 ; RAG ; RAG B 1288(185) ; PB Gand

1423 JOANNES (de) Brede °p : Joannes Henrici, m : Isabella Coperdroets ; prof Li ; vic ; +24.10.1478 ; miniaturist/enlumineur

MB 506 n3

1424 JOANNES (van) Brederode °nob ; don Zel 1402 ; demissus ; +Azincourt 28.10.1415 ; trad (frère/broer 2631)

PB Zel ; Sch LN 14 ; Hist Tijdschrift, 3, 1924, 8-29

1425 JOANNES Brial °Houffalize ; prof Gr Chartr 9.8.1603 ; rector Li 9.11.1609-1610 ; P 1610-1618 ; P Dantzig; P Molsheim ; P Nancy ; P Mont-Dieu 1633-+29.8.1639

Lam 220 ; MB 514

1426 JOANNES Brielis prof Zel ; +vic 1524

PB Zel

1427 JOANNES (de) Broyere (Broeyere, Broeyers) °Bruxelles ; prof Sch 9.5.1576 ; sac Valenciennes 1578-1585 ; proc Sch 1585-1601 ; vic Bg 1601-1602 ; vic Sch 1602-1602 ; proc 1602-1611 ; vic 1612-1621 ; +sr 29.20.1627

Wal 7043, 11, 14, 18 ; 7044, 143, 146 ; 7048, 82v ; RAG ; RABg Oud KA 177 ; Lam 241 ; MB 1409, 1409 n10, 1415

1428 JOANNES Brugman prof Sch 19.6.1540 (id 1443 ?)

Wal 7043, 17v ; 7044, 49 v

1429 JOANNES Bruneau °Douai ; prof Sch 1533 ; +antiq S.Omer 17.9.1583(?)

Wal 7043, 17 ; 7044, 155v

1430 JOANNES (van) Brussel conv Her a.1390 ; +2.12.1398

PB Her ; Lam 20, 41

1431 JOANNES (van) Brussel don Her ; +1582

PB Her

1432 JOANNES (de) Bruyn (Bruun) °±1418, Herseaux ; presb sec ; prof Sch 12.2.1459 ; proc 1460-1466 ; vic 1466-1470 proc 1470-1495 ; sac 1497-+8.5.1499 ; cop ; oncle de/oom van 1433

Wal 7043, 8v, 11v, 14v, 15v, 69v, 72, 138 ; BMHG ; Lam 121 ; MB 1390, 1402

1433 JOANNES (de) Bruyn °Gand ; Univ Lov ; prof Her 1501 ; +11. 9.1509 ; artiste ; neveu de/neef van 1432

Wal 7043, 138 ; Lam 110, 111, 121, 147

1434 JOANNES Bruyne (Braynis, Brynis, Brajnis) prof Bg ; +Beau-regard 19.12.1494

PB Bg

1435 JOANNES (de) Buc proc Bg 1329

VdM Bijl V

1436 JOANNES Buekele Bg 1434 ; aut

VdM Bijl V

1437 JOANNES (van) Bueren °p : Johannes van Bueren tot Reygersfoort, m : Catharina van Polanen ; prof Utrecht ; + Zel 8.5.±1430

BMHG ; AAU 71, 1952, 107, 111

1438 JOANNES Burford conv Sheen 1569 ; +Noyon(?) 12.1/19.5.1578

Long angl 239 ; PB Sheen

1439 JOANNES (de) Busco conv SSM ; +1507

PB SSM

1440 JOANNES (de) Buteo (Puteo) cl-r Gand ; +diac 1418

Wal 4051, 134 ; PB Gand

1441 JOANNES Campenhout Univ ; marié/gehuwd ; conv Her ; +30.5. 1453

PB Her ; Lam 21, 60

1442 JOANNES (de) Campo rector Zel 1526-1527 ; P 1527-+1530

PB Zel

1443 JOANNES Carmuet (Carinmet) prof Sch ; +Her 1567 (id 1428 ?)

PB Her

1444 JOANNES (de) Carnibus prof Gand ; +SA 1569 (id 1463 ?)

PB Gand

1445 JOANNES Carpentier (Charpentier) prof Gand ; 1618 vic-+ 30.9.1623

RABg Acq 461 ; Wal 7047, 286 ; PB Gand ; Ephem III, 450

1446 JOANNES Carr prof Sheen ; +12.2.1618

Long angl 233

1446a JOANNES Chamberlain prof Li ; diac 24.9.1791

A.Ev.Li 1729-94

1447 JOANNES Clerc prof Zel ; +Amsterdam 1564

PB Zel

1448 JOANNES Clerici prof Bg ; +22.10.?

Flandre III 348

1149 JOANNES Clerici prof SSM ; +1558

PB SSM

JOANNES Clercx 1892

1450 JOANNES (de) Clivis prof Kiel ; +7.8.1412

PB Kiel

1451 JOANNES Clutinc (Clutingen) OSB ; prof Her ; +13.6.1430

PB Her ; Lam 21, 50

1452 JOANNES Clyffe (Clivis, Clivi, Clini) prof Witham ; 2°prof London ; 3°prof Bg ; +29.1.1560 (id 1453 ?)

Long angl 130 ; PB Bg

1453 JOANNES Clyst prof Witham ; 2°prof Bg ; +1561 (id 1452?)

PB Bg

JOANNES Coc 538a

1454 JOANNES Cock (Coci) prof Gand ; +1506

Wal 4051, 132v ; PB Gand

1455 JOANNES Cockuut don Gand a.1527 ; +1541

RAG ; PB Gand

1456 JOANNES Cocq don Gand ; +1625

PB Gand

1457 JOANNES Cocus don Kiel ; +1547

PB Kiel

1458 JOANNES Coese (de Cosen) don Zel ; conv Sch 25.1.1461 ; Kampen ; Zel ; +Sch 10.9.1507

Wal 7043, 15v, 71v, 134v ; MB 1399 ; MB Zel

1459 JOANNES Collaert (Colaerds, Collarits) conv Bg ; Sch 1456-1462 ; 1462 Bg ; +6.3.1480/1481

Wal 7043, 72v ; PB Bg ; Flandre III 311 ; MB 1399

1460 JOANNES Collart don Henton ; +Lier 1556

PB Kiel

1461 JOANNES (de) Colonia prof Bg ; +17/23.11.1497

PB Bg; Flandre III 335

1462 JOANNES Comelinus °Douai ; prof Lov 1544 ; vic Mont-Dieu 1570-+1578 (id 1509 ?)

Wal 7044, 121, 144v ; PB Lov ; MB 1477

1463 JOANNES Commere Gand 1554 (id 1444 ?)

RAG

1464 JOANNES Commotius (Cammotius) conv Arnhem ; +S.Sofie An 1627

Wal 7048, 138 ; PB BD

1465 JOANNES Coninckx °Lov ; prof Lov 1662 ; +antiq 1718

PB Lov ; MB 1486 n4

1466 JOANNES Cool prof Bg a.1646 ; sac 1649, 1656, 1657 ; +antiq 1672

RABg Oud KA 280, 281, 282 ; PB Bg

1467 JOANNES Cooman (Coymans) °Mechelen ; prof Lov 1591 ; proc ; proc Lier 1597-1599 ; +Sch 1607

Wal 7047, 44, 56v ; PB Lov ; MB 1480

1468 JOANNES Coppens (Horne) don Her 1503 ; +15.9.1526

PB Her ; Lam 141

1469 JOANNES Cornelius (Leydensis, Leydis, Laydis, Leydius) prof Sch 9.4.1559 ; sac 1564-1567 ; vic 1567-1569 ; rector SSM 1.9.1569-1570 ; P 1570-+9.4.1572

Wal 7043, 8v, 11v, 13v, 14v, 18 ; 7044, 89v, 120 ; RAR 9 ; RAR FK Lier 22 ; VG 179

1470 JOANNES Corten (Courten) don Zel ; +1555

PB Zel

1471 JOANNES Crauwel prof Gand ; proc ; 2°prof Lübeck ; +1444

Wal 4051, 126, 131 ; PB Gand

1472 JOANNES Cruenghem (Eumenghen) prof Zel ; +1444

PB Zel

1473 JOANNES (de) Curia (de Hochstraten) prof Kiel ; +5.1.1431

PB Kiel

1474 JOANNES Cusel (Cufel) prof Gand ; XIV-XV°s

Wal 4051, 131

1475 JOANNES Custeyn °'s Hertogenbosch ; nov Sch 1627 ; demissus

Wal 7048, 130

1476 JOANNES Daems (Darius) prof Gand(?) ; P Gand 1551-+1557

BRB 8579(304) ; RAG ; PB Gand

1477 JOANNES Damhoudere (Damoderius) prof Bg a.1577 ; +1604

RABg Déc 257 ; Oud KA 275, 277 ; PB Bg

1478 JOANNES (van) Damme (de Mechlinia) prof Kiel ; proc ; P Delft 1514-1517(?) ; P Kiel 1517 ; +proc 25.10.1529

PB Kiel ; BMHG ; HB, 49, 1932, 340

1479 JOANNES (van) Damme don SSM ; +1604

PB SSM

1480 JOANNES (van) Damme don SSM a.1680 ; proc 1681-1682 ; + 1720

RAR 46, 48, 49, 50, 57 ; PB SSM

1481 JOANNES Daulin P Bg 1376-138?

Sch Bg 27

1482 JOANNES Dauwel (Danwilt) prof Bg ; +12.12.1454

PB Bg ; Flandre III 358

1483 JOANNES Deakyn (Deaken) prof Sheen ; proc ; +27.3.1618

Long angl 230, 233

JOANNES Deens 109

1484 JOANNES Deldon (Boldein, van Oldenzaal) prof Arnhem ; vic SA 1395-1402 ; rector Wesel 1402 ; P 1403-1424 ; +13/16.2.1434

PB SA ; AAU, 72, 1953, 103 ; d'Ydew 182 ; Ephem I 197

1485 JOANNES Deleri (?) prof Zel ; +1545

PB Zel

1486 JOANNES (van) Delft conv Her ; +14.12.?

Lam 20

1487 JOANNES (van) Delft don Kiel ; +1479

PB Kiel

1488 JOANNES (van) Delft (Delfus) prof Delft ; rector Lov 1495; P 1504-16.3.1525 ; 2°prof Lov 1506 ; +21/25.3.1530

HB 1468-1473 ; BMHG (24.5) ; Ephem I 344

1489 JOANNES Dellaert presb sec ; prof Gand ; proc 1469 ; +5.1. 1474

Wal 4058, 127v, 132 ; RAG FK 157 ; HB 55, 1937, 204-213

1490 JOANNES Denderman don Her ; +Zel 1485

Lam 88

1491 JOANNES (van) Dendermonde conv Her ; +22.3.a.1390

Lam 19, 195, 224

1492 JOANNES (van) Dendermonde prof Her ; Her 1420

Wal 7043, 42v

1493 JOANNES (van) Dendermonde (de Teneremunda) prof Sélignac ; P Gosnay ; P Sélignac ; 2°prof Her ; +14.8.1488 ; vis Picardiae et Burgundiae (id 1827 ?)

Wal 7043, 106v ; PB Her

1494 JOANNES Derdelinckx °Tollembeek ; don SSM 5.3.1763 ; SSM 1783

RAR 12, 13, 52, 53, 60 ; CR 139, 423

1495 JOANNES Desiers (de Siers, Desirs) °p : Egidius Desiers, Her ; don Her a.1504 ; +15.1.1534

PB Her ; Lam 166

1496 JOANNES Dessel (de Sen) don Sch ; +22.1.1566

Wal 7043, 18v ; PB Sch

1497 JOANNES Dierckx (Theodorici de Delft) Univ Köln ; prof Her ±1435 ; +27.8.1475 ; cop

Lam 22, 76 ; PB Her

1498 JOANNES Dierics prof Gand ; Zierikzee 1518 ; +Gand 1530

PB Gand ; HB, 53, 1935, 192

1499 JOANNES (van) Diest nov Li 27.1.1553

MB 510

1500 JOANNES Diestres (Diestren, Diest) don Zel ; +1580

PB Zel

1501 JOANNES (van) Dinant prof Li ; Her 1487 ; +Li 24.5.1528

PB Her ; Lam 89 ; MB 509 n11

1502 JOANNES Dœlmans prof Zel ; +1530

PB Zel

1503 JOANNES (a) Doloribus °Bruxelles ; cl-r Sch 29.6.1543/1548; Li 1562 ; SSM 1569 ; Allemagne/Duitsland 1582 ; + diac Li 1582

Wal 7043, 17v ; 7044, 68, 99v, 119, 155

1504 JOANNES (vander) Doodt °Lov ; prof Lov 1726 ; +vic 1753

PB Lov ; MB 1490 nl

1505 JOANNES (van) Dordrecht (de Doldraco) don Bg ; +1526

PB Bg

1506 JOANNES (van) Dordrecht (a Dordraco) intrede/entré Sch 15.1.1529

Wal 7044, 24v

1507 JOANNES Dorlo (Duerlo) °Hulst ; templier/tempelier ; prof Gand ; vic SA 1486-1493 ; +vic Gand 6.7.1502

Wal 4051, 132v, 133v ; PB SA ; d'Ydew 125

1508 JOANNES Dotel (Dotsch) P SSM 1377

Lam 35

1509 JOANNES (van) Douay Sch 1556 (id 1462 ?)

Wal 7044, 83

1510 JOANNES Douwater intrede/entré Her 1477 ; demissus ; +prof Zierikzee

Lam 78

1511 JOANNES (vanden) Driesche (van Gent) don Sch ; +8.9.1559

Wal 7043, 18v ; 7044, 91v

1512 JOANNES Ducis prof Gand XV°s

Wal 4051 , 131v

1513 JOANNES Duckett °p : Jacobus Duckett, martyr/martelaar ; presb sec ; prof Sheen 15.7.1629 ; vic 1644 ; P 1644-+21.8.1647

Long angl 183-184 ; Gillow II, 133-135

1514 JOANNES Duetelis (?) prof Gand ; XIV°s (= Jan van Deunsen OGE, 47, 1973, 242-245 ?)

Wal 4051, 131v

1515 JOANNES (van) Duvenee (Duvene, Duvenede) °Bg ; prof Gand 28(?).4.1513 ; sac 1606, 1612 ; +sac, sr 1643

Wal 7047, 12 ; RAG ; RAG B 1288 (352v, 391)

1516 JOANNES Duy prof Gand ; XIV°s

Wal 4051, 131

1517 JOANNES (van) Eckeren don Kiel ; +1532

PB Kiel

1518 JOANNES (van) Edingen prof Her ; +5.4.a.1390

Lam 17

1519 JOANNES (van) Eeklo Bg 1411

VdM Bijl V

1520 JOANNES Eerdwinne proc Zel 1402

AAU, 51, 1925, 123

1521 JOANNES (de) Elot (?) conv Her ; +1402

PB Her

1522 JOANNES (van) Emmechoven °Zaltbommel, nob ; prof Lov 1.11. 1598 ; proc 1601 ; P Lier 1604-1608 ; P Lov 1608-1610 ; P Sch 1610-1614 ; P S.Sofie 1614-+1627 ; +Lov 4.9.1635 ; conv. 1610-1611 ; vis 1611-1613 ; conv. 1613-1623

Wal 7043, 3 ; RAR 40 ; PB BD ; MB 1416 ; MB 1481, 1482; Lam 134, 220-222

1523 JOANNES Eschius (van Essche, Hessche, de Colonia, vanden Essche, Essequis) relig ; prof Lov 1541 ; proc 1555 ; proc SA 1555-1567/1568 ; P Delft 1569-1577 (?) ; +1578

RABg Oud KA 324 ; Wal 7044, 80, 145 ; PB Lov ; MB 1476; HB, 49, 1932, 359-361 ; HB, 60, 1948, 280 ; d'Ydew 143, 150, 153

1524 JOANNES (des) Eswis (des Eulbis, Desheuwis, Passeris) rector Torn 1423 ; P 1424-+17.10.1438

MB 484 ; Desmons 128

1525 JOANNES (van) Etterbeke °Aalst ; prof Her 1473 ; proc ; P 1495-+30.7.1500

Lam 13, 89, 95, 109, 184 ; MB 1443

1526 JOANNES Eulardus prof SSM a. 1568 ; +S.Omer 1583

RAR 55 ; PB SSM

1527 JOANNES Evendi prof Bg ; +1399

PB Bg

1528 JOANNES Everaert (Elzelaer) °p : magister Johannes Everaert, m : Clara Molenpas ; don Sch 22.6.1508 ; +29.4.1519

Wal 7043, 18v, 137, 159 ; MB 1403 n12

1529 JOANNES Everard Gobbels (Hezius) prof Lov 1567/1568 ; +sr 1604

PB Lov ; MB 1479

1530 JOANNES (vanden) Eynde (a Fine, Affine) cl/1-r Lier ; +1604

PB Kiel

1531 JOANNES Fabri prof Her ; +4.10.a.1390

Lam 18

1532 JOANNES Fabri (van Luik) proc Li 23.7.1532

MB 509 n11

1533 JOANNES Fennel conv Sheen ; +22.11.1626

Long angl 239

1534 JOANNES Ferrebouch P Beaune 1405-1415 ; P Torn 1415-+1417-1425 ; P Valenciennes 1425-1435 ; P Noyon 1435-+20.6

1438 ; conv. 1417-1424 ; vis 1424-1426

Desmons 126

1535 JOANNES Fierens prof Lier ; +proc Zel 1679

PB Kiel

1536 JOANNES Flameng (Flammeius) don SSM a.1652 ; +1668

RAR 43, 45 ; PB SSM

1537 JOANNES Flamingi mon Gand ; +proc 1522

PB Gand ; BRB 8579(304)

1538 JOANNES (de) Flandre (de Querceto, du Quesnoy) prof Her 16.7.1494 ; +7.6.1505 ; cop

Wal 7043, 130 ; Lam 93-95 ; MB 1433

1539 JOANNES Flawijn (Flammin) don Lier ; 1632 An ; +Lier 1639

PB Kiel ; RABg Acq 461

1540 JOANNES Florentis (Burgis) Univ Lov ; prof Sch 1.8.1476 ; +31.8.1479

Wal 7043, 16, 91, 95v

1541 JOANNES Floten (Sloten) don Her ; +1474

PB Her

1542 JOANNES Floyde (Floid) entré après + épouse/intrede na + echtgenote ; conv Sheen 25.6.1630 ; +18.8.1636

Long angl 179, 239

1543 JOANNES Fox prof London ; Lov ; 2°prof Bg ; +25.7.1556

Long angl 123 ; RAA FK Lier 22 ; PB Bg ; Flandre III, 332

1544 JOANNES Francisci (Franciscus) °Mechelen ; prof Lov 1602 ; sac SSM 1609-1613 ; vic 1613-1617 ; +sac Lov 1637

Wal 7047, 101v, 130 ; RAR 40 ; PB Lov ; MB 1482

1545 JOANNES Franck °Namur ; prof Li ±1562 ; sac ; P 1582-+1585

MB 511, 512

1546 JOANNES Freeman conv Sheen 1.11.1597 ; +23.10.1607

Long angl 168, 239

1547 JOANNES Fusee prof Torn ; Torn 1403

Desmons 66

1548 JOANNES Gadellier (Gabelier) prof Valenciennes ; +Her 1568

PB Her

1549 JOANNES Galli prof Gr Chartr ; 2°prof Bg ; P Seillon ; +P Montrieux 23.12.1532

PB Bg ; BMHG

1550 JOANNES Garnet prof Sheen ; +vic 14.2.1693

Long angl 200, 228

1551 JOANNES Gaver (Guardam) don SSM ; +1581

PB SSM

1552 JOANNES Geerts prof Lier ; +1737

PB Kiel

1553 JOANNES Gelzdermer (?) (Geltemen) don Her ; +1581

PB Her

1554 JOANNES (van) Gent presb sec ; prof Bg ±1320 ; +1350

VdM Bijl V

1555 JOANNES (van) Gent (de Gandavo) prof Zel ; +1496

PB Zel

1556 JOANNES Geraldi prof Bg ; +1413

PB Bg

1557 JOANNES Gerulphus °Hulst ; prof Lov 1561 ; vic 1579-+1605; aut

Wal 7044, 92v, 110v, 114 ; PB Lov ; MB 1414, 1479

1558 JOANNES Gheertz don Zel ; +1724

PB Zel

1559 JOANNES (de) Ghelasemaker proc Zel 1502, 1504 ; P ? (idem 1103 ?)

MB Zel

1560 JOANNES (de) Gheus (Geus, Ghiers) prof Bg 1711 ; presb 1715 ; sac 1720-1727 ; vic 1728-1738 ; P 1738-1743; coa & antiq 1743-+1770

RABg Oud KA 286, 287, 288, 289, 290, 291, 292 ; PB Bg

1561 JOANNES Ghevaert (Govertz) don Gand ; +1506

Wal 4058, 134 ; PB Gand

1562 JOANNES Ghezelin (Gheetstrin, Gorseken, Gorschken) prof Gand a.1440 ; proc ; +19.12.1461

Wal 4051, 126, 131v ; RAG K 9531(40) ; PB Gand ; Ephem I 366

1563 JOANNES Gilliaerts (Gillart) °S.Omer ; prof Her ±1456 ; 1470 vic Delft ; P Zierikzee 1477-+15.11.1483

Lam 22, 63, 68, 79

1564 JOANNES Glabbeeck don Li ; +1541

MB 510 n4

1565 JOANNES (de) Gony (Deguy) prof Her ; +1560

PB Her

1566 JOANNES Gosin prof Bg ; +1440 (17.2.?)

PB BG ; Flandre III 309

1567 JOANNES (vander) Grecht (a Fovea) relig ; prof Sch 24.3.

1540 ; sac 1564-+1567 ; +Wesel 24.3.1573

Wal 7043, 14v, 17v ; 7044, 49v, 133v

1568 JOANNES (de) Groote °+1445, Bruxelles ; prof Sch 8.4.1469 ; proc 1495-1516 ; vic 1516-1520 ; +sr 11.10.1533

Wal 7043, 8v, 11v, 16 ; 7044, 21v, 38v ; PB Sch ; Lam 206 ; MB 1385, 1406

1569 JOANNES Guillin prof Sheen ; vic ; +1672

Long angl 236

1570 JOANNES (van) Haarlem prof Kiel ; proc & vic (?) ; +18.9. 1535 (id 1571 ?)

PB Kiel

1571 JOANNES (van) Haarlem prof S.Sofie ; coa SA 1525 ; proc S. Sofie 1525-1527 ; vic Hollandiae 1527-1531 ; vic S.Sofie 1531 ; +1540 ; aut (id 1570 ?)

PB Kiel ; PB BD ; BB 18, 94, 95 ; Sch LN, 30 ; d'Ydew 107, 136

1572 JOANNES Haeck don Gand ; +1721

PB Gand

1573 JOANNES (de) Haen prof Gand ; +1570

PB Gand

1574 JOANNES Haesart (Hasaert) °Enghien ; prof Her 1501 ; +vic 29.10.1538

PB Her ; Lam 110

1575 JOANNES Hallet °Lessines ; prof Her 1500 ; +2.12.1541 ; cantor

Lam 108

1576 JOANNES (de) Hallis Univ Lov 1463 ; prof Li ; 2°prof Bg ; +sr 18.11.1492

PB Bg ; Flandre III 354 ; VdM Bijl V

1577 JOANNES (van) Hamborghen prof Li ±1395

MB 501 n14

1578 JOANNES (van) Hamme (Hammius) °Vorst ; prof Lov 1632 ; +1658

PB Lov ; MB 1486 n4

1579 JOANNES (vander) Hammeye (de Hammais) prof SSM 1661 ; vic 1667-1672 ; proc 1673-+1683 ; vic Sch

Wal 7043, 11 ; RAR 12, 44, 45, 46, 48 ; PB SSM

1580 JOANNES (van) Hauten (Houten) prof Lier ; vic Bg 1662 ; vi Lier ; coa SA ; +Lier 13.6.1670

RABg Oud KA 281 ; PB Kiel

1581 JOANNES Havelt prof Kampen ; vic ; 2°prof Gand ; +1557

PB Gand

JOANNES Hawkins 923

1582 JOANNES Hecke don Gand ; +1557

PB Gand

1583 JOANNES (van) Hecke (Hac) °Gand ; Univ Paris ; prof Sch 20 8.1462 ; +8.12.1497 ; cop

Wal 7043, 15v, 117 ; MB 1390

1584 JOANNES (vander) Hecke (Heck) prof SSM ; P 1449-+17.9.1473

RAR 1(passim), 3(74v), 73 ; RAG F. Ghellinck 51, 52, 53 PB SSM ; VG 164

1585 JOANNES Hect (Hecte, de Heect, de Heere, Dehecq, de Heed, Haect) prof Gand ; P Torn 16.7.1448-1468 ; +Gand 1473

Desmons 133 ; MB 508

1586 JOANNES (van) Heikruis (de Alta Cruce, Haycruce, Hagerum, Haytrinis) prof Her ; 2°prof SA ±1434 (?) ; +7. 9.1442

PB Her ; Lam 21, 56, 57 ; d'Ydew 96

1587 JOANNES Hein prof Zel ; +1510

PB Zel

1588 JOANNES (de) Held conv S.Sofie ; 2°prof Li ; +1505

PB BD

1589 JOANNES Helman (Helleman) prof Her ; +3.2.a.1390

Lam 18

1590 JOANNES (van) Helmont prof Kiel ; proc 1427-+3.10.1430

PB Kiel

1591 JOANNES Hemersen prof Zel ; vic ; +1576

PB Zel

1592 JOANNES (van) Herentals prof Kiel ; +4.1.1418

PB Kiel

1593 JOANNES Herte (Herdt, Herbe) Bg 1540, 1544

RABg Déc 257 ; Oud KA 271 ; Flandre III 325 : Joannes (van) Hecke, +11.6

1594 JOANNES Hertoge don SSM ; +1517

PB SSM

1595 JOANNES (vander) Heyden (de Merica) prof Sch 2.6.1538 ; demissus ; gehuwd/marié ; terug/retour Sch ; vic Réthel 1577-+28.10.1582 ; aut

Wal 7043, 17 ; 7044, 95v, 141, 156 ; MB 1392, 1407 ; Sch LN, 30 ; Goethals II 134-137

1596 JOANNES (van) Hinrlinge (?) +Bg 1410 (id 1741 ?)

VdM Bijl V

1597 JOANNES Hoenberghe presb sec a.1382 ; prof Gand

Wal 4051, 131 ; RAG ch 140

1598 JOANNES Hoerdrien prof Coventry ; 2°prof Bg ; +1560 (id 1392 ?)

PB Bg

1599 JOANNES Hoeven don Sch ; +12.5.1572

Wal 7043, 18v

1600 JOANNES Holus (Hobus) don Sch ; +11.1.1529

Wal 7043, 18v ; 7044, 24v

1601 JOANNES (van) Hondschote P Her XIV°s

Lam 12, 24, 182 ; MB 1437

1602 JOANNES Horrebeke (Boremblicke, Horembleck) °Aalst ; prof Gand ; +24.12.1476

Wal 4051, 129, 132v ; BRB 8579(296) ; PB Gand

1603 JOANNES Hoste (Heiste) prof Bg ±1350 ; P 1390

Lam 182 ; MB 1439 ; OGE 47, 1973, 15-17

1604 JOANNES Hostibacker (Hostifach) conv Gand ; +1481

PB Gand

1605 JOANNES Houben don Zel ±1630 ; +1681

PB Gand

1606 JOANNES (de) Hove prof Kiel XIV°s

Bijdr Gesch, 23, 1932, 143

1607 JOANNES Hulman prof SSM a.1418 ; +1444

PB SSM ; VG 162

1608 JOANNES (vander) Hulst don Bg 1663 (id 1909)

RABg Oud KA 281

1609 JOANNES (van) Hultrem (?)   don Sch ; +2.9.1565 (?)

Wal 7043, 19 ; 7044, 106

1610 JOANNES Hust   prof Torn ; +P Mont-Dieu 10.12.1499

Desmons 147

1611 JOANNES Hutton (Hotton)   prof Sheen ; proc 1620-1626 ; SSM 1634 ; antiq Bg 1640 ; SSM 1642-1643 ; vic Sheen ; P 1647-+23.10.1651

Long angl 184, 201, 230 ; RAR 41, 42 ; RABg Oud KA 280; VG 58

1612 JOANNES Huweken (Huckelen)   °Lov ; don Sch 2.5.1474 ; +3.12.1496

Wal 7043, 19, 87v, 116

1613 JOANNES (van) Ieper   prof Bg ; sac 1555-1557 ; proc 1557-1559 ; rector 1560 ; P 1560 ; proc 1560 ; P Gand 1561-1566 ; vic Bg 1566-1571 ; P 1571-1580 ; apostata ; +1580

RAG ; RAG B 1288 (397v, 398v), B 1327 (76) ; Wal 7044, 141v, 156v ; RABg Déc 257 ; Oud KA 271, 272, 273, 274, 175 ; Sch Bg 62

1614 JOANNES Jacobi   °Oudenaarde ; prof Her 1441 ; sac 1448-1483 ; +21.11.1491 (2 frères chartreux/2broers kartuizer)

Wal 7043, 113v ; Eigen Schoon 2, 1912, 38-41

1615 JOANNES Jansen   conv Lov ; +1664

PB Lov

1616 JOANNES Jansens   prof Her ; +6.6.1696

PB Her

1617 JOANNES (de) Jonckeere   don Gand ; Gand 1518

RAG ; Wal 4051, 133v

1618 JOANNES Joos   don Bg ; Bg 1582

RABg Oud KA 276

1619 JOANNES Jouvente °Pousset ; Univ ; don Li ±1700

MB 490

1620 JOANNES (de) Juliaco (van Gulik) prof Kiel ; +20.10.1525

PB Kiel

1621 JOANNES Kelders prof Her ±1699 ; sac ; +antiq 1757

PB Her

1622 JOANNES Kemp conv Sheen 1593 ; +25.5.1612

Long angl 239

1623 JOANNES Kerselaar (Raslelaar) don SSM ; +1584

PB SSM

1624 JOANNES (van) Keulen (de Colonia) prof Kiel ; +13.1.1478

PB Kiel

1625 JOANNES (van) Keulen relig ; prof Sch 22.8.1467 ; sac 1470 -1470 ; +12.12.1504 ; cop

Wal 7043, 14v, 16, 75 ; MB 1390

1626 JOANNES Keurfan (?) don Her ; +1537

PB Her

1627 JOANNES Kipe prof Gand ; XIV°s

Wal 4051, 131

1628 JOANNES Knatz (Kratz, de Coulogne) prof An ; coa 1663 ; +coa 1669

PB BD ; ms Sélignac

1629 JOANNES Knibber °Enghien ; presb sec ; prof Her ±1455 ; +24.10.1473 ; aut

PB Her ; Lam 22, 60, 72 ; Sch LN 23

1630 JOANNES Koch prof Her ; Her 1390

Lam 20

1631 JOANNES (de) Kuyck prof Kiel ; +18.8.1473

PB Kiel

1632 JOANNES Lamberti (Lambert) don Sch a.1578 ; Her 1578 ; Li 1580-1585 ; +Sch 20.5.1597

Wal 7043, 19 ; Lam 214 ; MB 1408, 1409

1633 JOANNES Lamberti prof Kiel ; +subd 3.10.1509

PB Kiel

1634 JOANNES Landry d'Auffray (du Fayt, Daufray, d'Auffay, d'Aussay) presb sec ; prof Gosnay 1432 ; P 1433-1440; P Torn 1440-1442 ; P Dijon 1442-1444 ; P Gosnay 1444-+17.10.1452 ; conv 1434-1436 ; vis 1436-1442 ; vis 1445-1452

Desmons 129 ; Lam 55 ; MB 484

1635 JOANNES Langhenhove prof Bg a.1675 ; proc 1684

RABg Oud KA 283, 301

1636 JOANNES Lante (Sancte) prof Zel ; +1570

Wal 7044, 121 ; PB Zel

1637 JOANNES Lantheere (Lannen) relig ; prof Bg ; +24.5.1489

PB Bg ; Flandre III 323

1638 JOANNES Laurenti prof Bg ; +14.3.1561

PB Bg ; Flandre III 313

1639 JOANNES Lausmonier °Bruxelles ; prof Lov 1650 ; 1660 SSM ; +Lille 1669

PB Lov ; RABg Oud KA 338 ; MB 1486 n4

1640 JOANNES Lelloe (Amandi) °Nivelles ; presb sec ; prof Her 1479 ; sac ; vic 1501 ; +4.7.1525 ; cop ; cantor

Wal 7044, 17v ; PB Her ; Lam 137-139 ; MB 1433

1641 JOANNES (van) Lessen (de Lessinia)   prof Her ; +1542

PB Her

1662 JOANNES (Joannes-Baptista) Leuckx   prof Lier ; proc 1783 ; +3.10.1783 (id 2291 ?)

CR 139 ; PB Kiel

1643 JOANNES Levist (Berlafré, Lewist)   prof Torn ; proc 1562 ; P Gosnay 1567-1573 ; P Torn 1573-1585 ; +vic 24.12. 1587

Desmons 85, 138 ; MB 486

1644 JOANNES (de) Lichtere   prof Gand ; XIV°s

Wal 4051, 131

1645 JOANNES (de) Lille (de Insulis)   prof Valenciennes ; Torn ; P Valenciennes 1395 ; +6.1.1412

Desmons 146

1646 JOANNES (de) Livonia (?)   prof Kiel ; +21.11.1493

PB Kiel

1647 JOANNES Loef   prof Li ; P Zel 1439-+16.8.1439

PB Zel ; MB Zel ; MB 504

JOANNES (van) Loo 675

1648 JOANNES (de) Looz   prof Li ; presb 23.9.1651 ; +vic 5.3. 1680

A.Ev.Li 1642-52 ; MB 517 n13

1649 JOANNES Lovanii (Claesz van Leuven, Lomanii)   prof Kiel ; +1.1.1541

PB Kiel

1650 JOANNES (van) Loven (de Lovanio)   prof Kiel ; +28.1.1507

PB Kiel

1651 JOANNES (van) Luik (de Leodio) don Bg ; +1505/1507

PB Bg

1652 JOANNES (van) Luik (de Leodii) don Lov ; +1531

PB Lov

1653 JOANNES (van) Luik (Leodii) prof Kiel ; proc ; +20.7.1537

PB Kiel

1654 JOANNES (de) Lyra prof Zel ; +1544

PB Zel

1655 JOANNES (van) Maaseik nov Li 14.12.1541

MB 510

1656 JOANNES (van) Maldegem prof S.Omer a.1305 ; P Bg 1318-1324 (?) ; P Her (?) ; +13.5.a.1337

RAA FK Lier 22 ; MB 1436 ; Sch Bg 20 ; Lam 12, 18, 24, 38

1657 JOANNES (van) Maldegem vic Bg ; vic Gand 1369 ; vic SA 1369-+16.4.1386

PB SA ; Lam 12, 18, 24, 38

1658 JOANNES (van) Male (Vanmale, Cautmans) conv Lov ±1547 ; +1595

PB Lov

1659 JOANNES (van) Mandere (Mander, Mandre) prof Gand a.1554 ; +1561

RAG ; PB Gand

1660 JOANNES Marchepine prof Gand ; 1549 Zierikzee

HB 53, 1935, 201

1661 JOANNES Marensis prof Li ; vic Bg 1609-1616 ; sac 1616-

+1620 (id 1697 ?)

Wal 7047, 145 ; RABg Oud KA 277 ; PB Bg ; MB 514 nl

1662 JOANNES Marien °Aalst ; don Sch ±1542 ; +17/26.6.1592

Wal 7043, 19 ; 7047, 10v

1663 JOANNES Martin prof Gosnay ; P 1585-1587 ; P S.Omer 1587 ; rector Torn 1599-+29.8.1599/1600

Desmons 140 ; MB 486

1664 JOANNES Martins (Martens) °Bruxelles ; don Sch 2.5.1662 ; 1676 Lov ; 1677 Sch ; +1702

Wal 7043, 24v ; PB Sch ; RABg Oud KA 338

1665 JOANNES Masin prof Valenciennes (?) ; P ; P Bg ±1370-+3.10 1372

RAA FK Lier 22; PB Bg ; Sch Bg 25

1666 JOANNES Mathaei prof Zel ; +1525

PB Zel

1667 JOANNES (de) Mazys prof Torn 4.6.1584

Desmons 85

1668 JOANNES Meerhout °Meerhout (?) ; onderwijzer/instituteur ; prof Sch 4.2.1508 ; sac 1509-1516 ; proc 16.11.1516 -18.4.1517 ; P 1517-+10.10.1550 ; conv. 1532-1539 ; vis 1539-+

Wal 7043, 11v, 14v, 17,135 ; 7044, 72v ; BMHG ; Lam 162; MB 1404-1406 ; Ephem III 525

1669 JOANNES (de) Meldeman °Namur ; prof Gr Chart ; 1620 Sch ; Torn 1641 ; 1641 Lille

Desmons 101 ; Lam 222 ; MB 1417 ; Ephem IV 586

1670 JOANNES (van) Meldert P Her 1317 ; P Kiel ; P Zel ±1330 ; +26.9.1352 (?)

MB 1436 ; MB Zel ; Lam 12, 24, 182

1671 JOANNES Mertens °Her ; don Sch 8.11.1725 ; +3.11.1741

Wal 7043, 24v

1672 JOANNES Mesdach °Bg ; Univ Lov 1495 ; prof Bg ; proc 1506, 1507, 1508 ; P Li 16.4.1513-1518 ; proc SA 1519-1524 ; P Zierikzee 1524-1528 ; P Bg 1528-+20.10. 1540 ; conv. 1529-+

RABg Déc 257 ; Oud KA 271, 298 ; Wal 7044, 55v ; RAA FK Lier 22 ; Ephem IV 104 ; Sch Bg 57 ; MB 508

1673 JOANNES Meus (Mens) prof Her ; +1500

PB Her

1674 JOANNES Meyers prof Zel ; +sr 1555

PB Zel

1675 JOANNES Meysbergen Zel 1412

AAU, 51, 1925, 124

1676 JOANNES Michel prof Sheen ±1505 ; P Witham ; vic Sheen ; +25.10.1571 ; aut

Wal 7044, 122v ; RABg Oud KA 277 ; Long angl 6, 75, 124 227, 231

1677 JOANNES Militis prof Abbeville ; initiator Li 1360

Lam 71 ; MB 497, 498

1678 JOANNES Millian (Million, Villianus) don Her ; +1639

PB Her

1679 JOANNES (van) Milst don Her ; +1749

PB Her

1680 JOANNES (de) Moelnere (Moelnare, Molenare, Molundinarius, Molendarius) °An ; prof Gand ; P ±1351-1362 ; P Kiel 1370-1372 ; Arnhem ; 1378 Kiel

Wal 4051, 124v, 131 ; RAG B 1288 (25, 92, 168v) ; RAG ch ; AAU 56, 1932, 30

1681 JOANNES Moennens (de Kester, Kests) prof Her ±1457 ; sac 1481-+18.11.1499

Lam 63, 84, 89

1682 JOANNES Moens prof Her ; +12.7.a.1390

Lam 18

1683 JOANNES Moens °Lov ; don Sch 1463 ; conv 2.8.1469 ; +24.3. 1483

Wal 7043, 16, 73, 78v

1684 JOANNES Moens don Gand ; +1642

PB Gand

1685 JOANNES Moens don Lov ; +1694

PB Lov

1686 JOANNES Moens °Meerhout ; prof Sch 22.7.1682 ; +3.3.1694

Wal 7043, 20

1687 JOANNES (der) Moeyen conv SSM ; 1497

RAR 1(276v)

1688 JOANNES (de) Monte (vanden Berg) prof Kiel ; +24.6.1511

PB Kiel

1689 JOANNES (de) Montignies °Hainaut/Henegouwen, nob ; prof Zel ±1410 ; vic ; P Her 5.8.1430-1435 ; P Zel 1438-+24.11.1447

PB Zel ; Lam 11, 13, 44, 46, 50, 57, 183, 193 ; AAU, 51 1925, 124 ; MB Zel ; MB 1440-1441 ; Ephem IV 418

1690 JOANNES (del) Motte prof Her ; +1657

PB Her

1691 JOANNES Mouchon (Mousson, Passeris) proc Torn 1470, 1476 ; P 1477-+27.10.1480

Desmons 135

1692 JOANNES Moyaert proc Bg 1529-1539 ; P 1540-+27.8.1541

RABg ch ; Oud KA 271, 298 ; Déc 257 ; PB Bg ; RAA FK Lier 22 ; Sch Bg, 59 ; Flandre III 337

1693 JOANNES Nanningins prof Li ; vic ; vic Gand 1593-1597 ; vic Li 1597-1599 ; proc Lier 1599 ; rector SSM 1604-1605 ; P 1605-1609 ; proc S.Sofie 1609 ; vic Gand ; vic Li 1618 ; antiq 26.11.1627

Wal 7047, 44v, 56v, 73v, 96v, 114, 152v ; RAR 12 ; PB SSM ; MB 514 nl ; VG 184

1694 JOANNES Nelson prof Sheen 14.9.1694 ; presb 19.12.1698 ; vic ; Gand 1706 ; +Sheen 20.11.1706

Long angl 200, 239 ; RABg Oud KA 286

1695 JOANNES (de) Neve (Nevius) prof SSM ; proc Gand 1593-1597 proc SA 1597-1607 ; proc SSM 1607-1608 ; sac & sr 1609-+1619

RAG ; RAG B 1327 (96, 100, 100v) ; Wal 4047, 96v ; RAR 12, 40 ; RABg, Acq 1065 ; PB SSM

1696 JOANNES (van) Nieuwenhove (Hyoudhanc, Vanionenhove) prof Bg ; sac 1543-1552 ; +5.3.1555

RABg Déc 257 ; Oud KA 271 ; PB Bg ; Flandre III 311

1697 JOANNES (a) Novavilla prof Li ; sac Sch 1600-1601 ; vic SSM 1601 (id 1661 ?)

Wal 7043, 15 ; 7047, 59

1698 JOANNES (van) Oegerlande cl-r SSM ±1410

RAR 1 (28, 133v, 163v, 169, 171v, 174v, 208), 2, 14

1699 JOANNES Oerens don Her ; +1549

PB Her

1700 JOANNES Oomken (Holdert) don Her ; +25.8.1528 (oncle de/ oom van 677)

PB Her ; Lam 142

1701 JOANNES Oors (d'Oerts) °Bruxelles ; prof Her ±1475 ; diac 1487 ; +14.12.1510 ; cop

Lam 75, 89, 123-125, 136 ; MB 1433

1702 JOANNES Oppers Bg 1631-1633

RABg Oud KA 280

1703 JOANNES (van) Oudenaarde conv Her ; Her 1327, 1336, 1343

Lam 19, 31

1704 JOANNES (van) Oudenaarde (de Audenaerde) prof Her ; +1492

PB Her

1705 JOANNES (de) Pape conv Bg ; +4.3.1474

PB Bg ; Flandre III 311

1706 JOANNES (de) Pape prof Kiel ; 2°prof SA 1450 ; +12.3.1487

PB Kiel ; BMHG ; Ephem I 203 ; d'Ydew 105

1707 JOANNES Paternoster (a Rosario) °Her ; don Sch 1613 ; +1654

Wal 7043, 24 ; 7048, 143v ; PB Sch

1708 JOANNES Pauli (Pau) °Delft ; prof Her ±1478 ; +17.4.1508

Wal 7043, 135v ; Lam 78, 119-121

1709 JOANNES Pavonis °Amsterdam ; prof Lov 1506 ; +1532

PB Lov ; MB 1473

1710 JOANNES (de) Peenes P Gand 1417(?) (id 1824 ?)

Wal 4051, 131v

1711 JOANNES Pennema (Penneman) prof Gand ; +1466

Wal 4051, 131v ; PB Gand

1712 JOANNES Pepercoren relig ; don Her 1470 ; +1.11.1471

Wal 7043, 18v, 81, 83v

1713 JOANNES Persons prof Sheen a.1626 ; +15.2.1639

Long angl 234

1714 JOANNES Petri van Delft (Peeters) prof Her ; vic ; P Zierikzee 1439/40-1441 ; +Her 13.6.1449

PB Her ; Lam 21, 58 ; HB 53, 1935, 201 ; BMHG ; Ephem II 329

1715 JOANNES Philippart OSB ; prof Bg 12.12.1524 ; +6.10.1529

PB Bg ; VdM Bijl V ; Flandre III 345

1716 JOANNES Pinandi cl-r SSM ; +1381

PB SSM ; VG 153

1717 JOANNES Piparts (de Blizia, Blisia) °Bilzen ; prof Li ; Sch 1456-+22.4.1461 ; cop

MB 505 n10 ; MB 1390, 1399, 1402 ; Lam 203

1718 JOANNES Pipenpoy °Molenbeek ; Univ Lov ; prof Sch 23.4.1623 ; presb 1624 ; Gosnay 1624-1627 ; proc Sch 16.6.1627 ; rector Bg 1635-1636 ; P 1636-1653 ; P Sch 1653-1679 ; coa 1679-+9.5.1681

Wal 7043, 14, 20, 24 ; 7047, 99 ; 7048, 81 ; RABg Oud KA 280, 281, 338 ; RAG ; PB Bg ; MB 1415 n7, 1419, 1420

1719 JOANNES Pistor prof Gand 1455 ; +sr 10.8.1492

Wal 7043, 114 ; Wal 4058, 131, 131v, 132v ; Ephem III 53

1720 JOANNES Pistor conv SSM ; +1420

PB SSM

1721 JOANNES Pistor de Leodio don Kiel ; +1484

PB Kiel

1722 JOANNES Plaque (Placcke) don SSM a.1567 ; +1584

RAR 54, 55 ; PB SSM

1723 JOANNES Pluviers don Sch 1490 ; +22.5.1503

Wal 7043, 19, 125

1724 JOANNES (du) Pret P Torn 26.1.1439-1440 ; P Valenciennes ; P Noyon 1456-+26.6.1462

Desmons 129

1725 JOANNES Procurant don SSM ; +1587

PB SSM

1726 JOANNES (de) Querceto prof Her ; +7.6.1505

PB Her

1727 JOANNES (de) Quercu prof Gand ; XIV°s ; +17.3.?

Wal 4051, 131v

1728 JOANNES (de) Quercu don Her ; +1557

PB Her

1729 JOANNES (du) Quesne prof Torn ; +1.3.1473

Desmons 146

1730 JOANNES (van) Raephorst prof Bg ; 2°prof Utrecht 1458 ; +20.11.1493

PB Bg ; Sch Bg 14 ; Flandre III 355

1731 JOANNES Raes (Vaes, de Bree) don Sch ; +23.7.1516 (?)

Wal 7043, 18v

1732 JOANNES Redan (Ridans, Ridams) don Her ; +1650

PB Her

1733 JOANNES (de) Rees vic Li ; ++1362

MB 499 n9

1734 JOANNES (vander) Reggen (Eggen) °Bruxelles ; prof 26.10. 1728 ; +1744

Wal 7043, 20v ; MB 1423

1735 JOANNES Repere cl-r Bg 1351 ; proc 1370-1372 ; ++1373

VdM Bijl V

1736 JOANNES Reperman (Yperman) prof Her ; +24.11.a.1390

Lam 19

1737 JOANNES Reynerii don Kiel ; +1546

PB Kiel

1738 JOANNES Richard (Richardus, Ryckeraert) °1584, Damvillers; Univ Lov 1602 ; presb sec 24.6.1609 ; prof Sch 6.3. 1612 ; vic Bg 1615-1617 ; proc 1617-1620 ; vic Sch 1620-1630 ; rector An 1630 ; P SSM 11.6.1630-31.5. 1635 ; P Zel 1635-1638 ; vic Sch 1645-+15.7.1655 ; aut

RABg Oud KA 279 ; RAR 12, 15, 41 ; RAA FK Lier 22 ; Wal 7043, 11, 19v ; 7047, 120v , 125v, 145 , 148v ; 7048, 20v, 33v, 82v, 163, 176 ; VG 187

1739 JOANNES (le) Riche prof Valenciennes ; P Torn 1585-1586 ; P Valenciennes ; P S.Omer ; +Valenciennes 26.10. 1596

Desmons 139

1740 JOANNES (de) Ridder van Mechelen (Militis de Mechlinia) °p : Joannis Militis, m : Christina ; Univ Lov ; prof Kiel ; +13.7.1473

PB Kiel ; Bijdr Gesch 23, 1932, 142 ; Lam 71

1741 JOANNES (van) Rinelinge (Riurlinge, Huirlinge) prof Bg ; +1410 (id 1596 ?)

PB Bg

1742 JOANNES Robert (van Merchtem) °Bruxelles ; presb sec ; prof Sch 21.12.1461 ; 1470 initiator Delft ; 2°prof Hollandiae ; rector 1489-1490 ; +22.6.1495

Wal 7043, 14v, 15v, 17v, 72 ; BB 18, 79 ; BMHG

1743 JOANNES Robijns °Lov ; prof Lov 1659 ; 1679-1681 Her ; 1681 Lov ; SSM 1684

RAR 48 ; RABg Oud KA 338 ; MB 1486

1744 JOANNES Robosch (Roobosch, Roboochs, Roboschius) °Mechelen ; prof Lov 24.5.1530 ; presb 1531 ; proc 1538 ; vic SSM ; vic Hollandiae 1557 ; rector Bg 1558-1559 P 1560-+1560

Wal 7044, 24v, 93 ; Wal 4051, 97 ; RABg Déc 257 ; Oud KA 272 ; PB Bg ; Sch Bg 61, 62 ; MB 1475 ; BB 18, 101, 103

1745 JOANNES Roelants °Aalst ; prof Sch 29.10.1540 ; proc Hollandiae 1553 ; sac Sch 1553-1557 ; vic 1557-1558 ; P Erfurt ; P Buxheim ; P Illembach -+1585

Wal 7043, 8v, 14v, 17v ; 7044, 49v, 78, 83, 86v, 164 ; MB 1406

1746 JOANNES Rommelius presb Bg ; prof Lov 1614(?) ; +vic S.Sofie 1615

PB BD ; MB 1484 n4

1747 JOANNES Roost prof Her ; sac 1599 ; +Lov 1607

PB Lov ; Lam 219

1748 JOANNES Roost prof Her 1564 ; vic ; +1621

PB Her

1749 JOANNES Rore prof Valenciennes ; 1571 Lier ; 1571 Val-Saint-Pierre

Wal 7044, 122v

1750 JOANNES Rousset (Rosselli) prof Lier ; +proc 1582

PB Kiel

1751 JOANNES (le) Roy prof Torn ; vic ; P 1609-1615 ; vic mon Gosnay 1615-1638 ; P Torn 1638-+2.12.1647

Desmons 150 ; Ephem IV 474

1752 JOANNES Ruckebusch (Ruchkebuz, Ruechenbusch) prof SSM ; proc 1463 ; +1478

RAR 1(81) ; PB SSM

1753 JOANNES Ruys (Ruertz) prof Zel ; +1570

Wal 7044, 121 ; PB Zel

1754 JOANNES (de) Rycke (Divitis) O.Praem ; prof Gand 1440 ; terug/retour O.Praem ; +1470 ; aut

Wal 4051, 126v, 131v ; BRB 8579(297) ; Sch LN 24 ; Biogr Nat V, 688-689

1755 JOANNES Ryding °Lancaster ; don Sheen 24.6.1716 ; +1.3. 1757

Long angl 240

1756 JOANNES (de) Saint-Vith prof Li ; proc ; sac ; +6.5.1536

MB 509 n11

1757 JOANNES (de) Saint-Vith conv Li 1498 ; +29.8.1540 (neveu de/neef van 1002)

MB 507, 510n

1758 JOANNES Salemoens (Salonis, Salonius) prof SSM ; +1424

RAG, F.Ghellinck 31 ; PB SSM ; VG 157

1759 JOANNES (de) Salm prof Li ; vic ; proc ; +1558

MB 510

1760 JOANNES Samuel prof Zel ; proc Zel 1338 ; +28.6.a.1390

MB Zel ; Lam 18

1761 JOANNES (a) Sancto Huberto prof Lier ; vic SSM 1612 ; +Lier 1639

RAR 40 ; PB Kiel

1762 JOANNES Sanderson conv Mount-Grace ; 2°prof Sheen ; +Bg 13.6.1560

Long angl 124 ; PB BG

1763 JOANNES Saro prof Zel ±1548 ; proc 1563 ; proc SA 1568-1572 ; P 1572-+25.12.1600

RAG ; RABg Oud KA 307 ; PB Zel ; MB Zel

1764 JOANNES (vander) Schaghen prof Gand ; +sac 1536

PB Gand

1765 JOANNES (de) Schavonia (Schanovia) prof Bg ; +14.2.?

RAA FK Lier 22

1766 JOANNES Scherprel (Scerperel) prof Torn ; proc 1479 ; proc mon Gosnay 1485, 1493, 1496 ; P Torn 1503-+19.12. 1516

Desmons 135 ; MB 485

1767 JOANNES Schevaert P Kiel 1379-+27.4.1386

PB Kiel

1768 JOANNES Schildermans prof Zel ; SSM 1700-1701 ; +Zel 1728

RAR 57 ; PB Zel

1769 JOANNES Scholaster don S.Sofie ; +An 1653

PB BD

1770 JOANNES (van) Schoonendonck (Schoennendonck) °Bruxelles ; prof Zel 6.8.1628 ; sac 1655, 1656 ; +vic 1667

Wal 7048, 144 ; PB Zel ; MB Zel

1771 JOANNES Schotre(?) prof Her ; +5.6.a.1390

Lam 18

1772 JOANNES Schullinck (Scullinck) prof Gand ; vic ; P Delft 29.1.1482-1486/1487 ; rector Lov 1491-1494 ; +Gand

19.2.1495

Wal 7043, 113, 128v ; Wal 4051, 132v, 133 ; PB Gand ; MB 1468 ; HB 60, 1948, 273 ; Ephem I 204

1773 JOANNES Set (Setth) prof Kiel ; proc ; +10.4.1474

PB Kiel

1774 JOANNES Settebroke prof Gand ; +1537

PB Gand

1775 JOANNES (van) Sevencote don Bg ; +3.2.a.1553

Flandre III 307

1776 JOANNES (van) s'Hertogenbosch (Bois-le-Duc) prof Zel ; 2° prof Li ; +3.5.1467

MB 505 n10

1777 JOANNES Sil (All) prof Zel ; +1481

PB Zel

1778 JOANNES Simonis (de Emstede, Honestadius) °Heemstede ; prof Lov 1521 ; +proc 4.10.1533 ; miniaturist/enlumineur (frère de/broer van 2662)

PB Lov ; MB 1463, 1473

1779 JOANNES Smesman °Gand ; don Sch ; +1774

Wal 7043, 19 ; PB Sch

1780 JOANNES (de) Smet don Gand ; +1555

PB Gand

1781 JOANNES Snockz(?) prof Lier ; +vic 1589

PB Kiel

JOANNES (van) Spiers 1926

1782 JOANNES (van) Steeland (Steenland, Steelandt) °Hulst ; prof Lov 1.11.1598 ; proc Sch 1601-1602 ; proc Zel

1602 ; P S.Sofie 1605(?)-1608 ; P Li 1608-1609 ; vic Zel 1609 ; +antiq Lov 1633

Wal 7043, 14 ; PB BD ; MB Zel ; MB 1481 ; MB Li 513 ; Lam 220

1783 JOANNES Steeman après + épouse/na + echtgenote , don Her ±1522 ; +4.8.1523

PB Her ; Lam 135-136

1784 JOANNES (vande) Steene (de Lapide, de la Pie) don Bg ; +1559

RABg Oud KA 272 ; PB Bg

1785 JOANNES (van) Steyn don Li ; +29.10.1541

MB 510 n4

1786 JOANNES (vander) Stoct prof Her ; P Gand 1365-1380(?) ; P 1385 (?)-1388 ; +17.6.?

Wal 4051, 124v-125, 131 ; RAG ch 73, 107, 109, 113, 120 127, 135 ; B 1288 (74, 103v, 175v, 396v)

1787 JOANNES (vanden) Straete don Bg ; Bg 1713, 1714

RABg Oud KA 287

1788 JOANNES Strocod don Zel ; 1525 demissus (id 1790 ?)

PB Zel

1789 JOANNES Suertis prof Sheen 1572 ; sac Lov 1579 ; +2.4.1620 aut

Long angl 147, 232, appendix VIII

1790 JOANNES (van) Susteren don Lov ; 1521 demissus (id 1788 ?)

MB 1472

1791 JOANNES Taets prof Utrecht ; 2°prof Kiel ; +proc 15.5.1438

PB Kiel ; BMHG ; AAU 71, 1952, 115

JOANNES Tapper 2606

1792 JOANNES Tatam conv Sheen 1568 ; +16.2.1585

Long angl 147, 239

1793 JOANNES Thorme prof SSM ; +1456

PB SSM ; VG 163

1794 JOANNES (de) Thymo (van der Male) °p : Gerardus, secretaris/sécretaire, Lov ; prof Lov 10.2.1512 ; +proc ±1540 ; aut

Wal 7043, 142v ; 7044, 49 ; PB Lov ; MB 1459, 1463, 1473

1795 JOANNES Tienpont (Tiempont) prof SSM ; vic Zierikzee 1570; P Seitz ; +SSM 1607

Wal 7044, 121 ; PB SSM

1796 JOANNES Tilmannus (Tylmannus, Thielman) °Arras ; prof Lov 1552 ; vic ; rector Gosnay 1556 ; vic mon Gosnay 1558 ; proc Valenciennes 1564 ; vic Torn ; +Lov 1594 ; trad

Wal 7044, 103v ; 7047, 23 ; PB Lov ; Desmons 148 ; MB 1464, 1478

1797 JOANNES Tol prof Gand ; +1444

Wal 4051, 131v ; PB Gand

1798 JOANNES (van) Tongeren (Bufey?) prof Arnhem ; Hollandiae 1568 ; Lier 1571 ; Gand 1574 ; Bg 1576-1577 ; + a.1581 (apostata ?)

RABg Oud KA 275 ; BB 18, 105 ; AAU 56, 1932, 76-77

JOANNES (van) Torhout 2439

1799 JOANNES Tourneur prof Sch 8.11.1546 ; sac 1550-1553 ; proc 1553-1559 ; vic 1559-1560 ; proc 1560 ; Lier 1562 ; +Her 6.8.1566 ; aut

Wal 7043, 8v, 11v, 14v, 17v ; 7044, 71v, 73v, 78, 83, 91v, 92, 109 ; MB 1388 n3, 1392, 1406, 1407 ; Goethals I 69-72 ; Sch LN, 38

1800 JOANNES (de) Trajecto prof Zel ; +1516 (id 1801 ?)

PB Zel

1801 JOANNES (de) Trisco prof Zel ; +1515 (id 1800 ?)

PB Zel

1802 JOANNES Tsionghen (Zichem, Zichenic) prof S.Sofie ; proc Sch ±1560-±1565 ; +1572

Wal 7043, 11v ; PB Sch

1802a JOANNES Vasseur don Torn ; +1632

RABg Acq 461

1803 JOANNES Vekenstijl (van Leuven) °Lov ; prof Kiel ; 1496 vic Lov ; +28.1.1507 ; aut

MB 1459, 1463, 1468, 1470 ; Sch LN 38

1804 JOANNES Veltigen (?) (Vesthone) don Zel ; +1576

PB Zel

1805 JOANNES Verberght conv Lier ; Lier 1783 ; +27.5.1787

CR 139

1806 JOANNNES Vercleeren °Gelderland ; don Sch 1490 ; +20.11. 1496/1540

Wal 7043, 19 ; PB Sch

1807 JOANNES (vande) Vere (de Veris) prof Her ; Her 1373, 1390, 1395 ; +18.4.?

Lam 20, 31

1808 JOANNES Vereecken (Verrelier) prof Torn ; P 1486-+17.7. 1503 ; conv. Picardiae 1486 ; vis 1499-+

Desmons 135 ; ASHB 9, 1872, 363-367

1809 JOANNES Verekin (Veregnon, Benequot, Beruquer) conv Gand ; r-1 Gand ; 1486 Hollandiae ; +Zel 19.9.1490

Wal 4051, 131, 134 ; PB Gand

1810 JOANNES Verreken proc Gand 1584

RAG

1811 JOANNES Verriet (Verrier, Berrijt) prof Kiel ; vic ; +Her 1547

PB Kiel

1812 JOANNES Versaren (van Saron, Saren, Vander Saren, Versalen, Ysaerens) °p : Joannes, m : Catharina Vanden Kerckhove, Gand ; Univ Lov 1435 ; prof Gand ; P Amsterdam 1454-1460 ; P Gand 1460-+29.9.1471 ; conv. 1459-1460 ; vis 1460-+ ; aut

Wal 4051, 127 ; RAG 145, 146, 149, 154, 160 ; B 1288 (238) ; BP Gand ; Ephem III 440-441 ; Lam 63, 69, 71 ; HB 54, 1936, 52

1813 JOANNES (de) Viglier sac Bg 1776

RABg Oud KA 292

1814 JOANNES (de) Vike don Gand ; +1579 (id 1818 ?)

PB Gand

1815 JOANNES (de) Viseleer Bg 1354

RABg, Cartularium

1816 JOANNES (de) Vos °Delft, milit ; prof Utrecht ; proc ; P Bg 1441-1450 ; P Utrecht 1450-1458 ; +Bg 15.2. 1462

Wal 7043, 62, 69, 72v ; Ephem I 194 ; Sch Bg 45

1817 JOANNES (de) Vos don Bg a.1552 ; +21.7.1556 (id 1337 ?)

RABg ch ; Flandre III 331

1818 JOANNES (de) Vreese don (?) ; 1571 Gand (id 1814 ?)

RAG

1819 JOANNES (de) Vriese don Gand XV°s

Wal 4051, 133v

1820 JOANNES (de) Vroede (Broede) conv Bg a.1500 ; +6.8.1517

RABg ch ; PB Bg ; Flandre III 333

1821 JOANNES (de) Wasnes relig ; prof Torn 1391

MB 483

1822 JOANNES (van) Waver don Sch ; +1540

Wal 7043, 19

1823 JOANNES (de) Weerle prof Zel ; +1456

PB Zel

1824 JOANNES (de) Weert (Wert, Weirt) prof Li ; vic ; P Gand 1417 ; P Li 1418-1425 ; +14.4.1427 (id 1710 ?)

Wal 4051, 125, 131v ; MB 502, 503 n8

1825 JOANNES Wertuin (de Vertunn) prof Kiel ; +1478

PB Kiel

1826 JOANNES Wiel don Her ; +1450 (père de/vader van 2525)

PB Her

1827 JOANNES (van) Wiese (de Blisia, Wirch, Wisth) °Dendermonde ; Univ Lov 1430 ; prof S.Omer/Her ±1431 ; proc Her 1434, 1435 ; P Val-Saint-Pierre 1439-1445 ; Her 1445-1447 ; P Val-Saint-Pierre 1447-1458 ; P Gosnay 1458-1463 ; P Val-Saint-Pierre 1463-1467 ; Dijon ; P Sélignac 1468-1487 ; +14.8.1488 ; conv. Picardiae 1452 ; vis 1453-1457 ; conv. Burgundiae 1468-1472 ; vis 1472-1479 & 1482-1487 (id 1493 ?)

Lam 54, 55, 90, 252 ; MB 1433-1434 ; Sch LN 20 ; ms Sélignac

1828 JOANNES Willebaerd P Gand ±1332-1334

Wal 4051, 124

1829 JOANNES Wilson (Wolfon) P Mount-Grace 1539 ; Bg ; +Sheen

(Engl) 1556/1558 (id 1310 ?)

Long ch 10, 11 ; PB Bg

1830 JOANNES Winge prof Zel ; +vic SSM 1565

PB SSM

1831 JOANNES Wissels °?.4.1744, Wouw ; prof Lov 1765 ; 1783 Lov

CR 139 ; MB 1492 n3, 1493

1832 JOANNES (van) Woensel (Voensel) +nov don An 1707

PB BD

1833 JOANNES Wolfs (Wolff) °Lov ; prof Lov 1659 ; vic ; P Zel 1667-1672 ; P Lov 5.5.1672-+1673

PB Zel ; MB Zel ; MB 1486

1834 JOANNES Ynnepul prof Gand ; +1409

PB Gand

1835 JOANNES Younge prof Sheen 28.8.1641 ; +antiq 15.9.1677

Long angl 235 ; PB Sheen

1836 JOANNES Ysbrandi (Isbrandi) °Amsterdam ; prof Lov 1528 ; 2°prof Amsterdam ; P ; proc ; +1560

PB Lov ; MB 1475

1837 JOANNES (de) Yserloon (Yserbog) prof Kiel ; +6.10.1459

PB Kiel

1838 JOANNES Zaganus Bg 1552

RABg 257 ; Oud KA 271

1839 JOANNES Zant Bg 1411 ; +23.12.?

VdM Bijl V ; Flandre III 360

1840 JOANNES Zas (Zasse, Sassius) prof SSM ; P Bg a.1384-1390 ;

Her 1390 ;
vic SA 1390-1395 ; P SSM 1396-1410 ; +1428

RAR 1(45v, 78v, 185v) ; RAG F.Ghellinck 28 ; PB SA ; d'Ydew 182 ; Sch Bg 29 : VG 158

1841 JOANNES (van) Zennen (Zeunen, Zuene) °Bruxelles ; prof Sch 24.6.1522 ; vic 1531(?)-1538 ; proc Kiel 1538 ; demissus

Wal 7043, 8v, 17 ; 7044, 14, 49

1842 JOANNES Zuet de Brielis prof Zel a.1527 ; +1535

PB Zel

1843 JOANNES Zulre P Zel a.1538-+23.12.1543 ; conv. 1539-+

PB Zel ; MB Zel ; BMHG ; Ephem IV 553

1844 JOANNES (Gulielmus) Zulre prof Zel ; +1570 (id 1845 ?)

Wal 7044, 121 ; PB Zel

1845 JOANNES Zubunus (Zulrenus) prof Zel ; +antiq 1573 (id 1844 ?)

PB Zel

1846 JOANNES Zurpel (Zurckel) °Lov ; prof Lov ±1544 ; rector 10.10.1551-1552 ; P 1552-1560 ; P Li 1560-+7.2.1562 (Lov)

PB Lov ; MB 1477 ; MB 511

1847 JOANNES Zutter don Gand ; +1548

PB Gand

1848 JOANNES-ALBERTUS (de) Raeymaekers (Raeymaeckers) prof Zel ±1737 ; proc 1741 ; sac 1760 ; sac SSM 1761-1764 ; sac Zel 1764 ; coa 1768-+1780

A.Ev.Li 1729-94 ; RAR 52 ; PB Zel ; MB Zel

1849 JOANNES-ANCELLINUS (Le) Compte prof Li ±1598 ; Bg 1609-1610 ; +Li 8.9.1648

RABg Oud KA 277 ; MB 517n

1850 JOANNES-BAPTISTA Baudouin °Albertus, ±1733, Mons ; prof Torn 13.6.1757 ; 1783 Torn

Desmons 121

1850a JOANNES-BAPTISTA Claes °Bruxelles ; don Sch 5.3.1633 ; +1654

Wal 7043, 24 ; 7048, 185 ; PB Sch

1851 JOANNES-BAPTISTA (van) Cleemputte prof Zel ± 1765 ; presb 5.5.1765 ; 1783 sac Zel ; 1794 sac & sr

MB Zel ; A.Ev.Li 1729-94

1852 JOANNES-BAPTISTA Daniels °p : Baptista, m : Catherina Anthonis, An ; prof Lov 21.10.1594 ; sac 1595 ; proc 1597-1601 ; P Lier 1601-1604 ; P Bg 1604-1610 ; P Lov 1610-1615 ; +Bg 12.12.1629

RABg Oud KA 277 ; Wal 7047, 62, 70 ; PB Bg ; MB 1480, 1483

1853 JOANNES-BAPTISTA Doemen (Doemens) prof SSM 1697 ; proc 1700-1703 ; Bg 1703-1707 ; +proc SSM 1723 ; aut

RAR 14, 15, 49, 50, 57, 71 ; PB SSM ; VG 196

1854 JOANNES-BAPTISTA (van) Hoorenbeecke °p : advoc ; prof Gand a.1668 ; 1673 Zel ; vic Bg 1686 ; P Sheen 1695-1696 ; P SSM 1699-1702 ; P Bg 1702-1703 ; coa Gand 1723

Long angl 201 ; RAG ; RAR 12, 13, 42, 49, 57 ; RABg Oud KA 284, 286, 338 ; PB Sheen ; VG 196

1855 JOANNES-BAPTISTA Lee °Georgius, 20.3.1749 ; prof Sheen 21.10.1769 ; vic

Long angl 229, 238 ; Mem 12

1856 JOANNES-BAPTISTA Lembrechts °?.2.1744 ; prof Her ; 1783 Her

CR 139

JOANNES-BAPTISTA Leuckx 1642

1857 JOANNES-BAPTISTA Linterman °Lov ; prof Lov 1634 ; +1658

PB Lov ; MB 1486

1858 JOANNES-BAPTISTA Lippens °Lille ; prof Lov 1645 ; 1660 Gand +Lov 1688

PB Lov ; RABg Oud KA 338 ; MB 1486 n4

1859 JOANNES-BAPTISTA Luyckx °?.12.1728, Torhout/Turnhout ; prof Sch 10.1.1752 ; vic Gand ; P Sheen 20.2.1762-1764 ; proc SA 1764-1767 ; P Bg 28.7.1767-29.12.1768 ; P Sch 1.1.1769-1783 ; vis ; +1784

RABg Oud KA 323, 335 ; Long angl 229, 238 ; Mem 3,4, 11; CR 139 ; Wal 7043, 20v ; MB 1425

1860 JOANNES-BAPTISTA (van) Marien prof Her ; +1667

PB Her

1861 JOANNES-BAPTISTA Marquis prof Zel ; diac 25.5.1652 ; +1665

PB Zel ; A.Ev.Li 1642-52 ; MB Zel

1862 JOANNES-BAPTISTA (vander) Meersche don Gand ; +1762

PB Gand

1863 JOANNES-BAPTISTA Moreau °Gerardus, ?.10.1744, Walshoutem ; presb sec ; prof Sch 3.6.1771 ; sac 1772 ; Sch 1783

Wal 7043, 15, 21 ; CR 139 ; MB 1425

1864 JOANNES-BAPTISTA (de) Nayer prof SSM ; Bg 1748 ; +Gand 1771

RABg Oud KA 290 ; PB SSM

1865 JOANNES-BAPTISTA (de) Nicker °Petrus, 9.10.1749 ; prof Bg 27.11.1773 ; presb 1775 ; vic 1777-1783

RABg Oud KA 292 ; CR 139, 354

1866 JOANNES-BAPTISTA Sanders prof An ; +antiq 1770

PB BD

1867 JOANNES-BAPTISTA (van) Schoonendonck °Bruxelles ; prof Sch 18.10.1701 ; proc 1711-1714 ; P Lier 1714-+1735

Wal 7043, 14, 20v ; PB Kiel

1868 JOANNES-BAPTISTA Tapetier prof An ; +diac 1720

PB BD

1869 JOANNES-BAPTISTA Vellenburgh prof Gand a.1729 ; +4.2.1745

RAG ; PB Gand

1870 JOANNES-BAPTISTA Verstrepen prof Her ; 1680 Bg ; 1681 An ; +antiq 2.5.1704

PB Her ; RABg Oud KA 338

1871 JOANNES-BAPTISTA Wouters °p : Joannes ; prof Bg 27.5.1675; presb 1680 ; sac 1689-+1695

RABg Oud KA 282, 283, 284, 285, 299 ; PB Bg

1872 JOANNES-BAPTISTA Wouwerman vic SSM 1689 ; vic 1693-1694

RAR 49

1873 JOANNES BRUNO Vanes prof Li ; Mont-Dieu 1658-1661 ; +Li 28.11.1663

MB 517n ; ms Sélignac

1874 JOANNES CAROLUS (de) Loeuss °?.11.1734 ; 1783 An

CR 139

1875 JOANNES CAROLUS Mooren °?.6.1731 ; 1783 An (id 358 ?)

CR 139

1876 JOANNES FRANCISCUS Grégoire °?.12.1736 ; conv Sch 12.1. 1782 ; Sch 1783

CR 139 ; MB 1425

1877 JOANNES FRANCISCUS Liétar °1694, Torn ; prof Torn ; sac ; vic 1732-+1753

Desmons 151

1878 JOANNES FRANCISCUS (de) Wolf °p : Sebastianus, m : Joanna Veerbrugge, 4.10.1662 , Dendermonde ; don Gand ; demissus ; O.C.D. Lov 1692 ; +3.3.1728

1879 JORDANUS (van) Asperen prof Kiel ; +31.3.1422

PB Kiel

1880 JOSEPHUS don Gand ; +1637

PB Gand

1881 JOSEPHUS Baeckmans prof Lier ; +1775

PB Kiel

1882 JOSEPHUS Bennet prof Lier ; vic ; vic SSM 1675-1679 ; proc 1679-1681 ; P Gand 1682 -+1692

RAR 12, 46, 48 ; RAG ; SAG FK 1, 2, 11 ; RABg Oud KA 338

1883 JOSEPHUS Bervelt °An ; prof Lov 1666 ; 1679 Lier ; 1681 Zel ; 1682 Lov ; +vic 1692

PB Lov ; RABg Oud KA 338 ; MB 1486 n4

1884 JOSEPHUS Betts °p : médecin de/dokter van Charles II,1674, London, huwt met/épouse France Trinder, veuf/weduw -naar 21.2.1704 ; theol Douai ; prof Sheen 6.10. 1711 ; sac ; proc ; P 18.6.1722-+31.10.1729 ; aut

Long angl 213-216, 257

1885 JOSEPHUS Blockmans °Kempen/Campine ; prof Sch 21.10.1743 ; vic SSM 1754-1755 ; Zel 1760 ; +Sch 18.5.1771

Wal 7043, 20v ; RAR 52 ; MB Zel

1886 JOSEPHUS Broeckaert (Brockaert) °Franciscus, ?.10.1729 ; prof An ; Bg 1759-1760 ; 1783 An ; +10.2.1788

RAR 52, 60 ; CR 139 ; PB BD

1887 JOSEPHUS Brooke (Brooks, Brookx) °?.8.1735, Maryland (US)

prof Sheen 2.2.1769 ; +19.4.1784

Long angl 240 ; Mem 5, 12, 14 ; CR 466

1888 JOSEPHUS Bruseghem don SSM a.1638 ; +1669

RAR 41, 43, 45 ; PB SSM ; VG 190

1889 JOSEPHUS Cappon °p : Daniël, Lille ; prof Her 1626 ; +1631

Wal 7048, 175 ; PB Her ; MB 1449

1890 JOSEPHUS (van) Cauwenberghe prof Bg 1731 ; vic 1738-1739; vic Her 1741-1743 ; P Bg 1743-1757 ; proc Zel 1760, 1764 ; Lov 1771 ; coa Bg 1771-+1774

RABg Oud KA 288, 289, 290, 292 ; PB Bg ; MB Zel

1891 JOSEPHUS (de) Chamver don SSM 1726 ; +1767

RAR 50, 51, 52, 59, 60 ; PB SSM

1892 JOSEPHUS (Joannes) Clercx (Le Clercq) prof Zel ; subd 25.5.1652 ; +proc 9.5.1668 (assassiné/vermoord)

A.Ev.Li 1642-52 ; PB Zel ; MB Zel ; J.Vrancken 198

1893 JOSEPHUS (le) Comte prof Bg ±1648 ; sac 1658 ; vic 1658-+22.9.1660

RABg Oud KA 280, 281 ; PB Bg ; Flandre III 342

1894 JOSEPHUS Cook don Sheen ; +26.10.1741

Long angl 240

1895 JOSEPHUS Corrière °±1734, Antoing ; conv Torn 29.9.1770

Desmons 122

1896 JOSEPHUS (van) Craenenbroeck °An ; prof Her a.1707 ; vic 1710-1714 ; proc 1714-1722 ; proc Lier 1722-1728 ; P Her 1728-1733 ; P An 1733-1735 ; P Her 1735-1745; P Lier 1745-+27.8.2749 ; conv. 1740-1744 ; vis 1744 -+ ; peintre/schilder

PB Kiel ; PB BD ; MB 1452-1453 ; Lam 191-192

1897 JOSEPHUS (de la) Croix °1592, Li ; prof Torn 1616 ; sac; vic ; +1675

Desmons 149

1898 JOSEPHUS Culens prof Lier ; +1694

PB Kiel

1899 JOSEPHUS Danet (Dannett) °Lancaster ; prof Sheen 25.3. 1750 ; +29.12.1761

Long angl 237

1900 JOSEPHUS Degand °1693, Quesnoy, advoc ; prof Torn 1720 ; vic 1725 ; proc Gosnay 1741 ; vic mon Gosnay 1744 ; +P Montreuil 21.6.1757

Desmons 151

1901 JOSEPHUS Denroet (de Uraet) don Her ; +1698

PB Her

1902 JOSEPHUS Draguet °Binche ; prof Lille ; vic mon Gosnay ; coa Torn 1707

Desmons 149

1903 JOSEPHUS Durant °Lov ; prof Lov 1712 ; SSM 1723 ; +Lov 1749

RAR 50 ; PB Lov ; MB 1488

1904 JOSEPHUS Engelgrave °Carolus, An ; prof Sch 24.6.1691 ; coa ; P SSM 1697-1699 ; P Her 1699-?.7.1714 ; P Sch 1714-+24.3.1744 ; vis 1702-+

Wal 7043, 3v ; RAR 49, 50 ; RAG FK 10 ; MB 1423 ; MB 1452 ; Lam 17, 190 ; VG 199

1905 JOSEPHUS (L')Espee (L'Espel, Lepee) °Balduinus, p : Balduinus ; prof Bg 5.7.1676 ; SSM 1682 ; +3.9.1710

RAR 48 ; RABg Oud KA 283, 285, 299, 301 ; PB Bg ; Flandre III 338

1906 JOSEPHUS (van) Goedenhuysen prof Zel a.1690 ; +Lov 1740

PB Zel ; MB Zel

1906a JOSEPHUS Gordinne prof Li ; presb 11.3.1645

A.Ev.Li 1642-52

1907 JOSEPHUS (van) Gucht °Joannes-Baptista, ?.10.1751, Erembodegem ; prof Sch 1.10.1722 ; Sch 1783

Wal 7043, 21 ; CR 139 ; MB 1425

1908 JOSEPHUS (van) Hecke prof Her ; +Aula Dei 1728

PB Her

1909 JOSEPHUS (vande) Hulst (Vanderhulst) don Bg 1663 ; 1672-1679 An ; +Bg 1688 (id 1608)

RABg Oud KA 283, 299, 338 ; PB Bg

1910 JOSEPHUS Imbrechts prof Lier ; +1769

PB Kiel

1911 JOSEPHUS Laurens °21.5.1730, Dunkerque ; prof Bg 30.8.1750 vic 1755-1756 ; vic 1765-1767 ; coa 1779 ; Bg 1783

RABg Oud KA 290, 291, 292 ; CR 139, 354

1912 JOSEPHUS Loyaert (Toyaert, Coyniart, Koinyart) prof Gand a.1696 ; +vic 1718

RAG ; PB Gand

1913 JOSEPHUS Macaire prof Gosnay ; proc 1666, 1673 ; P S.Omer 1675 ; P Torn 1692-+30.1.1710

Desmons 143 ; MB 487 ; ms Sélignac

1913a JOSEPHUS Maetens don Lier ; +1750

PB Kiel

1914 JOSEPHUS Maunet prof Li ; +Lier 1639

PB Kiel

1915 JOSEPHUS Monstreul °Torn ; prof Torn 1676 ; +proc Douai

1719

Desmons 150

1916 JOSEPHUS (d')Osterlin (Oosterlynck) prof Gand ; Bg 1675 ; +Lov 1676

RABg Oud KA 283 ; PB Gand

1917 JOSEPHUS Ophoven prof Li ; 1702 Lier

MB 522

1918 JOSEPHUS (d')Outelair °Sint-Oedenrode ; prof Sch 10.3.1635 P Zel 1654-1657 ; P An 1659-1664 ; P Bg 1664-17.6.1669 ; P An 1672-+21.3.1677 (frère de/broer van 946 ; neveu de/neef van 415)

RABg Oud KA 281, 282 ; RAA FK Lier 22 ; Wal 7043, 20 ; PB Zel ; PB Kiel ; PB BD ; ms Sélignac

1919 JOSEPHUS Outresoene (Outtersen) prof Gand ; SSM 1685 ; + coa Gand 1690

RAR 48 ; PB Gand

1920 JOSEPHUS Penninckx °Her ; don Sch 7.1.1730 ; +11.4.1748

Wal 7043, 24v

1921 JOSEPHUS Rosseels prof SSM a.1663 ; sac 1667-1677 ; 1677 Gand ; +SSM 1680

RAR 45, 46 ; PB SSM ; RABg Oud KA 338

1922 JOSEPHUS (van) Rossem °Bernardus, 1743, Sint-Gillis-Waas ; prof Gand 8.6.1769 ; vic 1783 ; vic Gand 1790-1792 +22.5.1810

RAG ; CR 139

1923 JOSEPHUS Sadler (?) (Sadeler) don Gand ; +1679

PB Gand

1924 JOSEPHUS Schelders (Scindelius) prof S.Sofie ; Gand 1618 vic 1624-1627 ; vic SA 1627-+1633

Wal 7047, 152v ; 7048, 80v, 133 ; PB BD ; PB SA ; d'Y-dew 295

1925 JOSEPHUS Slade prof Sheen 1576 ; +15.8.1616

Long angl 147, 232

1926 JOSEPHUS (Joannes)(van) Spiers prof An ; proc SA 1683-1688(?) ; vic Bg 1699-1702 ; P An 1702-1703 ; vic SA 1703-1709 ; +coa An 1710

RABg Oud KA 285, 286, 315 ; Déc 326 ; PB SA ; PB Kiel ; PB BD ; d'Ydew 295

1927 JOSEPHUS (van) Thienen °Bruxelles ; prof Sch 21.8.1678 ; vic 1703 ; vic SA 1712-1719 ; vic Sch 1719-1720 ; +coa 1739

Wal 7043, 11v, 20v ; PB SA ; MB 1421, 1423 ; d'Ydew 295

1928JOSEPHUS Verhulst don Her ; +1730

PB Her

1929 JOSEPHUS Waefelaerts prof Her ; vic SSM 1748-1752 ; +coa Her 1780

RAR 52 ; PB Her

1930 JOSEPHUS Wautier °+1739, Montignies ; prof Torn 2.7.1761 ; vic Sheen ±1770

Long angl 232 ; Desmons 121

1932 JOSINUS Beyts prof Bg ; +1650

PB Bg

JUDOCUS 2625

1933 JUDOCUS prof Her ; +24.10.a.1390

Lam 18

1934 JUDOCUS vic SA 1404-1406

PB SA ; d'Ydew 182

1935 JUDOCUS don Bg ; +1540

PB Bg

1936 JUDOCUS don Kiel ; +1547

PB Kiel

1937 JUDOCUS don Lov ; +1558

PB Lov

1938 JUDOCUS don SSM ; +1571

PB SSM

1939 JUDOCUS Abs prof Sch 5.5.1559 ; sac 1559-1560 ; Li 1585 ; sac Sch 1596-1600 ; +31.10.1603

Wal 7043, 14v, 15, 18 ; 7044, 87, 93, 163v

1940 JUDOCUS Antwerpiae conv Zel ; +1553

PB Zel

1941 JUDOCUS (van) Bilzen prof Li ; +13.6.1522

MB 508 n14

1942 JUDOCUS Braeckmans (Brechmans) conv Bg a.1614 ; 1646 Zel ; +1647

RABg Oud KA 277, 280 ; PB Bg

1943 JUDOCUS Clays don Kiel ; +1514

PB Kiel

1944 JUDOCUS (vander) Cleyen (Argillanus) °Geraardsbergen ; prof Her ; +26.3.1504 ; cantor ; cop

Lam 95-97, 110, 114 ; MB 1433

1945 JUDOCUS Erbontius (?) prof Her ; +1559

PB Her

1946 JUDOCUS Genic (Genie) don Her ; +1683

PB Her

1947 JUDOCUS Gindertaler °Bruxelles ; prof Sch 17.9.1617 ; 1627 cantor An ; proc ; 1631 Bg

Wal 7043, 20 ; 7048, 133, 176

1948 JUDOCUS (de) Hane °Aalst ; don Sch ; +6.12.1561/1562

Wal 7043, 19 ; 7044, 98

1949 JUDOCUS Herbos °Asse ; Univ Paris ; prof Her ; sac 1531 ; P 1532-+10.4.1533 (Sch)

Wal 7044, 37 ; Lam 13, 161, 185 ; MB 1445

1950 JUDOCUS Herck prof Kiel ; +30.12.1487

PB Kiel

1951 JUDOCUS Hinckaert °Bruxelles ; prof Her 12.7.1492 ; +8.10. 1556 ; enlumineur/miniaturist

Wal 7044, 85 ; Lam 93, 110, 143 ; PB Her

1952 JUDOCUS (van) Honsbergen don Lov 1526 ; demissus

MB 1475

1953 JUDOCUS Hosman (van Dendermonde ?) prof Lier a.1549(?) ; +1573

Wal 7044, 69v ; PB Kiel

1954 JUDOCUS Isembart relig ; prof Bg ; +30.3.1522

PB Bg ; Flandre III 315

1955 JUDOCUS Meeus (Meulx, Mons) °p : Jacobus, Kemzeke ; conv Gand 1489 ; +16.12.1493

Wal 4051, 134 ; RAG ch 222, 223, 224, 225, 231, 232 ; B 1288(47-52, 220v) ; PB Gand

1956 JUDOCUS Mirode (Migro) °Aalst ; conv Sch 3.6.1598 ; +24. 2.1612

Wal 7043, 24 ; 7047, 46

1957 JUDOCUS (de) Moor (Morus) presb sec ; prof Her 1573 ; P 1577-1580 ; P Li 1580-+11.12.1581

PB Her ; MB 511 ; MB 1447 ; Lam 14, 186, 214

1958 JUDOCUS (de) Neckere prof Gand ; P 1542-1547 ; +6.7.1549

RAG ; RAG B 1327 (XIV v, 78) ; Wal 7044, 121 ; BRB 8579(304) ; PB Gand ; Ephem II 447

1959 JUDOCUS (van) Nieuwenhoven °Bruxelles ; prof Sch 21.8. 1678 ; sac 2.7.1684-1692

Wal 7043, 15, 20v ; MB 1421

1960 JUDOCUS (de) Platea prof SSM ; +1516

PB SSM

1961 JUDOCUS Richaert (Ryckaert) don Sch ; +6.9.1572

Wal 7043, 19 ; 7044, 132v

1962 JUDOCUS Schapher (Cuper, Scapher, Scaser, Scamferlene) prof Mont-Dieu ; 2°prof Sch ; sac 1460-1468 ; +Mont -Dieu 1501

Wal 7043, 14v, 16v, 81, 123

1963 JUDOCUS de Schoonhovia prof Kiel ; +23.12.1534

PB Kiel

1964 JUDOCUS Smit (Smets, Fabri) °Aalst ; Univ Lov ; prof Sch 10.11.1498 ; sac ; vic 1512-1514 ; proc 1517-1522 ; 1525 en fuite vers/vlucht naar Italië ; P Capri(?); +P Trisulti 9.9.1532 ; aut

Wal 7043, 8v, 11v, 16v, 117 ; 7044, 10v ; MB 1386, 1388 n3, 1406 n1

*1965 JUDOCUS (Thomas) Steenwerckers don Bg ; Bg 1673

RABg Oud KA 282

1966 JUDOCUS Sterck (Fortis) prof Zel +1482 ; S.Sofie 1505 ; Villeneuve 1508-1509 ; +Zel 1537

PB BD ; PB Zel

1967 JUDOCUS Sterckx (Fortius) Prof Her ; +vic 15.5.1661

PB Her

1968 JUDOCUS Vanyghe (Bonayenglas) don Gand ; +1503

PB Gand

1969 JUDOCUS (de) Vree (Deuree) don Gand a.1711 ; +1722

RAG ; PB Gand

1970 JULIANUS prof Valenciennes ; Sch 1569 ; Val-Saint-Pierre

Wal 7044, 119

1971 JUSTUS (de) Nokere (Nokerius, Nockerius) prof Gand ; P SSM 1640-1651 ; P Gand 1651-+1661

RAG ; RAR 1313 ; PB Gand ; VG 188-189

1972 JUSTUS (de) Pape prof Lier ±1661 ; vic Sheen 1675-1677 ; +Lier 1722

Long angl 230 ; PB Kiel ; RABg Oud KA 338

1973 JUSTUS Perrot prof Bg ; vic Sheen 1699 (id 1176 ?)

Long angl 230

1974 LAMBERTUS Bleken don Lov ; +1653

PB Lov

1975 LAMBERTUS Clericus prof S.Omer ; 2°prof Bg ; proc 1318-1322

Lam 24 ; Sch Bg 20

1976 LAMBERTUS (van) Hoekelen P Her 1381-+21.12.1385

Lam 12, 34, 38 ; MB 1438

1977 LAMBERTUS Lamet prof Li ; subd 12.3.1672 ; 1702 Mont-Dieu

A.Ev.Li 1671-72 ; MB 522

1978 LAMBERTUS Mulant cl-r Zel a.1401 ; +1435

PB Zel

1979 LAMBERTUS Odel prof Kiel ; +3.11.1467

PB Kiel

1980 LAMBERTUS (van) Rotselaer (van Nossegem) prof Her ; proc ; subvic SA ; +vic Tückelhausen 29.5.1580

Wal 7044, 150 ; MB 1447 ; Ephem II 272

1981 LAMBERTUS Schoofs prof Zel ; presb 19.12.1767 ; 1794 Zel

MB Zel

1982 LAMBERTUS Smeyers prof Zel ; sr & proc 1714 ; +proc 1725

PB Zel ; MB Zel

1983 LAMBERTUS (van) Tiel °p : Remboldus Lamberti, m : Margareta Rombouts ; prof Li a.1442 ; sac ; vic 1453-1455 ; +sr 27.10.1483

MB 506 n5

1984 LANDELINUS (de) Bour °Bruxelles ; prof Sch 21.10.1648 ; +2.3.1675

Wal 7043, 20

1985 LAURENTIUS P Zel 1378, 1385

MB Zel

1986 LAURENTIUS conv Zel ; +1483

PB Zel

1987 LAURENTIUS conv Kiel ; +6.11.1503

PB Kiel

1988 LAURENTIUS don Kiel ; +1513

PB Kiel

1989 LAURENTIUS don Zel ; +1580

Wal 7044, 149v ; PB Zel

1990 LAURENTIUS don Zel ; +1643

PB Zel

1991 LAURENTIUS Bernaerts (Beernaert, Bernardi) prof Gand a.1554 ; P (?) 1557(?)-1560(?) (id 2001 ?)

RAG ; RAG B 1288(322) ; BRB 8579 (304)

1992 LAURENTIUS Bibaut (Bibau) prof Gand ; 2°prof(?) SA ; +proc SA 1520

PB SA ; Sch BB 18, 84

1993 LAURENTIUS Boye (Boeiie) prof Bg ; +30.12.1454

PB Bg ; Flandre III 361

1994 LAURENTIUS Cool prof Bg 1711

RABg Oud KA 286

1995 LAURENTIUS Corneforth prof Sheen 12.3.1753 ; subd 18.12. 1754 ; +2.11.1764

Long angl 237

1996 LAURENTIUS Goesman don SSM ; +1513

PB SSM

1997 LAURENTIUS Goubau °Bruxelles ; prof Sch 9.10.1735 ; vic ; +2.7.1751

Wal 7043, 20v

1997a LAURENTIUS (van) Groenendael °Vlaanderen/Flandre ; prof Capri ; proc An 1662, 1663 ; +Capri

ms Sélignac

1998 LAURENTIUS (der) Kinderen don Sch 6.2.1486 ; demissus ; conv Sch 29.10.1498 ; +26.8.1536

Wal 7043, 16v, 103v, 117 ; 7044, 46v

1999 LAURENTIUS Loyx(?) conv Lov ; +1585

PB Lov

2000 LAURENTIUS Maillard prof Torn ; P 25.12.1524-+25.9.1540

Desmons 137 ; MB 486

2001 LAURENTIUS (de) Merica (vander Heyden) P(?)Gand 1559
(id 1991 ?)

BRB 8579(304) ; PB Gand

2002 LAURENTIUS (van) Musschezele °Aalst ; presb sec ; prof Her ±1433 ; P 1437-1445 ; vic-+3.12.1471 ; aut

PB Her ; BMHG ; Sch LN 23 ; MB 1433, 1441 ; OGE 26, 1952, 203-211 ; Ephem IV 468

2003 LAURENTIUS Petri prof Li ; +30.8.1529

MN 509 n11

2004 LAURENTIUS Serjans (Serjant, s'her Jans, s'heerjans, Scherjans, Sergeant, Sherjans, Sherjants) °Middelburg ; prof Lov 1602 ; vic Gand 1607-1610 ; proc 1610-1621 ;P Zel 1621-1629 ; P Her 1629-1642 ; P Gand 1642-1651 ; +27.1.1656 ; conv. 1635-1642

RAG ; RAG B 1288(394) ; SAG FK 8, 11 ; Wal 7047, 179, 210 ; 7048, 50, 152 ; PB Gand ; Lam 15, 188, 220 ; MB 1449

2005 LAURENTIUS (vande) Wijngaerde °Gand ; conv Her 1485 ; +6.9.1526

Lam 88, 90, 140-141

2006 LAURENTIUS Wittebroot (Wittembroet) P SSM ±1550-+1558

RAR 12 ; PB SSM ; VG 175

2007 LAURENTIUS Zeewen van Roosendaal prof Li ; 2°prof Gr Chartr ; vic ; +P Rome 30.9.1477 ; aut

Wal 7043, 93 ; MB 494 ; Sch LN 23

2008 LEO Maes °1641 Li ; prof Torn ; +vic 1704

Desmons 150

2009 LEONARDUS don Zel ; +1557

PB Zel

2010 LEONARDUS (de) Brede °p : Bartholomeus Brock ; prof Li ; +proc 12.10.1452

MB 505n10

2011 LEONARDUS (de) Centurionibus prof Genua ; P ; 2°prof Bg ; +29.4.1476(?)

Sch Bg 8 ; RAA FK Lier 22

2012 LEONARDUS (van) Dorne (de Spina) prof Bg ; proc 1497 ; +vic & sr 19.3.1512

PB Bg ; RAA FK Lier 22 ; BMHG ; Flandre III 314

2013 LEONARDUS Hall(Hanle, Aletz, Halc) prof Mount-Grace ; Bg 1559 ; 2°prof Sheen ; +10.10.1575

Long angl 124, 231

2014 LEONARDUS (van) Maeseick (Maeseyck) prof Zel ; proc SA 1565-+22.6.1569

Wal 7044, 121 ; RABg Oud KA 307, 308 ; PB Zel

LEONARDUS Micheroux 357

2015 LEONARDUS Roondenrij (?) (Roouderen) prof Lier ; +vic Zel 1729

PB Kiel

2016 LEONARDUS Stopes (Stops) prof London ; 2°prof Bg a.1567 ; +3.2.1570

Long angl 231 ; RABg Oud KA 273

2017 LIBERTUS (de) Herck prof Zel(?) ; proc ; +1491

PB Zel

2018 LIBORIUS Leonard don Li ; +Sheen 1770

PB Sheen

2019 LIVINUS prof Bg ; +sr 20.2.a.1555

Flandre III 310

2020 LIVINUS don Gand ; +1557 (id 2021 ?)

PB Gand

2021 LIVINUS don Gand ; +1558 (id 2020 ?)

PB Gand

2022 LIVINUS (vanden) Abeele don Bg a.1558 ; +1574

RABg Oud KA 272 ; PB Bg

2023 LIVINUS Ammonius (vander Maude, de Arena, Van den Sande) °p : Jacobus, 3/13.4.1485, Gand ; prof SSM 1507 ; sac ; proc 1529 ; 2°prof Gand 1533 ; vic ; proc 1537 ; Arnhem 1540-1542 ; Sch 1542- 1546 ; vic Gand 1554 ; +19.3.1556 ; aut (frère de/broer van 1357)

Wal 7044, 33, 59, 80-83, 100-102, 125, 155 ; Wal 4051, 133v ; RAG ; PB SSM ; BRB 8579(289, 297, 303, 304) ; Sch LN 28 ; AAU 72, 1953, 118-120 ; OGE 25, 1951, 27-28; MB 1392,1406; BNB XIV,83-86; RHE 38,1942,152-155; VG 45-48 ; BMGOG IX, 1901, 9-28 ; Horae Tornacenses, Tournai 1971, 157-176

2024 LIVINUS Bracman prof Gand ; +1540

Wal 4051, 132 ; PB Gand

2025 LIVINUS (de) Brune don Gand ; +1560

PB Gand

2026 LIVINUS Cooman conv Sch 29.10.1498 ; +27.10.1517/1518

Wal 7043, 16v, 158

2027 LIVINUS (van) Couckelaer (van Reenlandt, Reimlant, Renaulandus) prof SSM ; P(?) Torn ; P SSM 1391-a.1.5. 1396 ; proc Her 1401-1407 ; +1415(?)

RAR 1(97, 130v), 3(73) ; Lam 39 ; VG 25 ; Desmons 125

2028 LIVINUS (van der) Haghen (Dumens) °Gand ; prof Her ; sac ; vic ; proc ; Lier 1559 ; P Her 1559-+11.9.1566

Wal 7044, 112 ; MB 1446

2029 LIVINUS (de) Jaghere (Jaeghere) prof Gand ±1590 ; sac 1598 -1603 ; proc 1605 ; rector SSM 1609-1610 ; P 1610-25.12.1625 ; P Gand 1625-+9.3.1635 ; conv. 1627-+

Wal 7047, 92, 98, 104v, 108v ; 7048, 5v, 30v, 130v ; RAG ; RAG B 1288(411) ; RAR 12, 14, 32, 40, 41 ; VG 184

2030 LIVINUS (van) Minsbrugge don Bg ; +1546

PB Bg

2031 LIVINUS Muntie (Nimutia) don Bg ; +1491

PB Bg

2032 LIVINUS (de) Pau don Gand ; +1616

PB Gand

2033 LIVINUS Pottier prof Gand ; vic ; +7.7.1480 ; peintre/schilder (frère de/broer van 2057)

Wal 4051, 129v, 132v ; PB Gand ; Ephem I 412

2034 LIVINUS Seys prof Gand a.1554 ; vic 1566 ; +vic 1581

RAG ; PB Gand

2035 LIVINUS Simoens (Simonis, Simonet) °p : Joannes, m : Elizabeth Jacob prof Gand ±1514 ; +1568

RAG ; PB Gand

2036 LIVINUS (de) Wilde don Her ; +1663

PB Her

2037 LIVINUS Zoet (Dulcis) °Gand, nob ; prof Gand (?) ±1476 ; 1487 Her ; SSM 1488-1489 ; Her 1489 ; Gr Chartr ; Val-Saint-Hugues ; Italie 1499 ; Dijon ; 1503 Her ;

Valenciennes 1507(?)-1508(?)-+4.2.1526 ; aut ; cop

Wal 7043, 125v ; PB Her ; Lam 79, 89, 109, 125-128 ; MB 1433

2038 LUCAS prof Her ; +1318/1319

PB Her

2039 LUCAS (vanden) Broecke (Paludanus) °p : Joannes, m : Ursula de Keysere, An ; Univ Lov ; prof Lov 1602 ; vic 1605 ; proc 1606 ; P 1615-+1627

PB Lov ; MB 1482, 1484

2040 LUCAS Everberge (Varenbeeck) don Sch ; Lov 1504(?); +29.11.1534

Wal 7043, 19 ; 7044, 40v ; MB 1470

2041 LUCAS Pauli °Geel/Zelem ; prof Sch 18.10.1671 ; vic 1676-1677 ; sac 14.5.1679-1680 ; +?.9.1687

Wal 7043, 11, 15, 20 ; MB 1421

2042 LUCAS Vaerenbeke (Warenbeck) conv Sch 29.10.1498 ; Lov 1504(?) ; +22.7.1507

Wal 7043, 16v, 117 ; MB 1470

2043 LUDOLPHUS Coesmet don Sch ; +29.12.XVI°s

Wal 7043, 19

2044 LUDOLPHUS Feys (van Bommel) prof Her a.1390 ; 2°prof Kiel; P 1405-1408 ; +21.11.1422

PB Kiel ; Lam 20

2045 LUDOVICUS (van Mechelen ?) prof Kiel ; +25.8.1492

PB Kiel

2046 LUDOVICUS don Bg ; +1494

PB Bg

2047 LUDOVICUS don Lov ; +1536

PB Lov

2048 LUDOVICUS don Lier ; +1630

PB Kiel

2049 LUDOVICUS Bourlart prof Her 1618 ; SSM 1641-1642(?) ; +20.8.1649 ; aut

Wal 7048, 106v ; Lam XXV ; MB 1434

2050 LUDOVICUS (de) Buese (Bosco) °An ; conv Sch 29.9.1617 ; +26.4.1659

Wal 7043, 24 ; 7047, 151

2051 LUDOVICUS Bulteel °Joannes ; prof Gand ; diac 1645 ; 1661 Sch ; +Gand 1680

RAG ; RAG FK 10 ; PB Gand ; RABg Oud KA 338

2052 LUDOVICUS Fortry nov Bg 1701 ; diac 1703

RABg Oud KA 286, 300

2053 LUDOVICUS (a) Leodio P Zel 1559-+25.8.1572 ; conv. 1566-+

Wal 7044, 134 ; PB Zel ; PSHAL 76, 1940, 102

2054 LUDOVICUS Overlinck (Ermout, Ervaline) prof SSM ; P1497-1498 ; P 1499-+1506 ; conv. 1505-+

Wal 7043, 3v ; RAR 12 ; VG 168

2055 LUDOVICUS (du) Pers prof Gand ; proc 1638-+1653

RAG ; SAG 1, 2, 11 ; PB Gand

2056 LUDOVICUS (de) Platea Zel 1532 ; demissus 1533

PB Zel

2057 LUDOVICUS Pottier °p : Gulielmus, m : Machtelt Vriends ; prof Gand a. 1451 ; vic ; P Gand 1475-1480 ; vic 1480-+11.1.1487 (frère de/broer van 2033)

Wal 4051, 127v-128, 131v ; RAG B 1327(77v) ; Wal 7043, 96, 104 ; BRB 8579(287, 302) ; PB Gand ; Ephem I 173

2057a LUDOVICUS de Quertemont prof Torn ; +1687

ms Sélignac

2058 LUDOVICUS Rousselau (Rousselot) prof Gr Chartr ; proc ; P Val-Saint-Hugon 1677-1682 ; P Li 1682-1684 ; P Mont-Dieu 1684 ; P Val-Saint-Hugon 1684-+3.1.1690; vis

ms Sélignac ; MB 518

2059 LUDOVICUS Torius prof Li ; S.Sofie 1599 vic(?) ; Lier ; sac ; +3.1.1625

Wal 7048, 91v ; PB Kiel ; PB BD

2060 LUDOVICUS (de la) Tour prof Li a.1608 ; +1636 ; aut

MB 495 ; PB BD

2061 MACARIUS Formby °Lancaster ; prof Sheen 26.4.1734 ; +31.12.1771

Long angl 237

2062 MACARIUS Macharis °Bruxelles ; prof Sch 21.12.1649 ; +1652

Wal 7043, 20 ; PB Sch

2063 MACARIUS (van) Werde (Vierde) prof Lier ; +1726

PB Kiel

2064 MARCELLINUS don Kiel ; +1539

PB Kiel

2065 MARCELLUS Voet °1433, Steenbergen ; Univ Lov ; prof Sch 30.9.1463 ; vic 1470-1475 ; P 1475-+29.7.1487 ; aut

Wal 7043, 8v, 16, 72v ; Sch LN 38 ; MB 1389, 1392, 1402; Goethals I 27 ; Ephem II 567

MARIANUS Cater 2083

2066 MARINUS (de) Zeelandia prof Kiel ; +1507

PB Kiel

2067 MARTINUS don Her ; +1547

PB Her

2068 MARTINUS don Her ; +1563

PB Her

2069 MARTINUS conv Lier ; +18.3.1578

PB Kiel ; BMHB

2070 MARTINUS don Zel ; +1579

PB Zel

2071 MARTINUS don Lier ; +1609

PB Kiel

2072 MARTINUS prof Lier ; 1583 Mainz ; 1583 Lier

Wal 7044, 158

2073 MARTINUS Adornes °p : Anselmus, 15.7.1450, Bg, nob ; prof Bg ; proc ; P 1491-+10.11./12.1507 ; conv. 1495-1497 ; vis 1497-+

RAA FK Lier 22 ; PB Bg ; Sch Bg 55 ; Flandre III 358 ; Ephem IV 108

2074 MARTINUS (van) Aelst (Elst) prof Gand ; proc 1626-1635, 1646 ; coa SA 1646-1647 ; sac Gand 1652-1653 ; proc 1654-+1657

RAG ; RAG B 1288(121v, 148v, 332) ; B1327(121) ; SAG FK 1, 2, 11 ; RABg Oud KA 313 ; PB Gand

2075 MARTINUS (de) Antwerpia prof Kiel ; +5.11.1508

PB Kiel

2076 MARTINUS Arents (Arends) prof SSM 1648 ; presb 1651 ; proc 1661-+1667

RAR 43, 44, 45 ; PB SSM

2077 MARTINUS (de) Beir (Beer, Boer, Retz) °Enghien ; prof Her 1538 ; P 1549-1556 ; vic ; 1560 Gand ; +Her 7.2. 1580

PB Her ; Lam 13, 185 ; MB 1445

2078 MARTINUS Belleteur (Bulliteur, Vulletuer) prof Bg ; +26. 12.1500

PB Bg ; Flandre III 361 ; RAA FK Lier 22(1.1.)

2079 MARTINUS Bernardi prof Gand ; +1520

PB Gand

2079a MARTINUS Blocquet prof Gosnay ; Torn 1643-1648 ; +Gosnay 1673

ms Sélignac

2080 MARTINUS Busere prof Kiel ; +26.8.1439

PB Kiel

2081 MARTINUS (vanden) Bussche (de Busco) prof Bg a.1535 ; vic 1544-1545 ; proc 1551-1554 ; Her 1558 ; (vic?) Gand 1560-1566 ; Bg 1569-+sr1584

RABg Déc 257 ; ch ; Oud KA 271, 272, 273, 274, 275 ; PB Bg

2082 MARTINUS Campenhaut don Lier ; +1728

PB Kiel

2083 MARTINUS (Marianus) Cater conv Zel ; 1528 Sch ; 1528-1533 Hollandiae ; +Zel 1540

PB Zel ; BB 18, 94

2084 MARTINUS Damrieu (Damarie, Dormarie) don Her ; +27.1.1661

PB Her

2085 MARTINUS Darmont (d'Armont) don Lov ; +1683

PB Lov

2086 MARTINUS (de) Dordraco prof Kiel ; +1.1.1506

PB Kiel

2087 MARTINUS (de) Freman °Lille ; prof Torn ; +26.2.1639

Desmons 94

2088 MARTINUS Grootheere (Grother, Groethen) prof Gand ; proc ; P Scotiae 1453-+1456

Wal 4051, 126, 131v ; PB Gand

2089 MARTINUS Melaerts °An ; prof Lier 1744 ; vic Her 1750-1756 vic Bg 1756-1757 ; rector SSM 1757-1758 ; P 1758-5.12.1761 ; P Lov 1761-6.3.1773 ; P Gand 1773-1783; conv. 1761-1763 ; vis 1763-1783 ; +1791

RAG ; RAR 12, 52, 60 ; RABg Oud KA 291 ; Wal 7043, 5v, 6v ; PB Gand ; VG 204 ; MB 1491

2090 MARTINUS Menseere (Mansere, Mansieu) don Bg a.1671 ; SSM 1673 ; +1685

RAR 46 ; RABg Oud KA 299 ; PB

2091 MARTINUS Moor prof SSM ±1557 ; 2°prof Sch 16.1.1566 ; sac 1574-1575 ; +vic Erfurt 10.1.1597

Wal 7043, 14v, 18 ; 7044, 108, 137 ; 7047, 44v ; PB SSM

2092 MARTINUS (van) Ophem don Her ; +?.2.1663

PB Her

2093 MARTINUS (vander) Perre prof SSM ; proc 1595-1596 ; Her 1597-1598 ; proc SSM 1606 ; +antiq 1623

Wal 7047, 50v, 59 ; RAR 12, 40 ; PB SSM

2094 MARTINUS (de) Pierpont prof Her ±1447 ; presb 1449 ; Val-Saint-Pierre 1454 ; Her ; P Noyon ; Her ; SA 1474-1481 ; +Her 24.6.1485

PB Her ; Lam 22, 87

2095 MARTINUS (vanden) Poucke (Pauke) don Gand ; +1509

Wal 4051, 134 ; PB Gand

2096 MARTINUS (van) Rode don SSM ; +1668

PB SSM ; VG 190

2097 MARTINUS Scullincs conv SSM ; +1509

PB SSM

2098 MARTINUS Slegers °±1570, Hasselt ; prof Li ±1591 ; sac ; vic ; coa ; proc ; P 1618-1626 ; +27.11.1641

MB 515

2099 MARTINUS Steinthuro(?) prof Li ; 1526 Arnhem

AAU, 56, 1932, 60

2100 MARTINUS Taverniers don Lier ; +1707

PB Kiel

2101 MARTINUS Thimbleby conv Sheen ; +25.9.1647

Long angl 240

2102 MARTINUS (vander) Werdt prof Zel ; +vic 1667

PB Zel

2103 MARTINUS Weyts °Oevel ; prof Sch 11.9.1667 ; +5.10.1672

Wal 7043, 20

2104 MARTINUS Wouters (Wutris) prof Gand ; +4.4(?).1460

Wal 4051, 131v ; PB Gand

2105 MARTINUS Wouters don Gand ; +XVI°s

Wal 4051, 133v

2106 MARTINUS (van) Zulen don Bg ; +1511

PB Bg

2107 MATHEUS +nov conv Bg 1621

PB Bg

2108 MATHEUS don SSM 1700, 1702

RAR 49, 57

MATHEUS Dencke 2116

MATHEUS Hackenbergs 2120

MATHEUS Haelewijn 2121

MATHEUS Looz 2126

MATHEUS Schruers 2131

2109 MATHIAS Bool don Lov ; +1770

PB Lov

2110 MATHIAS Borremans don Lier ; +1651

PB Kiel

2111 MATHIAS Camus prof Torn 1563 ; +P S.Omer 1582

Desmons 148

2112 MATHIAS Coninck (Coeninc , Schoningh, Scoeninc)
prof Gand ; proc 1415 ; P ? ; +13.7.1433

RAG ch ; RAG B 1288(286v) ; Wal 4051, 131v ; PB Gand

2114 MATHIAS Coolbrant prof Bg ; +15.6.1504

RAA FK Lier 22 ; PB Bg ; Flandre III 326

2115 MATHIAS Demeuse (Delmeuse) °1758, Grévignée ; prof Li ;
presb 25.5.1782, 1793 Allemagne/Duitsland ; 1795
retour/terug Li ; +p. 1800

A.Ev.Li 1729-94 ; MB 524, 525 ; Van Bavegem 237

2116 MATHIAS (Mattheus) Dencke (Dercle) don Gand ; +1635

PB Gand

2117 MATHIAS Gaure (Gaive) prof Gand ; +1516

PB Gand

2118 MATHIAS (van) Gent prof Torn ; P Abbeville 1470-1474 ; vic mon Gosnay 1468, 1476 (?) ; proc Torn 1468, 1470, 1476(?) ; P 1446(?), 1450(?), 1480-1481 ; + 19.6.1501 ; conv.(?) 1480-1484 ; cop

Desmons 133 ; MB 485

2119 MATHIAS (van) Gestel prof Li ; +1558

MB 510

2120 MATHIAS (Matheus) Hackenbergs (Haegenbergs) prof Lier ; +1734

PB Kiel

2121 MATHIAS (Matheus) (van) Haelewijn (Haltieren, van Thiergen) don Gand ; +1709

RAG ; PB Gand

2121a MATHIAS (ab) Ham prof Li ; vic ; sac ; +26.7.1566

MB 511 n11

2122 MATHIAS Heyman (Heyneman) P Zel 1440, 1442

MB Zel

2123 MATHIAS (de) Kesper (Keyrspe, Heirpse, Keiszat) prof Lugny 2°prof Kiel ; +23.5.1454

PB Kiel ; BMHG

2124 MATHIAS Kinable °Gerardus ; prof Li 2.7.1767 ; presb 9. 6.1770 ; vic 1791 ; 1794 Allemagne/Duitsland ; +p. 1.12.1817

A.Ev.Li 1729-94 ; MB 523 n4, 524, 525

2125 MATHIAS Lambrecht °Bruxelles ; don Sch 16.11.1635 ; +1666

Wal 7043, 24 ; PB Sch

2126 MATHIAS (Mattheus) (de) Looz prof Li ; sac ; +30.7.1484
(frère de /broer van 1270)

MB 506 n5, n8

2127 MATHIAS (a) Mak prof Her ±1506 ; +1564

PB Her

2128 MATHIAS Mawet prof Li ±1667 ; P 1700-1706 ; +30.12.1727

MB 521

2129 MATHIAS Moens (Meeus) prof Zel ; +Li 19.7.1569

Wal 7044, 121 ; PB Zel ; MB 511 n11 ; AAU 62, 1938, 215
-216

2130 MATHIAS Roerius (Roeris, Rueris) prof Gand ±1436 ; vic ;
proc ; +11.6.1486 ; aut

Wal 4051, 129v, 132v ; PB Gand ; Raissius 46

2131 MATHIAS (Matheus) Schruers (Schrevers, Screvers) prof Zel
a.1646 ; +1653

PB Zel ; MB Zel

2132 MATHIAS (van) Sittard prof Li ; +vic 22.9. 539

MB 510n

2133 MATHIAS Tavernier prof Torn ; P S.Omer 1566-+1583

Wal 7044, 158 ; Desmons 148

2134 MATHIAS Thieri don Zel ; +1665

PB Zel

2135 MATHIAS Tsergoossens (Middelborch) °±1451, Bruxelles ;
prof Sch 15.8.1471 ; sac 1483-1487 ; P 11.8.1487-
+9.4.1517

Wal 7043, 14v, 16, 81, 105, 155v ; MB 1403 ; Ephem I
446

2136 MATHIAS Velthoven don Sch ; +1579

Wal 7043, 19 ; 7044, 147

2137 MAURITIUS Chauncy (Chamnaeus, Chancoeus, Chauncey) °p : Joannes de Pishobury, m : Elizabeth Profitt ; Univ Oxford, London ; prof London ±1532; Bg 1556; P Sheen (Gr.Br.) 1556-1559 ; Bg 1559-1561 ; P1561-1568 ; P Sheen 1569-+12.7.1581 (Paris) ; aut

Wal 7044, 94v, 116v, 119, 126 ; RABg Oud KA 272, 273, 274 ; Déc 257 ; Long angl 128-155 ; Sch Bg 192-196 ; Sch LN 40 ; Ephem II 482

2138 MAXIMILIANUS Plouvier °±1566, Wien ; prof Gr Chartr 17.11. 1621 ; rector An 1625-1629 ; P 1629-+8.3.1630

Wal 7048, 118, 152, 161 ; PB BD

2139 MAXIMILIANUS Spranquenis (Spranguis) °Limbourg ; prof Lov 1648 ; +1658

PB Lov ; MB 1486 n4

2140 MELCHIOR Charles °Carolus, Leeuwarden ; prof Lov 1596 ; proc Zel ; proc S.Sofie ; proc SA a.1616-+3.8.1625

PB Lov ; Lam 14, 188, 221, 222 ; MB 1449, 1480 ; d'Ydew 210

2141 MELCHIOR Hecpspap (Restrac, de Vilhorden) prof Lier a.1549 +antiq 1586

Wal 7044, 69v ; PB Kiel

2142 MELCHIOR Pletinckx °Her ; prof Her ; proc 1658-1676 ; vic SA 1676-1677 ; P Her 1677-+21.12.1691 ; conv. 1680-+

PB SA ; MB 1451 ; d'Ydew 295

2143 MELCHIOR Rijsheuvels (Reysebels, Reyshewels) prof Lier ; SSM 1657 ; P Lier 1657/8-1661 ; P SSM 1662-1666 ; +antiq Lier 1672

RAR 14, 15, 44, 45 ; PB Kiel ; RABg Oud KA 338 ; VG 191

2144 MICHAEL prof Bg ; +2.5.?

RAA FK Lier 22

2145 MICHAEL prof SA ; +proc 1381

PB SA

2146 MICHAEL prof Bg ; +1391

PB Bg

2147 MICHAEL prof Her ; +sac 29.9.1531

PB Her

2148 MICHAEL conv Bg ; +20.4.a.1555

Flandre III 318

2149 MICHAEL (vander) Aa don SSM ±1691 ; +1747

RAR 49, 50, 51, 57 ; PB SSM

2150 MICHAEL Blitterswyck °Bruxelles ; prof Li 30.4.1601 ; proc Bg 1605-1610 ; +Li 14.1.1613

RABg Oud KA 277 ; MB 513 n9, 514 n16

2151 MICHAEL (vander) Borght prof Bg 30.1.1675 ; SSM 1685 ; sr Bg 1686-1692

RABg Oud KA 282, 283, 284, 285, 299, 301, 338

2152 MICHAEL (du) Bus °p : Egidius du Bus, Joannes, 6.9.1618, Valenciennes ; prof Torn 29.9.1649 ; P 16.2.1657-+ 10.9.1676 ; conv. 1664-1672 ; vis 1672-+ (frère de/ broer van Hugo, Valenciennes 1663

MB 487 ; Desmons 97, 143 ; ms Sélignac ; RABg Oud KA 338

2153 MICHAEL Caeliau (Caillau, Coeliau, Coelian, Kailjauwe) presb sec ; prof Bg ±1320 ; initiator Gand 1327/ 1328 ; P 1328-1332 ; P Bg 1334-+24/25.5.1337

Wal 4051, 124v ; RAG ch ; Ephem II 147 ; Sch Bg 153-154

2154 MICHAEL Campo P Li 1690-+1694 (Joinville)

MB 519

2155 MICHAEL Cocus (Locus, Soene) prof Lier ; vic Astheim 1581-+1584

Wal 7044, 153 ; PB Kiel

2156 MICHAEL Constable don Sheen ; 2°prof Sheen ; proc ; +18.6.1695

Long angl 198, 230, 236, 240

2157 MICHAEL Coolen (Koolen, Coelen) prof Bg ; P 1656-1658 ; +1662

RABg Oud KA 281 ; PB Bg

2158 MICHAEL Corte °Ieper ; prof Bg a.1353 ; +29.7.1391

RABg Déc 256 ; VdM Bijl V

2159 MICHAEL (de) Delft prof Kiel ; +15.3.1518

PB Kiel

2160 MICHAEL Dierickx (Dierix, Diericx) °p : Petrus, m : Catharina Speybrouc, Gand ; prof SSM 1496 ; P 1406-+1530 ; conv. 1517-1518 ; vis 1522-1527 ; trad

RAR 1(61, 82v, 126, 181v, 292v, 293v, 294v) 2, 12, 14, 25, 30 ; Wal 7044, 7v, 11, 55, 152 ; Sch LN 29 ; VG 171

2161 MICHAEL (de) Hove °1564, Maubeuge ; relig ; prof Torn ± 1589 ; sac ; rector 1599-1600 ; P 1.5.1600-1609 ; Pavia 1609 ; vic Torn 1612 ; +25.7.1630

MB 487 ; Desmons 140 ; Ephem II 531

2162 MICHAEL Jensema °Lov ; prof Lov 1571;sac, vic 1581;proc 1590-1595 ; P S.Sofie 1595-1598 ; P Lov 1598-1599 ; P Li 1599-1608 ; P S.Sofie 1608-1609 ; 1609-1611 ; Lov 1611-1616 ; P Her 1616-18.2.1621 ; +antiq Lov 15(?).3.1622

PB BD ; MB 513 ; MB 1449 ; MB 1479, 1481

2163 MICHAEL Lamberti don Li ; +2.2.1622

MB 515n6

2164 MICHAEL Lamenen don Gand ; +1579

PB Gand

2165 MICHAEL Moens °Mechelen ; prof Lov 1533 ; vic ; sac ; P Delft 1551-+29.6.1555

Wal 7044, 82 ; PB Lov ; MB 1476 ; HB 60, 1948, 279

2166 MICHAEL (du) Mont-Cassel (de Casseleto) °Mont-Cassel ; prof Her ±1478 ; +sr 5.9.1528 ; cop

PB Her ; Lam 78, 89, 142-145

2167 MICHAEL Rasezot (Raselot, Racetor) conv Her ; +1639

PB Her

2168 MICHAEL Richars prof Gosnay ; 2°prof Li ; P ±1368-±16.3.1377 ; +1410

MB 499

2169 MICHAEL Rodins 1-r Zel ; 2°prof Hollandiae ; +1570

Wal 7044, 121 ; PB Zel

2170 MICHAEL Simpol (van Simpel) prof SSM 1627 ; +antiq 1672

RAR 15, 41, 42, 44, 45 ; PB SSM

2171 MICHAEL Smouters proc Bg 1350

VdM Bijl V

2172 MICHAEL (de) Turnhout (Tornam) prof Kiel ; +6.8.1540

PB Kiel

2173 MICHAEL Wanc (Vrancke) prof Bg ±1326 ; Bg 1333

RABg ch ; VdM Bijl V

2174 MICHAEL (de) Weert (Wereth, Werel) °Bruxelles ; prof Lov 1547 ; proc ; proc SA 1573-13.1.1581 ; +sr Lov 1595

PB Lov ; MB 1477

2175 MICHAEL Zarenbergh (Saremontanus) °Bruxelles ; prof Her 1502 ; +29.9.1531 ; cop

Wal 7044, 33 ; Lam 111, 147-150 ; MB 1433

2176 MICHAEL JOSEPHUS Herbo °1699, Orchies ; prof Tor, ; vic Gosnay ; +vic Torn 31.10.1754

Desmons 151

2177 MICHAEL-PHILIBERTUS Dennetière (d'Ennetières) °?.4.1740, Beuvry ; prof Torn 26.12.1764 ; presb 20.12.1766 ; 1783 Torn

CR 139 ; Desmons 118 ; J.Vos IV 139

2178 MORANDUS Carron don Lov ; +1678

PB Lov

2179 NICASIUS P Valenciennes ; P Torn 1395-±1397

Desmons 126

2180 NICASIUS (van) Lichtervelde °p : Wulfardus, nob, m : Elizabeth Adornes, Ieper ; prof Gand 1481 ; vic 1486 ; vic SA 1497-1499 ; P Zel 1499-+1502

Wal 4051, 132v, 133v ; PB Gand ; OGE 9, 1935, 190-197

2181 NICOLAUS prof Bg ; +9.3.?

RAA FK Lier 22

2182 NICOLAUS prof Bg ; +11.4.?

RAA FK Lier 22

2183 NICOLAUS cl-r Her ; +24.11.a.1390

Lam 18

2184 NICOLAUS prof Bg ; 2°prof Erfurt ; +1431 (id 2235 ?)

PB Bg

2185 NICOLAUS prof Kiel ; +vic 14.4.1487

PB Kiel

2186 NICOLAUS don Bg ; +1498

PB Bg

2187 NICOLAUS don Kiel ; Lov ±1491 ; +1533

PB Kiel ; MB 1467

2188 NICOLAUS prof Zel ; 1567 Gand

PB Zel

2189 NICOLAUS don Gand ; Gand 1680-1681

RAG FK 5

2190 NICOLAUS Andreas prof Gand ; SSM 1597 ; Gand 1597, 1598

Wal 7047, 44, 92

2191 NICOLAUS Arens (Arena, Acens, Astens) prof Gand ; +16.12.1473

Wal 4051, 131v ; PB Gand

2192 NICOLAUS (de) Augusta prof Bg ; +1410

PB Bg

2193 NICOLAUS Baland prof Sheen ±1529 ; Bg 1559 ; +Lov 5.12.1578

Wal 7044, 147 ; Long angl 231

2194 NICOLAUS (de) Beeck don Li ; +1541

MB 510 n4

2195 NICOLAUS Behault (Bechennus) °p : Joannes, Mons ; prof Her 21.1.1510 ; presb 1512 ; sac ; +sr 11.1.1559

Wal 7043, 138v ; PB Her ; Lam 133-135, 155, 208

2196 NICOLAUS Benninck prof Amsterdam ; +Sch diac 17.7.1573

Wal 7044, 134

2197 NICOLAUS Benoist (Beverit) prof Zel ; proc 1598-1599 ; +(proc?) Li 13.8.1604

PB Zel ; MB 513 n9

2198 NICOLAUS (vanden) Berghe (de Monte S.Gertrudis) °p : Joannes (1393) ; prof Gand ; +1478

Wal 4051, 129 , 132v ; PB Gand

2199 NICOLAUS Bertijns don Her ; +1676

PB Her

2200 NICOLAUS (van) Bever (Bevers, Bevert, Beveerst) prof Lier sac SSM 1618-1620 ; Lier 1620 ; +1646

RABg Acq 461 ; Wal 7048, 17v ; RAR 40 ; PB Kiel

2201 NICOLAUS Bijl (Byll, Bilius, Bilys) prof SSM ; presb 1652; +1677

RAR 43, 44, 45 ; PB SSM

2202 NICOLAUS Boes don Gand a.1680 ; +1694

RAG ; PB Gand

2203 NICOLAUS Brekpot (Brecpot) don Her ±1500 ; +1538

PB Her ; Lam 139-140, 166 ; BB 18, 87

2204 NICOLAUS Brouckman (Bronckma) prof Bg ; proc 1661-1677 ; P 1677-1683 ; P An 1684-? ; proc Bg 1691-+10.10. 1698

RABg Déc 326 ; Oud KA 281, 282, 283, 284, 285, 301, 338 ; RAG ; RAA FK Lier 22 ; PB Kiel

2205 NICOLAUS (van) Bruwiere (Bover, Bruyer, Bruyere, Kruyver) prof SSM ; proc 1531 ; proc SA 1532-1538(?) ; P SSM 1545-+1550

RAR 1(295), 55 ; d'Ydew 140 ; VG 175

2206 NICOLAUS (de) Busco conv Bg ; +27.11.a.1555

Flandre III 356

2207 NICOLAUS (le) Cauchie °Marcq ; prof Her ; sac; vic ; P 1557-+18.4.1559

Lam 185, 213 ; MB 1446

2208 NICOLAUS Claerwaner don SSM a.1676 ; +1721

RAR 46, 48, 49, 50, 57 ; PB SSM

2209 NICOLAUS Clarentack conv Kiel ; +1514

PB Kiel

2210 NICOLAUS Coen ° Bruxelles ; prof Sch 22.3.1572 ; sac 1575; Her 1578 ; Valenciennes 1578 ; Gosnay 1578-+21.11. 1580

Wal 7043, 14v, 18 ; 7044, 122v, 138v, 146, 151 ; Lam 214

2211 NICOLAUS Craeywerve van Biervliet (Crayeweine, Verwilet) prof Gand a. 1481 ; + 1498 ; cop

Wal 4051, 132v ; PB Gand

2212 NICOLAUS Deken °m : Catharina Ameyden, Enghien ; prof Her; proc 1329-1340 ; +26.11.?

Lam 19, 27

2213 NICOLAUS Dierhout (Duerhout) prof Sch 21.10.1618 ; presb 1624 ; sac 1628-+30.9.1638

Wal 7043, 15, 20 ; 7047, 151 ; 7048, 80v, 146 ; Ephem III 450

2214 NICOLAUS Dugmer prof Nottingham ; Bg 1559 , +Lov 10.9.1578

Long angl 136, 147, 148, 231

2215 NICOLAUS (vanden) Dyck °Maastricht ; prof Li ; sac ; +21. 9. 1541

MB 510 n4

2216 NICOLAUS Fastre don Gand ; +1736

PB Gand

2217 NICOLAUS Gossuin °Bruno, 1696, Avesnes ; prof Torn ; proc 1739-1746 ; +coa 1773

Desmons 145, 152

2218 NICOLAUS Gravesande prof Her ; sac ; +31.1.1433

PB Her ; Lam 21, 50

2219 NICOLAUS (van) Haarlem (Gerardi) Univ Lov 1435 ; prof Kiel ; proc Sch 1456 ; P Utrecht 1458-1460 ; P Kiel 1468-+7.3.1473 ; conv. 1472-+ ; cop

Wal 7043, 86v ; Lam 71, 203 ; PB Kiel ; AAU 53, 1929, 330-331 ; AAU 71, 1952, 122 ; MB 1390, 1399, 1402 ; ASHEB 1, 1863, 409

2220 NICOLAUS Hellinc prof Bg ; 2°prof SSM ; +10.7.1505

RAA FK Lier 22 ; PB SSM

2221 NICOLAUS Helminey (Olm) prof Gr Chartr ; P Kiel 1359 ; +13.4.1389(?) ; aut

PB Kiel ; Sch LN 12 ; Annales VI, 413

2222 NICOLAUS Hendrickx (Endrickx) don Lier ; Bg 1631 : +1652

PB Kiel ; RABg Acq 461

2223 NICOLAUS (de) Hodeige prof Li ; proc ; P 1504-14.4.1513 ; +6.10.1513

MB 507

2224 NICOLAUS Huart °Marcq ; prof Her ; proc 1557-1570 ; P 20.6.1570-1577 ; P Zierikzee 1577-1578 ; vic Utrecht 1578 ; proc Her 1580 ; rector Hollandiae 1584 ; P 1584 ; Lier 1593 ; Her 1595 ; proc 1597-1601 ; +10.5.1602

Wal 7044, 145 ; MB 1446-1447 ; HB 53, 1935, 208-211 ; Ephem I 442

2225 NICOLAUS (vander) Hulst °Bruxelles ; prof Sch 19.5.1657 ; proc 1663-+1677

Wal 7043, 14, 20

2225a NICOLAUS Lafabrique prof Li ±1731

A.Ev.Li 1729-94

2225b NICOLAUS Lamberti don Li ; +1617

RABg Acq 461

2226 NICOLAUS Langhe conv Bg ; +1445

PB Bg

2227 NICOLAUS Laurentii (Mul) °Mol ; prof Lov 1561 ; +1571

MB 1479 ; PB Lov

2228 NICOLAUS (de) Leydis (Kengtemps) prof Zel ; P 1472-1482-1499(?) ; +6.4.1500

PB Zel ; MB Zel ; BMHG

2229 NICOLAUS Lhost °Dinant ; prof Li 2.2.1611

MB 514 n16, 517n

2230 NICOLAUS Machtels don Lov ; +1573

PB Lov

2231 NICOLAUS Marchand (Mercant) don SSM ; 1659 Bg ; 1660 Sch ; + SSM 1672

PB SSM ; RABg Oud KA 338

2232 NICOLAUS (de) Mey (Mer, Met) °p : Adrianus, m : Johanna, Diksmuide (?) ; prof Gand a.1539 ; +1566

RAG ; RAG B 1327(134) ; PB Gand

2233 NICOLAUS (de) Monte prof Gand ; +1518

Wal 4051, 132v ; PB Gand

2234 NICOLAUS Nechelput prof SSM(?) ; presb 1652(?) ; SSM 1651-1656 (id 2240 ?)

RAR 43

2235 NICOLAUS Noort prof Bg ; +3.10.1430 (id 2184 ?)

Flandre III 344

2236 NICOLAUS (van) Onelope(?) (Oweldope) prof Lier ; +diac 1642

PB Kiel

2237 NICOLAUS Oste °±1495 ; don Her ; +6.8.1525

Lam 139-140

2238 NICOLAUS Pleetintz(?) don Her ±1508 ; +1558

PB Her

2239 NICOLAUS Puffet don Lov ; +1775

PB Lov

2240 NICOLAUS Rechelle (Reshelle, Roselle)(?) SSM 1639-1644 (id 2234 ?)

RAR 41, 42

2241 NICOLAUS Revelare (Revelaert, Revelart, Pevelaree) prof Bg 1560 ; sac 1576-1580 ; sac 1589-1604 ; +sr 1614

RABg Déc 257 ; Oud KA 272, 273, 275, 277

2242 NICOLAUS Reybrouc prof Bg ; +sr 1.9.1514

PB Bg ; Flandre III 338

2243 NICOLAUS Robeerts don Sch a.1552 ; 1580 demissus

Wal 7044, 76v, 151v

2244 NICOLAUS (le) Roux (Leroux) don Her ; +6.12.1517 (id 2256)

PB Her

2245 NICOLAUS (de) Saint-Vith O.Carm ; prof Li ; +25.5.1519

MB 508 n11

2246 NICOLAUS (de) Saxonia prof Gand ; +Trier XV°s

Wal 4051, 125

2247 NICOLAUS Senus (Senior) prof Gosnay ; proc ; P 1581-1585 ; rector S.Omer 1585 ; proc Torn 1593 ; vic mon Gosnay ; +antiq 4.5.1612

Desmons 86 ; ms Sélignac

2248 NICOLAUS (de) Smet don Gand : +1642

PB Gand

2249 NICOLAUS Smisman °Bruxelles ; prof Sch 11.8.1613 ; +20.8.1624

Wal 7043, 19v ; 7048, 81

2250 NICOLAUS Stadinck cl-r Bg ; Bg 1460

Sch Bg 10 ; Ephem II 478

2251 NICOLAUS Stekerape (de Yperis) cl-r Gand ; +29.1.1441

Wal 4051, 134 ; PB Gand

2252 NICOLAUS Steck(?) don Her ; +1542

PB Her

2253 NICOLAUS Tants °Lov ; Univ Lov ; prof Her 1463 ; +17.1.1477

PB Her ; Lam 22, 66, 78

2254 NICOLAUS Terlinc 1549 Lier

Wal 7044, 69v

2255 NICOLAUS Thorneton (Thornton) prof Sheen 1569 ; vic 1599 ; +26.11.1608 ; aut

Long angl 147, 171, 227, 231, 251

2256 NICOLAUS Tonsor °±1465, Torn ; don Her 1490 ; +6.12.1517 (id 2244)

Lam 92, 130-131

2257 NICOLAUS Varenbeeck (Orenbeke, Varembeke) prof SSM ; P

1532-+16.7.1533

Wal 7043, 34 ; PB SSM ; VG 173 ; Ephem II 499

2258 NICOLAUS Verdebouc (Verdeboet, Vardebout, Vereboust) prof Bg ; +4.4.1424

RAA FK Lier 22 ; PB Bg ; Flandre III 316

2259 NICOLAUS Vinx prof Bg ; 2°prof Li ; +1503

PB Bg

2260 NICOLAUS Vitz (Herlaen) prof Kiel ; proc Sch 1456-1458

Wal 7043, 11v

2261 NICOLAUS Waefelaerts °±1715, Bruxelles ; prof Lier 27.11. 1735 ; vic ; P Zel 1749-1761 ; coa Lier 1780 ; P SSM 1780-1783

RAR 12, 53 ; CR 423 ; MB Zel

2262 NICOLAUS ALBERGATI Liebaert °Josephus-Jacobus, 22.12.1720 Ieper ; prof Bg 19.11.1751 ; sac SSM 1753 ; sac Bg 1758; vic 1759-1761; ailleurs/elders 1771-1779; Bg 1783

RABg Oud KA 291, 292 ; RAR 52 ; CR 139, 354

2263 NICOLAUS ALBERGATI (de) Puyt (Puyd, Puydt) °Henricus, ?.2 1742, Elverdinge ; prof SSM 22.8.1779 ; SSM 1783

CR 423

2264 NORBERTUS (vanden) Bossche prof Lov 1617 ; +1621

PB Lov ; MB 1484 n17

2264a NORBERTUS Simons (Symoens) don Bg a.1667 ; +1682

RABg Oud KA 282, 299 ; PB Bg

2265 OCTAVIANUS (vanden) Bogaerde prof Bg a.1667 ; sac 1674-1675 ; coa 1676 ; proc 1677-1682 ; Lier 1682 ; proc Bg 1683-1690 ; An 1691-1692 ; vic Sheen ±1695 antiq Bg 1706 ; proc 5.8.1716-+ ±15.12.1716

RABg Oud KA 282, 283, 284, 285, 286, 287, 299, 338 ;

PB Bg

2266 OCTAVIANUS (van) Marissen   proc Bg 1649

RAG

2267 ODO (de) Amstel   conv Zel ; +1440

PB Zel

2268 ODULPHUS (Oyte, Ohylecorp) Roq (Rox, Tox)   conv Her ; +20. 5.1409

PB Her ; Lam 19

2269 OLIVERIUS   prof Gand ; +1544

PB Gand

2270 OLIVERIUS Bernaerd (Bernaerdt)   don Bg a.1549 ; +1556

RABg Oud KA 306 ; PB Bg

2271 OLIVERIUS Pistoris   P Kiel 1465-1468

PB Kiel

2272 ONUPHRIUS (du) Bois   prof Her ; vic SSM 1742-1744 ; coa Zel a.1760-+1768

RAR 51, 52 ; PB Zel ; MB Zel

2273 OTTO   prof Kiel ; +5.3.1491

PB Kiel

2274 OTTO Amilii (van Moerdrecht)   °Montfoort ; Univ Paris ; presb sec ; prof Utrecht 6.10.1424 ; P 1428-1433 ; P Bg 1433-+7.3.1438

Wal 7043, 47, 49v, 50 ; PB Bg ; BMHG ; Ephem I 274 ; Sch Bg 42 ; AAU 71, 1952, 114

2275 OTTO (de) Heer (Geer, Dheere, Heere)   prof Bg ; presb 1557; Gand 1564 ; vic Bg 1571-1572 ; +11.11.1573

RABg Déc 257 ; Oud KA 271, 272, 274 ; PB Bg ; Flandre III 353

2276 PAULUS prof SSM ; +SA 1550

PB SSM

2277 PAULUS prof Zel ; Hollandiae 1557 ; +Zel 1562

PB Zel ; Sch BB 18, 101

2278 PAULUS conv Lov ; +Sch 1638 (id 2279 ?)

PB Lov

2279 PAULUS conv Sch ; Lov 1620-1629 (id 2278 ?)

Wal 7048, 17v

2280 PAULUS prof Lov ; +1638 (id 2278 ? ; id 2292 ?)

PB Lov

2281 PAULUS prof Zel ; vic 1621 ; proc 1621 ; proc SA 1626-+1638

Wal 7048, 33v, 118 ; PB SA

2282 PAULUS Aernoud (Aernouds, Arnolphi) prof Bg ; proc 1348-1350 ; P 1350-1352 ; proc 1352-1353 ; P 1354-+1370; vis 1369-+

RABg ch ; Déc 256 ; PB Bg ; RAG ch ; RAA FK Lier 22 ; Sch Bg 25

2283 PAULUS Castel °Rouen ; prof Gr Chartr 25.1.1651 ; P Mont-Dieu -1684 ; P Li 1684-28.10.1689 ; +coa Nancy 12.11.1697

MB 518

2284 PAULUS Coels (Cclz, Cools) don Her ; +17.12.1505

PB Her ; Lam 119

2285 PAULUS Collin (Colins, Collins) prof Li ±1755 ; vic Sheen ±1775 ; 1793 Li ; 1793 Allemagne/Duitsland

A.Ev.Li 1729-94 ; Long angl 229 ; MB 524

2286 PAULUS Coppens °Bruxelles ; conv Sch 28.11.1608 ; +22.10.

1637

Wal 7043, 24

2287 PAULUS (van) Diest (van Tienen, a Thenis) °Diest ; prof Lov 1551 ; vic SA 3.10.1554-1557 ; vic Lov 1557-+1560

Wal 7044, 80 ; PB SA ; RABg Oud KA 324 ; MB 1477 ; d'Ydew 182

2288 PAULUS (vander) Haghen proc Bg 1630 ; proc SA 1633 ; proc Gand 1640

RAG

2289 PAULUS (van) Horne (Hoorn, Horn) prof SSM 1668 ; Bg 1670, 1673 ; vic Sheen 1673, 1675 ; 1679 SSM

RAR 45 ; RABg Oud KA 299, 338 ; Long angl 230

2290 PAULUS (van) Hove °Geel ; prof Lov 1674 ; +1697

PB Lov ; MB 1486 n15

2291 PAULUS Leucks (Leucx) prof Lier ; proc ; +1794 (id 1642?)

PB Kiel

2292 PAULUS Loomans °Lov ; prof Lov 1627/1628 (id 2280 ?)

MB 1485

2293 PAULUS Lupi don Kiel ; +1521

PB Kiel

2294 PAULUS (Rolandus) Merli (Noelg, Noelz) prof Gand ; +Bg 1577/1579

PB Gand

2295 PAULUS Montanus prof Her ; +sac 1559

PB Her

2296 PAULUS (de) Riemere (Reinere) prof Kiel ; +25.7.1534

PB Kiel

2297 PAULUS (vander) Verre (Vere) prof Zierikzee ; 2°prof Hollandiae ; proc ; vic SA 1552-+16.7.1554

PB SA ; d'Ydew 143, 147, 182

2298 PAULUS Walraevens presb sec ; prof Sch 10.1.1689 ; +23.9. 1704

Wal 7043, 20v

2299 PAULUS Wan (Van, Grimberghen ? Yrmberghen ?) don Her ; Bg 1622-1623 ; +Her 1625

RABg Oud KA 279, Acq 461 ; PB Her

2300 PAULUS Willems don Her ; +1731

PB Her

2301 PAULUS (de) Witte prof Gand ; +sac 1686

PB Gand

2302 PAULUS-JUSTINUS (de) Weese (Veese) prof Her ; 1659-1660 sac Lier ; 1660 Her ; +sac 15.9.1677

PB Her ; RABg Oud KA 338

2303 PETRUS 1-r Zel ; +13.2.1487

PB Zel ; BMHG

2304 PETRUS don Zel ; +1505

PB Zel

2305 PETRUS don Zel ; +1525

PB Zel

2306 PETRUS don Lier ; +1550

PB Kiel

2307 PETRUS don SSM ; +1567

PB SSM

2308 PETRUS conv Gand ; +1619

PB Gand

2309 PETRUS don Lier ; +An 1626

PB Kiel

2310 PETRUS Adornes veuf/weduwnaar Elizabeth Braderick ; cl-r Bg 1445 ; +31.7.1464

Wal 7043, 57, 73v ; RAG FK 11/162; RAA FK Lier 22 ; PB Bg ; Ephem II 572, IV 108 ; BMHG(30.7) ; Sch Bg 10 ; Flandre III 332

2311 PETRUS (d') Alvarez d'Olmos °Bruxelles ; prof Sch 3.2.1620 Her 1624 ; SSM 1632 ; demissus ; +21.9.1654 ; aut

Wal 7043, 20 ; 7048, 14v, 80v ; RAR 41 ; MB 1420

2312 PETRUS Aquin prof Dijon ; P Lugny 1431-1438(?) ; proc Gaillon(?), Aillon(?) 1439 ; P Torn 1444 ; P Dijon 1444-1456 ; P Val-Saint-Georges 1456-1457 ; P Apponay 1457-1462 ; P Bourgfontaine 1462-1464 ; +5. 12.1483

Desmons 132

2313 PETRUS Arts prof Zel ; +Bg 1690

PB Bg

2314 PETRUS (van) Assche prof SSM ; Lov 1506 ; cop (id 2401?)

HB 49, 1932, 327

2315 PETRUS Auriga don Lov ; +1622

PB Lov

2316 PETRUS (de) Backere °Petrus-Franciscus ; prof Her ; vic ; +1794

CR 139 ; PB Her

2317 PETRUS Banterius prof SSM ; +1577

PB SSM

2318 PETRUS Beer   don Sch ; +Li 1582

Wal 7043, 19 ; 7044, 156

2319 PETRUS Beerinx (Bierinckx, Betrine)   °Veltem ; presb sec ; prof Her 1488 ; sac ; +vic 28.7.1501 ; cop

Wal 7044, 17v ; PB Her ; MB 1433 ; Lam 90, 111

2320 PETRUS (van) Beernem   prof Bg ; +1419 (id 2330 ?)

VdM Bijl V

2321 PETRUS Beets (Bets)   °Lov ; prof Sch 19.5.1550 ; sac 1559-1559 & 1560-1561 & 1590-1596 ; sr 1596 ; +8.8.1605

Wal 7043, 14v, 17v ; 7047, 43

2322 PETRUS Belleman   don Her ; +1780

PB Her

2323 PETRUS Bergis (Wergis)   vic Zel ; proc ; P Zierikzee ; + Zel 1485

PB Zel

2324 PETRUS Berlemont   °?.6.1756, Dour ; prof Torn 24.6.1781 ; 1783 Torn ; +1804

CR 139 ; Desmons 119, 122

2325 PETRUS Bernaerds (Bernardi)   prof Gand ; vic SA 1522-+5.5. 1525

PB SA ; d'Ydew 136, 187

2326 PETRUS Bernaert (Bernard)   don SSM a.1684 ; +1725

RAR 48, 49 ; PB SSM

2327 PETRUS (van) Biervliet (Bartholomeusz)   prof Gand 1467 ; initiator Kampen 1485 ; vic Zierikzee ±1485 ; Kiel 1490 ; +30.6.1496 ; cop

Wal 4051, 111, 132v, 133 ; PB Gand ; HB 53, 1935, 188

2328 PETRUS Bilcliffe °Yorkshire ; prof Sheen 4.1.1661 ; vic 1668 ; P 1668-+13.2.1693 ; aut

Long angl 191, 199-200, 254

2329 PETRUS Blanckaert (Blanckart, Blanchart, Blankaert) prof SSM ; P 1473-+1497 ; conv. 1497-+

RAR 1(passim)28, 29 ; Wal 7043, 95v ; PB SSM

2330 PETRUS Boemia prof Bg ; +1419 (id 2320 ?)

PB Bg

2331 PETRUS (van den) Borre (de Bora) don SSM a.1661 ; +1669

RAR 44, 45 ; PB SSM ; VG 190

2332 PETRUS (vanden) Bossche (Busco) prof Bg ; +13.1.1453

PB Bg ; Flandre III 304

2333 PETRUS Brassart °Ath ; prof Her a.1416 ; cop

MB 1433 ; Lam 21

2334 PETRUS Bravator don SSM ; +1504

PB SSM

2335 PETRUS Brigham prof Sheen ; +Bg 30.1.1679

Long angl 236 ; RABg Oud KA 283, 301 ; PB Bg

2336 PETRUS (de) Brune prof Gand ; +21.10.1497

Wal 4051, 132v ; PB Gand

2337 PETRUS Bruniers +nov don Her 8.1.1671

PB Her

2338 PETRUS Caelweyt (Caelwyck) don Sch ; +10.4.1527/1529

Wal 7043, 19 ; 7044, 22v

2339 PETRUS Canet don Bg ; +1503

PB Bg

2340 PETRUS (de) Casleto prof SSM ; initiator Sch 1456 ; 1462 SSM ; +1472

Wal 7043, 72v ; MB 1399

2341 PETRUS (de) Casleto Univ Lov ; prof Sch 30.6.1475 (id 2442 ?, 2343 ?)

Wal 7043, 16, 90

2342 PETRUS Coelwey °p : Petrus Coelewys, m : Bertelina, Damme; initiator Gand 1328

Wal 4051, 131 ; RAG ch 43 ; RAG

2343 PETRUS Comperis de Casseleto prof Sch 1511 ; +18.10.1511 (id 2341 ?)

Wal 7043, 17 ; PB Sch

2344 PETRUS Constable °nob ; prof Sheen 1661 ; vic ; +13.3.1670

Long angl 230, 235

2345 PETRUS Cottel prof Lier ; vic SA 1663-1667 ; vic Sch 1667-1669 ; +vic Lier 1680

Wal 7043, 11 ; PB SA ; d'Ydew 222, 295

2346 PETRUS Coz (Loz) don Lov ; +1668

PB Lov

2347 PETRUS Cuesel (Kuesel) °Ninove ; don Sch 1520 ; +22.11. 1537/27.8.1536

Wal 7043, 19 ; 7044, 46v

2348 PETRUS (de) Cuser Gand 1554 (id 2349 ?)

RAG

2349 PETRUS Custodis prof Gand ; +Trier 1580 (id 2348 ?)

PB Gand

2350 PETRUS (de) Cuyper °Bruxelles ; prof Sch 6.9.1718 ; sac 12.6.1726-3.6.1738 ; proc 3.6.1738-+7.1.1742

Wal 7043, 14, 15, 20v ; MB 1423

2351 PETRUS Daems °1590, An ; prof Lier 22.2.1614 ; Gr Chartr ; vic Val-Saint-Hugues ; P Her 1625-1629 ; P Zel 1629 -1632 ; P Ripaille 1632-1640 ; P An 1640-+13.7.1653 aut

Wal 7048, 95v ; PB Zel ; Lam 15, 188 ; MB Zel ; MB 1449

2352 PETRUS Daens prof Bg ; +diac 2.5.?

RAA FK Lier 22

2353 PETRUS Danes (?) don Gand ; +1560

PB Gand

2354 PETRUS Dereck °31.7.1707, Quesnoy ; prof Torn 8.9.1727 ; vic S.Omer ; coa mon Gosnay ; proc ; vic; +Torn 29.2.1776

Desmons 152

2355 PETRUS Dethier °Lambertus ; prof Li ; presb 14.2.1761 ; 1793 Li ; apostata

A.Ev.Li 1729-94 ; MB 525

2356 PETRUS Diest don Zel ; +1500

PB Zel

2357 PETRUS Dolman prof Sheen 1622 ; sac 1626 ; proc 1648-1669; Bg 1669 ; +14.12.1671

Long angl 192-196, app XIV ; RABg Oud KA 282 ; PB Sheen

2358 PETRUS Domel don SSM ; +1563

PB SSM

2359 PETRUS Donc don Sch ; +9.9.1528

Wal 7043, 19

2360 PETRUS Dorlant °1454, Diest ; prof Zel ; +25.8.1507 ; aut

Wal 7043, 133 ss ; PB Zel ; OGE 9, 1935, 190-197 ; OGE

26, 1952, 281-300 ; Sch LN 26 ; Dictionnaire de Spiritualité Catholique III, 1646-1651

2361 PETRUS (vanden) Dyck   don Bg 1557 ; Bg 1583

RABg Oud KA 272, 276

2362 PETRUS (van) Dyck   don Lier ; +1683

PB Kiel

2363 PETRUS Eeckaert   °Bruxelles ; prof Sch 7.2.1492 ; +20.11.1507

Wal 7043, 16, 112v, 134v

2364 PETRUS Enghelbos   don Zel ; +1693

PB Zel

2365 PETRUS Esche   vic Torn ; P 1444, 1448(?), 1450(?) ; +13.4.? Gosnay

Desmons 133 ; MB 185

2366 PETRUS Eyckermans   °Zichem ; prof Zel ; rector 1600-1601 ; coa 1601 ; proc 1609-+1614

PB Zel ; MB Zel ; Lam 220

2367 PETRUS (van) Eynatten   °Lov ; prof Lov 1693 ; proc 1705 ; P 1712-1718 ; +coa 1727

MB 1488

2368 PETRUS Famensone (Franczone)   prof Bg ; proc ; P 1423-1426 (?) ; +2.7.1427

RAA FK Lier 22 ; PB Bg ; Flandre III 328 ; Sch Bg 40

2369 PETRUS Ferrin   prof Torn ; rector Gosnay 1566-1567 ; proc Torn ; rector 1567 ; P ?-1573 ; proc Valenciennes; vic Val-Saint-Pierre 1574 ; S.Omer 1575 ; +Torn 13.12.1579

Desmons 87, 138

2370 PETRUS Fremondt   don Bg 1582,1583

RABg Oud KA 276

2371 PETRUS Geersone (Gersoowe) prof Bg 1701 ; proc 1720-+31.3. 1735

RABg Oud KA 286, 287, 288, 289, 300 ; RAG ; PB Bg ; Flandre III 316

2372 PETRUS (de) Goes prof Zel ; +29.1.1491

PB Zel ; MBHG

2373 PETRUS Gonslin (Geusbeneum, Gonsbincum) prof Zel ; 1574 Astheim(?) ; demissus

Wal 7044, 135v ; PB Zel

2374 PETRUS Gramman prof Gand XIV°s

Wal 4051, 131

2375 PETRUS (vander) Haghen (de Dumo) °p : Joannes ; prof Gand 1481 ; +1.3.1490 ; aut

Wal 4051, 130v, 132v ; Wal 7043, 111v ; PB Gand ; Ephem I 245

2376 PETRUS (de la) Haye °Lille ; prof Lov 1609 ; +1652

PB Lov ; MB 1482 n11

2377 PETRUS Hebberecht (Elbrecht, Ebberecht) prof SSM ±1669 ; Lier 1677-1679 ; sac 1679-1683 ; proc 1685-1687 ; +antiq 1696

RAR 45, 46, 48, 49 ; PB SSM ; RABg Oud KA 338

2378 PETRUS Herber (Herbet) don Gand ; +1558

PB Gand

2379 PETRUS Hertz don Her ; +Bg 1680

RABg Oud KA 284 ; PB Bg

2380 PETRUS (van) Hysene (Heynsene) °Axel ; prof Gand 1479 ; +1510 ; aut

Wal 4051, 129, 132v, 133v ; BRB 8579(301) ; PB Gand ; Sch LN 38

2381 PETRUS Hispanus 1574 Utrecht ; 1574 Her ; Espagne/Spanje

Wal 7044, 135v

2382 PETRUS (van) Horenbeeck °Merchtem ; prof Lov 1566 ; proc 1576, 1580 ; rector Kampen 1581 ; +Köln 23.11.1581

PB Lov ; MB 1479 ; AAU 62, 1938, 216

2383 PETRUS Hughe (Hugo) conv Kiel ; +1514

PB Kiel

2384 PETRUS Jacobi (Pancraes) prof Lov 1508 ; +1522

PB Lov ; MB 1473

2385 PETRUS (de) Jeneffe prof Li ; presb 1558

MB 510

2386 PETRUS Kan prof Zel ; +1546

PB Zel

2387 PETRUS (de) Laer prof SA ; +1446

PB Bg

2388 PETRUS (van) Laethem °p : Gualterus, m : Catharina van Leenheer, Lennik ; don Sch 4.11.1689 ; +30.12.1738

Wal 7043, 24v ; PB Sch

2389 PETRUS Lamberti °An ; prof Lov 1604 ; proc SA 1608 ; proc SSM 1610 ; Lov 1610 ; vic Gand ; proc Her 1621 ; proc Lier 1622-1623 ; vic Zel 1623-1624 ; 1624 Lov; +1658

Wal 7047, 113, 113v ; 7048, 66, 66v, 80v ; PB Lov ; MB 1482 ; Lam 14, 220, 222-223

2390 PETRUS Langhedule prof Gand a.1655 ; vic Bg 1669-1673 ; +vic Gand 1684

RAG K 10 ; RABg Oud KA 282

2391 PETRUS (de) Lantremange prof Li ; +25.10.1621

MB 515 n6

2392 PETRUS Leeuwis (Leeuwensis) °'s Gravenhage ; prof Sch 26.12.1574 ; 1578 Her

Wal 7043, 18 ; Lam 214

2393 PETRUS (de) Leon °Salamanca ; prof Miraflores ; 1585 Torn; 1586 Sch ; 1586 Lov ; Gand +1587-+1589 ; 1591 proc gen Sch ; P Sch 1596-1597 ; P Sch 1601-1605 ; +3.8.1605

Wal 7043, 19v ; 7047, 50, 44v ; Long angl 174 ; MB 1410 1413, 1414 ; Goethals III 117

2394 PETRUS (de) Liège prof Li ; proc ; +20.12.1521

MB 508 n14

2395 PETRUS Limon °1579, Hotton ; prof Li ; sac ; +4.12.1613

MB 514 n16

2396 PETRUS (de) Lintris prof Li 1455 ; vic ; +sr 3.11.1507

MB 507 n16

2397 PETRUS Loncin prof Li ; P 1706-+1740 ; conv. 1715-+

RAG ; MB 522

2398 PETRUS (van) Loven prof Sch ; Sch 1556

Wal 7044, 83 ; MB 1406

2399 PETRUS Maelcamp prof Gand +1546 ; +1574

RAG ; RAG B 1439 ; B 1327(99v) ; B 1288(187v) ; PB Gand

2400 PETRUS Maes don Lier ; +1666

PB Kiel

2401 PETRUS Magni prof SSM ; +1521 (id 2314 ?)

PB SSM

2402 PETRUS Mallants prof Bg ; presb ±1661 ; +2.12.1676 ; aut

RABg Oud KA 281, 282, 283, 301 ; RAA FK Lier 22 ; PB Bg ; Sch LN 35

2403 PETRUS Mangelschots don Zel ; +1705

PB Zel

2404 PETRUS Martini (Apothecarii, de Amsterdam) °Amsterdam ; prof Lov 1506 ; 1518 apostata ; vite de retour et hospes ailleurs/vlug terug en hospes elders ; +sr Lov 1557

PB Lov ; MB 1472

2404a PETRUS Masillon prof Li ; diac 21.2.1652

A.Ev.Li 1642-1652

2405 PETRUS (de) Mechlinia don Kiel ; +1524

PB Kiel

2406 PETRUS (de) Merica °p : Adrianus, m : Elizabeth van Kerbeke, Lov ; prof Lov 1541 ; vic 21.11.1558-1560 ; P 1560-+29.9.1579 (Li)

Wal 7044, 148v ; Long angl 148-155 ; PB Lov ; MB 1476

2407 PETRUS Mertens (Martini) °Beisberge ; prof Sch 18.10.1534; proc ±1542-1550 ; P ±18.10.1550-+16.12.1559

Wal 7043, 11v, 17 ; 7044, 38v, 72v, 83, 92 ; MB 1406

2408 PETRUS Michiels (Michaelis) prof SSM ; proc 1610(?) ; sac 1630-1632 ; vic 1632-+1637

RAR 40, 41 ; BRB 3855(185) ; PB SSM ; VG 186

2409 PETRUS (de) Mort (Mont, Munt, More, Morc) don Gand a.1487; +1519

Wal 4051, 133v ; RAG ; RAG B 1288(52) ; PB Gand

2410 PETRUS Mus prof Bg a.1749 ; sac 1752-1757 ; +1568

RABg Oud KA 290, 291, 292 ; PB Bg

2411 PETRUS (de) Muynck °p : Carolus, dr med., m : Francisca vande Velde, 28.3.1701, Sint-Martens-Lierde ; prof SSM 11.1.1723 ; presb 1725 ; +coa 1750

RAR 15, 50, 52 ; PB SSM ; VG 200

2412 PETRUS Naghel °p : Egidius, m : Elizabeth, Aalst ; presb sec 1343 ; prof Her ; P Kiel 1365 ; P Her ±1366/1369, 1373 ; +Her 1.5.1395 (frère de/broer van 1276)

Lam 13, 20, 31, 34, 182, 229 ; MB 1437

2413 PETRUS Naveghier °Bg ; presb sec ; proc Bg 1322-1326, 1328-1331 ; +1341

RABg ch ; VdM Bijl V

2414 PETRUS (de) Ompoerte don Gand ; XV°s

Wal 4051, 133v

2415 PETRUS Oosterlinx (Oosterlinck) prof Her ; +20.12.1693

PB Her

2416 PETRUS Orlemans prof Her ±10.1.1711 ; diac 18.10.1714 ; vic ; vic SA 30.12.1741-16.6.1756 ; P Gand 1756-+?.10.1760

RAG ; PB Her ; d'Ydew 295

2417 PETRUS Paternotte °Antoing ; prof Torn 1705 ; +6.9.1714

Desmons 95

2418 PETRUS Pennington °Joannes ; don Sheen 8.9.1744 ; +11.8.1749

Long angl 240

2419 PETRUS Peys don Zel ; +1670

PB Zel

2420 PETRUS (le) Ploige (Plaige)   don Her ; +1666

PB Her

2421 PETRUS Praet   prof Lier ; +1763

PB Kiel

2422 PETRUS (van) Prusschen (Prucia, Prussia)   prof Li ; P Gand +1380-+1385 ; P Her 1385-+2.8.1388 ; rector SSM 1386-+

Wal 4051, 131 ; BMHG ; MB 1438

2423 PETRUS Puyt   don Gand ; +1529

PB Gand

2424 PETRUS (de) Ribrassüs (?) 5Ryckassus)   prof Gand ; +1526

PB Gand

2425 PETRUS (du) Riewechon   nov Li +1389/1403

MB 501 n14

2426 PETRUS Robin   conv Her ; +1616

PB Her

2427 PETRUS Rolincx (Rolijncx, Roghijns, Roelgijs)   prof Bg + 1569 ; sac 1584-1585 ; Gand 1589-1591 ; sac Bg 1592-1614 ; sr 1615-+1623

RABG ch ; Oud KA 274, 275, 277, 279 ; Déc 257 ; PB Bg

2428 PETRUS (van) Roosenbroeck   °?.6.1751 ; Lier 1783

CR 139

2429 PETRUS Rughe (van) Hoorne (Ruughe, Ruuch, Hooern, Hooren, de Hollandia)   °+1484 ; prof Bg 1512 ; vic 1540-1543 ; P 1544-1554 ; vic 1554-+10.11.1555

RABg Déc 257 ; ch ; Oud KA 271, 298 ; RAA FK Lier 22 ; PB Bg ; Ephem IV, 108 ; Sch Bg 60

2430 PETRUS Sanders prof Gand ; +sac 1530

PB Gand

2431 PETRUS Sartoris prof Gand ; XIV-XV°s

Wal 4051, 131v

2432 PETRUS Scherpenisse prof S.Sofie ; presb 20.3.1518 ; P 1530-1537 ; P Li 1537-1539 ; P Delft 1539-1548 ; P Lier 16.1.1549-+21.7.1558 ; conv. 1544-1551 ; vis 1551-+

Wal 7044, 69v, 87 ; PB BD ; MB 509 ; Ephem II 519

2433 PETRUS Sicheran (Siceram) °Bruxelles ; prof Sch 11.3.1500; sac-+12.3.1509

Wal 7043, 14v, 16v, 121v

2434 PETRUS Simoens (Simonis) don Gand a.1639 ; +1652

RAG ; PB Gand

2435 PETRUS (de) Slovone (?) (Schene) don Lier ; +1579

PB Kiel

2436 PETRUS Spitaels (Spithahon) prof SSM ; Lov ±1566-1572 ; +SSM 1593

RAR 54 ; PB SSM

2437 PETRUS Terwecoren °Grimbergen ; don Sch 22.9.1646 ; +2.12. 1665

Wal 7043, 24

2438 PETRUS (de) Thimo (Thymo) °Bruxelles ; presb sec ; prof Sch 15.4.1478 ; +14.10.1504

Wal 7043, 16, 91 ; PB Sch

2439 PETRUS (Joannes) (van) Torhout/Turnhout prof Bg a.1411 ; +10.7.1427

PB Bg ; Flandre III 330

2440 PETRUS (de) Tournai relig ; prof Torn p.1390 ; +1397

Desmons 145

2441 PETRUS (van) Tricht P Zel 1425

PB Zel

2442 PETRUS Vasseur (Vassor, Fassur, Fasseur, Vassorius, Vassorus) (van) Cassele (de Casleto) Univ Lov ; prof Gand 23.9.1486 ; proc 1496 ; P 1497-+7.8.1538 ; conv. 1506-1508 ; vis 1508-1513 & 1527-1531 (id 2341 ?)

RAG ch 236, 251 ; RAG ; Wal 7043, 3, 125, 126 ; 7044, 91 ; Wal 4051, 132, 133v ; BRB 8579(301-302) ; Ephem III 24 ; BB 18, 85 ; NBW VI, 956-957

2443 PETRUS (vande) Velde don SSM ; +1545

PB SSM

2444 PETRUS Verbeeck cl-r Lier ; +1616

PB Kiel

2445 PETRUS (van) Vermons prof An ; +sac 1710

PB BD

2446 PETRUS Vernoort (Verovertuis, Vernotius) prof Lier ; sac Bg 1621-1632 ; An ; +Lier 1639

RABg Oud KA 279, Acq 461 ; PB Kiel

2447 PETRUS (van) Veurne (de Furnis) initiator SSM ; sac ; +1360

PB SSM ; VG 153

2448 PETRUS (de) Vineto prof Li ; vic ; proc ; sac ; +16.3.1518

MB 508 n4

2449 PETRUS Vinne (Zinne) don Lov ; +1651

PB Lov

2450 PETRUS (de) Wadere (Waddereck) don Lov ; +1622

PB Lov

2451 PETRUS (de) Wahel (Wael) don Bg ; +1558

PB Bg

2452 PETRUS (de) Wal (Wallius) °p : nob, 12.8.1587, Gand ; prof Sch 2.10.1607 ; presb 1611 ; +31.5.1648 ; aut

Wal 7043, 19v ; 7044, 172v ; 7047, 39, 123v ; MB 1392, 1415 ; Goethals IV 70-77 ; Sch LN 39

2453 PETRUS Wallet °1700, Dammeries ; prof Torn 12.3.1740

Desmons 122

2454 PETRUS Wams don SSM ; demissus 1534

PB SSM

2455 PETRUS Waulez conv Torn ; 1783 Torn ; +10.10.1791

CR 139

2456 PETRUS Weine prof SSM ; +1473

PB SSM

2457 PETRUS (van) Wettre prof Gand a.1554 ; +1560

RAG ; PB Gand

2458 PETRUS Weytens °Aalst ; prof Sch 17.6.1511 ; vic 1538-1549 sac 1549-1549 ; SA 1.11.1549-+1565

Wal 7043, 8v, 14v, 17, 141 ; 7044, 49, 70, 93, 105v

2459 PETRUS Willems don Her ; +1738

PB Her

2460 PETRUS Willems don An ; +1775

PB BD

2461 PETRUS (de) Winter (hiemis) prof SSM ; vic ; proc ; P 1498

-1499 ; +1523

RAR 1(190v, 277) ; PB SSM ; VG 169

2462 PETRUS Wouwermans °Paulus, p : Philippus, peintre/schilder, ±1666, Haarlem ; prof An ; vic Bg 1688-1693 ; vic Her 1693-1695 ; Lov 1695-1712(?) ; P An 1712-+1730

RABg Oud KA 284, 285 ; PB BD ; PB Kiel ; BB 18, 25

2463 PETRUS (de) Zeelandia (de Puteo) 1529 Bg ; +24.4.1531(?)

RABg Déc 257 ; Flandre III 319 ; VdM Bijl V

2464 PETRUS-ANTONIUS (van) Heusden °?.5.1738 ; prof Lov ; 1783 Lov

CR 139

2465 PETRUS-ANTONIUS Pecquius °p : Petrus, chancelier/kanselier Brabant, m : Barbara Boonen ; presb sec ; prof Her 1632 ; vic Sch 1642-1645 ; P Zel 1652-1654 ; P Her 1654-1658 ; P Valenciennes 1658-1663 ; P An 1663-1666 ; P Lier 1666-+19.12.1679 ; conv. Picardiae 1658-1664 ; vis Teutoniae

Wal 7043, 11 ; RABg ch ; PB Zel ; PB Kiel ; MB Zel ; MB 1450 ; Ephem IV 544

2466 PETRUS-EMMANUEL (van) Acker °?.7.1743 ; 1783 Lov

CR 139

2467 PETRUS-FRANCISCUS (de) Backere prof Her ; 1783 Her

CR 139

2468 PETRUS-FRANCISCUS Drieghe °1754, Kalken ; prof Gand 16.5.1778 ; 1783 Gand ; 1790-1792 Gand

RAG ; CR 391

2469 PETRUS-JOSEPHUS Corrier °?.3.1734 ; conv Torn ; 1783 Torn

CR 139

2470 PETRUS-ROBERTUS (van) Eyndhoven °?.7.1750, 's Hertogenbosch ; prof Sch 1.10.1772 ; 1783 Sch

Wal 7043, 21 ; CR 139 ; MB 1425

2471 PHILIBERTUS Cooman °Mechelen ; prof Sch 8.9.1569 ; sac 1569-1574 ; proc 1575-+1580 ; rector Li 1585-1586 ; P 1586-1592 ; vic Sch 1596 ; P Bg 1597-+9.6.1602 (frère de/broer van 737)

Wal 7043, 12, 14v, 18 ; 7044, 120 ; 7047, 43, 44, 67 ; RABg Oud KA 277, 278 ; RAA FK Lier 22 ; RAG ; PB Bg ; MB 512

2472 PHILIPPUS don Kiel ; +1523

PB Kiel

2473 PHILIPPUS don Zel ; +1549

PB Zel

2474 PHILIPPUS (d') Audenarde °+1534 ; prof Torn 1554 ; proc 1581 ; rector 1585(?)-1589 ; vic 1589 ; +5.9.1614

Desmons 139 ; MB 486

2475 PHILIPPUS (de) Bavelaer °Dunkerque ; prof Sch 7.3.1650 ; +25.3.1684

Wal 7043, 20

2476 PHILIPPUS Béharel °10.4.1612, Béthune ; prof Torn 14.10. 1634 ; initiator Lille 1641 ; sac ; proc 1644 ; rector Douai 1661 ; P 1673-+15.8.1676

Desmons 149

2477 PHILIPPUS (van) Belle prof Lov 1588 ; proc ; rector Li 1596-1597 ; P Li 1597-1597 ; SSM 1598 ; vic Her 1598 ; +Lov 29.9.1629 ; aut

Wal 7047, 44v, 50v ; PB Lov ; MB 513 ; MB 1464

2478 PHILIPPUS Belphier prof S.Omer ; Lov 1615-1619

RABg Acq 461 ; Wal 7047, 140v

2479 PHILIPPUS (van) Bilsen prof Li ; vic ; +10.11.1471 ; cop

MB 505 n10

2480 PHILIPPUS Borzemans(?) don Her ; +1670

PB Her

2481 PHILIPPUS (vander) Buerse (de Bursa) °nob, Bg ; prof Gand a.1412 ; P Gosnay 1452-1457 ; P Valenciennes ; + Gand 9.10.1461

Wal 4051, 127v, 131v ; RAG ch 6/9 ; PB Gand ; Ephem III 523

2482 PHILIPPUS Buisset °Mechelen ; prof Lov 1609 ; proc Zel ±1612-1621; vic 1621-1623; vic Lier 1623-+1626

Wal 7048, 33v, 66v ; PB Kiel ; MB Zel ; MB 1482

2483 PHILIPPUS Colpaert cl-r Bg ; proc 1362

VdM Bijl V

2484 PHILIPPUS (de) Croock proc Bg 1574-1579

RABg Oud KA 271, 275 ; Déc 257

2485 PHILIPPUS (vander) Elst °Bruxelles ; prof Sch 19.11.1700 ; Sch 1729

Wal 7043, 20v ; MB 1423

2486 PHILIPPUS Feys prof Bg ; +1528

PB Bg

2487 PHILIPPUS (du) Gardin prof Valenciennes ; proc ; P Torn 1589-1591 ; +vic Valenciennes 16.11.1594

Desmons 139

2488 PHILIPPUS Himsen (Hiniser) prof Bg ; sac 1728-1743 ; vic 20.1.1745-+23.12.1746

RABg Oud KA 187, 288, 289, 290 ; PB Bg ; Flandre III 360

2489 PHILIPPUS (de) Hucquelier °22.10.1563, Arras ; prof Valenciennes 1588 ; P Torn 1591-1599(?) ; vic mon Gosnay 1624 ; proc S.Omer ; vic Valenciennes ; rector ; P ; +antiq 1.11.1649

Desmons 86, 139 ; MB 486

2490 PHILIPPUS Huenus °Lov ; OSCr ; prof Lov 1546/1547 ; ±1560 redevient/opnieuw OSCr

Wal 7044, 85, 101v ; MB 1477

2491 PHILIPPUS Jacob prof An ; +sac 1647

PB BD

2492 PHILIPPUS Joly °An ; prof An ±1702 ; P Lov 1718-1718 ; P Bg 1718-±23.9.1727

RABg Oud KA 287, 288 ; PB Bg ; Flandre III 342 ; MB 1489

2493 PHILIPPUS (vande) Keere prof Bg ; +13.6.1528

PB Bg ; Flandre III 326

2494 PHILIPPUS (de) Larres Gand 1545, 1554

RAG ; RAG B 1327(51)

2495 PHILIPPUS (vander) Noot °m : Angela vander Heyden ; prof Sch 12.11.1510 ; sac 1516-1516 ; +11.11.1557

Wal 7043, 14v, 17, 139, 141 ; 7044, 21v, 83, 86v ; MB 1403 n12, 1406

2496 PHILIPPUS Romsee P Li 1767-28.10.1786 ; coa +19.4.1797

MB 523, 525

2497 PHILIPPUS (de) Scheure prof Zel ; +1732

PB Zel

2498 PHILIPPUS (van) Steyn don Li 15.2.1542

MB 510

2499 PHILIPPUS (van) Themzeke Bg ±1450 (id 2500 ?)

VdM Bijl V

2500 PHILIPPUS (de) Tornisch (Thecimsche, Chamseler, Themseke) prof Kiel ; +17.7.1484 (id 2499 ?)

PB Kiel

2501 PHILIPPUS (Stephanus) Uten °Köln ; prof Li ; P Lov 1694-1699 ; +Li 1703

PB Lov ; MB 1487-1488

2502 PHILIPPUS Verdehaut (Verdebouth) prof Gand a.1598 ; sr 1606-+1611

Wal 7047, 92 ; RAG ; PB Gand

2503 PHILIPPUS Vilain °Bruxelles ; prof Sch 10.7.1514 ; sac 1535-1545 ; +1.9.1546

Wal 7043, 14v, 17, 141, 146 ; 7044, 67

2504 PHILIPPUS Volbrecht °Livinus, ±1754, Gand ; prof Gand 8.12.1778 ; 1783 Gand ; 1790-1792 Gand

RAG ; Cr 391

2505 PHILIPPUS Zierikzee prof Kiel ; +16.9.1498

PB Kiel

2506 PONSARDUS prof Mont-Dieu ; P Li 1374/1377 ; +28.2.1411

MB 500

2507 PROCOPIUS (Judocus) de Grove °1688, Bg ; don Bg 1712 ; SA 1713-+24.4.1750

RABg Oud KA 286, 287, 328 ; d'Ydew 316

2508 QUINTINUS don Zel ; +1580

Wal 7044, 149v

2509 QUINTINUS Buydens (Badins, Badinus, Budins) prof SSM ; P 1567-1569 ; vic 1572 ; rector 1572-1573 ; P 1573-+17.

12.1574

Wal 7044, 119, 137 ; RAR 9, 13

2510 RABBADO Arens prof Gand ; +25.4.1467 ; cop

Wal 4051, 126, 131v ; PB Gand ; Ephem II 298

2511 RADULPHUS OSB ; prof Li 1389/1403

MB 501 n14

2512 RADULPHUS Brokes (Brooks) prof Sheen a.1579 ; vic ; +20.9.1621

Long angl 147, 227, 233

2513 RASO (vanden) Borre (de Fonte) °Moerbeke ; Univ Lov ; prof Her 1506 ; presb 1508 ; vic ; +21.9.?

Lam 132-3

2514 RASO Flobeke °nob, marié/gehuwd Margaretha van Hove ; conv Her ±1390 ; +24.10.1408

Lam 21, 40

2515 RASO Wiel (Keyser) °Joannes, 1426 ; Aalst, marié/gehuwd(?) presb sec(?) ; +1440 prof Her ; +7.9.1459 ; cop

PB Her ; Lam 22, 62 ; MB 1433

2516 REMBOLDUS Boem prof Zel a.1441 ; +1446

PB Zel

2517 REMBOLDUS Reppelaere prof Gand ; +30.11(?)1457 ; cop

Wal 4051, 126v, 131v ; PB Gand ; Ephem I 366

2518 REINALDUS prof Bg ; +1380

PB Bg

2519 REYNERIUS prof SSM ; proc 1454, 1455 ; +vic 1467

RAR 1(64, 185v) ; PB SSM

2520 REYNERIUS Abeneron prof Arnhem/S.Sofie ; Lier 1605-+1610

Wal 7047, 73v ; PB Kiel

2521 REYNERIUS (de) Bergis (Brugis) +vic Zel 22.8.1474

PB Zel ; BMHG

2522 REYNERIUS Bossuyt don Sch ; +15.1.1542

Wal 7043, 19 ; 7044, 57

2523 REYNERIUS Broomans °Bruxelles ; don Sch ; +1572

Wal 7043, 19 ; 7044, 126

2524 REYNERIUS (Renerus) Claes prof Lov ; +sac 1781

PB Lov

2525 REYNERIUS (Renerius) (van) Essche °'s Hertogenbosch ; prof Lov 1631 ; sac ; vic ; vic Her 1661-1664 ; Lier ; P Lov 1677-1680 ; +1682

PB Lov ; RABg Oud KA 338 ; MB 1487

2526 REYNERIUS (Renerus) Thorhicus (Toriheus) prof Zel ; +1535

PB Zel

2527 RICHARDUS Baker (Backerus) prof Sheen ; +10.11.1617/1618/ 1623

Long angl 233 ; RABg Acq 461

2528 RICHARDUS (van) Buren P Kiel 1345, 1351

PB Kiel

2529 RICHARDUS Croftes prof Coventry ; vic Hollandiae ; +29.8. 1556

Long angl 232

2530 RICHARDUS (le) Penant (Pinnant) °Cambron ; don Her 1461 ; conv 1467 ; +5.12.1503

Wal 7043, 129 ; PB Her ; Lam 90, 112, 113, 125

2531 RICHARDUS (de) Vaulx (Delvaulx)   presb sec ; prof Li 2.7. 1587 ; vic 1592 ; +Roermond 1593

Wal 7044, 172v ; 7044, 12

2532 RICHARDUS Volbrecht   prof Gand ; +5.8.1471

Wal 4051, 127, 132 ; Wal 7043, 83v ; PB Gand ; Ephem III 185

2533 ROBERTUS   relig ; prof Bg ±1324 ; +1.10.?

Sch Bg 21 ; Flandre III 344

2534 ROBERTUS   1-r Zel ; +1514

PB Zel

2535 ROBERTUS   don Lov ; +1547

PB Lov

2536 ROBERTUS Abell   prof Coventry ; +Bg 24.9.1559

Long angl 130 ; PB Sheen

2537 ROBERTUS (van) Belle   °Binche ; prof Her 1577 ; proc ; vic; rector 1609-1610 ; P 1610-1614 ; vic 1619-+9.3.1634

Lam 187, 219 ; MB 1448

2538 ROBERTUS (vanden) Berghe   prof An ; +vic 1710

PB BD

2539 ROBERTUS (de) Bray   prof Val-Saint-Pierre ; P Her 1318-1322 (?) ; P Gosnay 1322, 1323 ; +17.2.?

Lam 12, 23, 24, 182 ; MB 1435

2540 ROBERTUS Brechstein (Brechtstein, Breesuin, Breecsien) de Angia   prof Kiel ; +19.3.1462

PB Kiel ; BMHG ; Bijdr. Gesch. 23, 1932, 140-141

2541 ROBERTUS Clarke (Graine)   presb sec ; prof Sheen ±1631 ; Bg 1669 ; +31.12.1675 (id 2542 ?)

Long angl 230; RABg Oud KA 282,299; Bielorf 63,1962, 321-334

2542 ROBERTUS (de) Clerck SSM 1661-1664 (id 2541 ?)

RAR 44, 45

2543 ROBERTUS (de) Cock don Gand a.1727 ; +1748

RAG ; PB Gand

2544 ROBERTUS Dalton vic Sheen 1626 ; +26.11.1636

Long angl 227, 234

2545 ROBERTUS Darbysher presb sec ; prof Sheen 1593 ; P 24.7. 1596-1611 ; +4.10.1612

Long angl 167-172 ; Ephem III 473

2546 ROBERTUS Dominiche (Dominicle, Domicellus) prof Bg ±1575 ; +10.6.1577

PB Bg ; Flandre III 325

2547 ROBERTUS (van) Doornik (de Tornaco) prof Kiel ; +1501 ; cop (frère de/broer van 110)

PB Kiel ; Lam 118

2548 ROBERTUS (de la) Fosse prof Her ; +1647

PB Kiel

2549 ROBERTUS (van) Gent (de Ganda, Descondes, de Scorides) P Her 1398, 1400, 1402 ; +1442

PB Her ; Lam 39, 183 ; MB 1439

2550 ROBERTUS (van) Halle prof Lier ; +vic S.Sofie 1639

PB BD ; PB Kiel

2551 ROBERTUS (van) Hamme initiator Gand ; Gand 1329

Wal 4051, 131 ; RAG

2552 ROBERTUS Holden (Olden) conv Sheen 1573 ; proc ; +14.4. 1622

Long angl 230, 239 ; RABg Acq 461

2553 ROBERTUS (de) Lone (van Lummen) prof Kiel ; vic(?) ; +antiq 15.7.1461

PB Kiel ; BMHG ; Bijdr. Gesch. 23, 1932, 140-141

2554 ROBERTUS Mallory °nob ; prof Sheen ; vic 1611 ; P 1611-+31.3.1620

Long angl 172-175 ; Ephem I 416

2555 ROBERTUS Marshall prof Sheen ; Bg 1556-+10.9.1572

Long angl 124, 231

2556 ROBERTUS Persons vic Sheen ±1620

Long catalogus vicariorum

2557 ROBERTUS (de) Rike Bg 1411

VdM Bijl V

2558 ROBERTUS Roberts prof Sheen ; +subd 17.3.1693

RABg Oud KA 285 ; Long angl 236

2559 ROBERTUS Rookwood prof Sheen ±1650 ; presb 1653 ; vic 1654 demissus

Long angl 227, 235

2560 ROBERTUS Shepley conv Sheen 1573 ; +1.8.1622

Long angl 126

2561 ROBERTUS Shirley (Shepley) conv Sheen ; Bg 1556 ; +1558

Long angl 124

2562 ROBERTUS Thyrlby prof Sheen ; Bg 1556 ; +11.8.1557

Long angl 124

2563 ROBERTUS Willasie prof Sheen ; +14.12.1693

Long angl 236

2564 ROGERUS (de) Busco prof Bg ; +1534

PB Bg

2565 ROGERUS (van) Niemare (Nemore) prof Bg ; +19.10a.1553

Flandre III 348 ; VdM Bijl V

2566 ROGERUS Thompson (Touson) prof Bg 1566 ; vic Sheen 1571, 1578 ; P Sheen 1582-+20.10.1582

Long angl 147, 160 ; RABg Oud KA 273

2567 ROLANDUS don Lov ; +1577

PB Lov

2568 ROLANDUS (van) Gent Bg 1465

VdM Bijl V

2569 ROLANDUS Heyssam prof SSM a.1418 ; +1477

RAG, F. Ghellinck 31 ; PB SSM

2570 ROLANDUS (de) Lintris don Li ; +1424

MB 502 n12

ROLANDUS Merli 2294

2571 ROLANDUS Patin °p : Egidius, m : Josina de Halewijn, nob ; prof Gand 1477 ; +13.4.1495

Wal 4051, 132v, 133v ; PB Gand

2572 RUMOLDUS prof Her ; +24.9.a.1390

Lam 18

2573 RUMOLDUS Boom (Booms) après + épouse/na + echtgenote prof (?) Zel ±1436

Vrancken 116-118

2574 RUMOLDUS Moens °Mechelen ; prof Lov 1542 ; proc ; vic Her; +1562

Wal 7044, 57v ; PB Lov ; MB 1476

2575 SALOMON prof S.Omer(?) ; P Her ; +20.2.1376

Lam 12, 182 ; PB Her ; MB 1436

2576 SEBASTIANUS Peters (Petri) °Amsterdam ; prof Her ±1513 ; presb 1515 ; Kiel 1525-1533 ; P Her 1533-1546 ; +vic 11.6.1550 ; aut

Wal 7044, 37 ; Lam 13, 162 ; MB 1434, 1445

2577 SERVATIUS cl-r Zel ; +1556

PB Zel

2578 SERVATIUS prof Cantavii ; Li 1605

Wal 7047, 74

2578a SERVATIUS prof Roermond ; 1629 Her ; 1630 Li

RABg Acq 461

2579 SERVATIUS Boelet(?) prof Zel ; +Hollandiae 1538

PB Zel

2580 SERVATIUS Donis (d'Oers) prof Her ; +1673

PB Her

2581 SERVATIUS (van) Maastricht prof Li ; +15.9.1537

MB 509 n11

2582 SEVERINUS (vanden) Berghe prof Kiel ; +vic 1541

PB Kiel

2583 SIGERUS Oerens conv Bg ±1486 ; +5.4.1504

PB Bg ; Flandre III 317 ; VdM Bijl V

2584 SIGERUS (van) Tiel prof Li ; +7.2.1427

MB 503 n8

2585 SILVESTER Rolandi (Roelandts) prof Bg ; +10.2.1522

RAA FK Lier 22 ; PB Bg ; Flandre III 308

2586 SILVESTER Thys °Henricus, ?.10.1749 ; prof An ; 1783 An ; +16.8.1793

CR 139 ; PB BD

2587 SIMON conv Gand ; XV°s

Wal 4051, 133v

2588 SIMON P Hollandiae 1335-1343 ; P Her 1343-1347 ; P SSM 1347-+24.5.1351

RAR 51 ; MB 1437 ; VG 152

2589 SIMON prof Her ; +vic 1582

PB Her

2590 SIMON (van) Amsterdam prof Bg ; 2°prof Zel ; +28.10.1493

PB Bg ; Flandre III 350

2591 SIMON (de) Bode (Boedt, Boey, Boes) °An ; prof Lov 1616 ; sac SSM 1620-1621 ; vic Gand 1621-1632 ; vic SA 1632-+1657

Wal 7048, 17v, 33v ; RAR 40 ; PB SA ; d'Ydew 295

2592 SIMON (de) Brune don Kiel ; +1518

PB Kiel

2593 SIMON Cooseman don Lov ; +1574

PB Lov

2594 SIMON Crabbe don Lov ; +1652

PB Lov

2595 SIMON Hameyde (van Ameyden, Amende) prof Gand a.1554 ; vic SSM 1567 ; proc Gand 1567-+1581

RAG ; RAG B 1288(399) ; PB SSM ; PB Gand

2596 SIMON Husch prof SSM ; +1538

PB SSM

2597 SIMON Huvettere °Gand ; don SSM ; initiator Sch ; +7.2. 1467

Wal 7043, 18v, 68, 75v ; BMHG ; MB 1399

2597a SIMON Leonard prof Li ; diac 19.12.1671

A.Ev.Li 1671-72

2598 SIMON Mannaert (Mannard, Monnart) prof Bg ; +19.3.1487

RAA FK Lier 22 ; PB Bg ; Flandre III 314

2599 SIMON Lombart prof Torn ; P Val-Saint-Pierre ; P Abbeville ; +vic Val-Saint-Pierre 1557/1558

Desmons 147

2600 SIMON Pelaers (Pelsers) prof Zel a.1714 ; +1749

PB Zel ; MB Zel

2601 SIMON (du) Pont d'Amercoeur prof Li 1542 ; +5.2.1566

MB 510

2602 SIMON (vande) Roye (Vaderoyen) prof Kiel ; proc Lier 1549 ; +proc Hollandiae 1555

Wal 7044, 69v ; PB Kiel ; Sch BB 18, 101

2603 SIMON Rufus (Resius, Relfius, Resing, Rufius) prof Gand ; proc ; vic SA 1468-1486 ; +27.11.1492

Wal 4051, 131v, 132v, 133 ; Wal 7043, 114v ; PB SA ; d'Ydew 182 ; Ephem IV 440

2604 SIMON (vander) Schueren (de Horreo) Univ Lov 1443 ; prof Gand 1463 ; vic ; initiator Delft 1469 ; P 1470-1480 ; P Gand 13.5.1480-+21.3.1497 ; conv. 1481-1484 ; vis 1484-1492 ; 1492-1493 conv. ; 1493-+vis

Wal 4051, 127v, 128v, 130, 132v, 133 ; RAG ch 217, 219, 225 ; RAG B 1288(76v, 108, 205) ; Wal 7043, 79v, 96,

98, 104v, 116v ; NBW VI, 853-854

2605 SIMON Spirinck °Bruxelles ; don Sch 2.5.1662 ; +10.11.1690

Wal 7043, 24v

2606 SIMON (Joannes) Tapper (Taper, Taperus) prof Li 6.8.1601 ; P S.Sofie 1609-1614 ; sr Bg 1614-+8.10.1614

RABg Oud KA 277 ; PB Bg ; PB BD ; MB 513 n9, 514 n1, 514 n16 ; Lam 220

2607 SIMON (de) Trajecto prof S.Sofie ; Sch 1532 ; Utrecht 1532 -1535 ; 1535 S.Sofie

PB BD

2608 SIMON Vilain °p : Philippus, nob ; Univ ; prof 1501 ; vic 1531-1538(?) ; +5.8.1539

Wal 7043, 8v, 16v, 121, 141 ; 7044, 21v, 31, 50 ; MB 1406

2609 SIMON Vlecoton rector scholarum ; don SSM ; +1458

Wal 7043, 69 ; PB SSM ; Lam 61, 62 ; VG 76

2610 STEPHANUS °p : Gualterus ; conv Gand XV°s

Wal 4051, 133v

2611 STEPHANUS Cosyn don SSM a.1577 ; +1579

RAR 54 ; PB SSM

2612 STEPHANUS Eloi prof Torn ; +vic Valenciennes 1716

Desmons 150

2613 STEPHANUS (de) Gandavo prof Li ; proc ; vic ; P 1482-? ; +29.7.1488

BMHG ; MB 506

2614 STEPHANUS Goetgenoech(?) prof Kiel ; +2.5.1387

PB Kiel

2615 STEPHANUS Mattens (Matteus) prof SSM ; presb 1695 ; vic 1715-1719 & 1727-1740 ; +1743

RAR 49, 50, 51, 52 ; PB SSM

2615a STEPHANUS Simon prof Torn ; Gosnay 1658 ; +Torn 1679

ms Sélignac

2616 STEPHANUS Suys don Sheen ; +1.12.1703

Long angl 240

STEPHANUS Uten 2501

2617 THADDEUS Dehut °Franciscus-Josephus, 7.3.1760, Wannebecq ; prof Li ±1788 ; presb 1.2.1789 ; 1793 Allemagne/ Duitsland ; 1795 Li ; +22.12.1845

A.Ev.Li 1729-94 ; MB 493, 524, 525 ; Vos III 318

2618 THADDEUS Hadin prof Li ; +4.1.1666

MB 517

2619 THADDEUS Petri prof Li ; +2.9.1711

MB 522 n12

2620 THEOBALDUS (de) Catere conv SSM ; +1484

PB SSM

2620a THEODATUS prof Sch ; +subd 1619

RABg Acq 461

2621 THEODORICUS conv Hollandiae ; 1425 SA

Sch BB 18, 70

2622 THEODORICUS prof SSM ; +vic 1547

PB SSM

2623 THEODORICUS don Zel ; +1555

PB Zel

2624 THEODORICUS prof Gand ; XV-XVI°s

Wal 4051, 131v

2625 THEODORICUS (Judocus) don Gand ; +1581

PB Gand

2626 THEODORICUS prof Her ; +25.12.a.1390

Lam 19

2627 THEODORICUS prof Zel ; +1473

PB Zel

2628 THEODORICUS Anxt prof Zel ; +1553

PB Zel

2629 THEODORICUS Ballenberg prof Bg ; +1476 (id 2657 ?)

PB Bg

2630 THEODORICUS Bochlodii(?) (Bocelhodic) prof Arnhem ; +Zel 16.2.1538

PB Zel ; AAU 56, 1932, 63, 66

2631 THEODORICUS (de) Brederode cl-r Arnhem 1391 ; 2°prof Zel 1403 ; +1415 (frère de/broer van 1424)

PB Zel ; Annales VII 362-363

2632 THEODORICUS Brugghen prof Li ; +19.4.1556

MB 510 ; Ephem I 496

2633 THEODORICUS Bruyne prof Bg ; P 1391-1395(?) ; Utrecht 1395 ; P 1398-1401 ; vic Bg 1401 ; P 1415-1423 ; vic 1424-+22.9.1428

PB Bg ; Flandre III 342 ; Sch Bg 32, 33, 40 ; Ephem III 333

2634 THEODORICUS Buck prof Her ; P SSM 1363 ; +Her 8.2.1370

RAR 14 ; Lam 17 ; VG 209-210

2635 THEODORICUS (de) Busco prof Her ; 2°prof Li ; +29.11.1437

Lam 21, 57 ; MB 504 n2

2636 THEODORICUS (vanden) Eynde (a Fine) °Helmont ; prof Lov 1606 ; sac ; vic Gand 1612 ; Lov 1620 ; apostata

RABg Acq 461 ; Wal 7047, 113v, 130 ; RAG ; MB 1482

2637 THEODORICUS Glabeyne prof Arnhem ; vic SA 1554(?) ; +1569 (id 2640 ?)

Wal 7044, 119 ; PB SA ; d'Ydew 147

2638 THEODORICUS Herpen (Herperi) prof Kiel ; +4.7.1431

PB Kiel

2639 THEODORICUS (de) Heussen prof Zel ; +1421

PB Zel

2640 THEODORICUS Hollandus prof Hollandiae ; sac Sch 1561-1561; vic SA(?) 1554 (id 2637 ?)

Wal 7043, 14v ; 7044, 94

2641 THEODORICUS Joannes prof Gand ; +26.12.1452

Wal 4051, 131v ; PB Gand

2642 THEODORICUS Johannis (Vustinck) °Utrecht ; prof Lov 1520 ; aut

MB 1463, 1473

2643 THEODORICUS Mallandts °Geel ; prof Sch 1.1.1663 ; sac 1672 -1676 ; vic Her 1677-1679 ; vic Sch 1679 ; proc SA 1680-18.6.1683 ; P Bg 1683-1689 ; P Sch 1700-1703 ; +21.6.1707

Wal 7043, 11, 15, 20 ; RABg Oud KA 284, 285, 315 ; MB 1422

2644 THEODORICUS Mol prof Lov 1543 ; +Wesel 1583

PB Lov ; MB 1477

2645 THEODORICUS Mommch °Kleef ; prof Li ; +27.4.1441 ; cop

MB 505 n10

2646 THEODORICUS (de) Monte prof Li ±1398 ; +23.2.1448

MB 505 n10

2647 THEODORICUS Moyen (Moynoen, Monion, Moroni, Monyoen) prof Li ; proc Kampen ; P Delft 1549-1551 ; P Hollandiae 1551-1556 ; P Li 1556-1557 ; P Hollandiae 1557-+9.1 1564 ; conv. 1555-+

Wal 7044, 103 ; MB 510 ; Sch BB 18, 100-104

2648 THEODORICUS (van) Naarden prof Hollandiae ; SSM 1534, 1536

RAR 55 ; PB SSM ; Sch BB 18, 98

2649 THEODORICUS Opul cl-r Zel ; +1465

PB Zel

2650 THEODORICUS Pellicon nov Bg 1665 ; demissus 1666

RABg Oud KA 282

2651 THEODORICUS Persijn °Amsterdam ; Univ Lov 1505 ; prof Lov 18.11.1510 ; proc 1515 ; P 18.3.1525-+21.10.1532 (Delft)

Wal 7044, 15v ; PB Lov ; MB 1473

2652 THEODORICUS Simonis (van Heemstede) °Heemstede ; prof Lov 1506 ; P 1540-+3.4.1542 ; miniaturist/enlumineur ; (frère de/broer van 1778)

Wal 7044, 57 ; MB 1463, 1473, 1476 ; Ephem I 428

2653 THEODORICUS (van) Sittard (Zittard) °Bg ; prof Li ±1495 ; P 1519-1520 ; vic ; +6.7.1554

Wal 7044, 84 ; MB 493, 508, 510 n4

2654 THEODORICUS Sittard (Zittard) °m : Catharina van Landen ; prof Li 1556

Wal 7044, 84 ; MB 510, 511

2655 THEODORICUS (van) Stompwijk °Haarlem ; prof Zel ; proc SA +1585-1597 ; vic Zel 1597-1599 ; proc S.Sofie 1599-1601 ; P Zel 1602-+2.7.1621 ; aut

RABg Acq 1065 ; Wal 7047, 45, 54v ; 7048, 35v ; PB Zel; MB Zel ; Sch LN 34

2656 THEODORICUS Theerlinc (Helmont) (Terlinc) prof Kiel ; P 1406-+11.1.1449 ; vis 1411-1430 ; conv. 1430-1431 ; vis 1431-+

Wal 7043, 3v ; RAG ch ; PB Kiel ; Ephem I 44

2657 THEODORICUS (van) Valkenburch prof Bg ; +28.4.1476 (id 2629 ?)

RAA FK Lier 22 ; PB Bg ; Flandre III 320

2658 THEODORICUS Voet relig ; prof Hollandiae(?) ; vic Delft(?) P Gand 1388-1392 ; +1410

Wal 4051, 125v, 131 ; BB 18, 50

2659 THEODORICUS Walvim prof SSM ; +1422

PB SSM

2660 THEODORICUS (van) Zierikzee prof Bg ; P 1484-+28.2.1491

RAA FK Lier 22 ; PB Bg ; Sch Bg 54-55

2661 THOMAS Bilcliffe prof Sheen 22.1.1673 ; vic 1686 ; +25.3. 1692

Long angl 198, 228, 236

2662 THOMAS Blechinder prof Sheen 24.6.1596 ; +4.1.1606

Long angl 165, 233

2663 THOMAS Bogaerts (Bogaers) °Joannes-Michael, 23.1.1748, Paal ; prof Li 14.9.1770 ; presb 14.3.1772 ; P Zel 1782-1786 ; P Li 28.10.1786-1793 ; Allemagne/Duitsland 1793-1795 ; 1795 Li ; +19.12.1813

A.Ev.Li 1729-94 ; PB Zel ; MB 523

2664 THOMAS (de) Borloc °p : Joannes vander Meyen, m : Catharina Mychaelis ; prof Li ; +30.11.1475 ; cop

MB 506 n3

2665 THOMAS Carfoot °9.10.1743, Little Crosby ; don Sheen 8.9. 1768 ; Sheen 1783 ; +19.5.1786 Bg

Long angl 240 ; Mem 6,8, 13, 17-20 ; CR 466

2666 THOMAS Clager conv London ±1508 ; Bg ; +Utrecht 28.2.1574

Wal 7044, 135 ; NNBW VII 300

2667 THOMAS Clark prof Sheen ; proc 1718 ; apostata

Long angl 230, 237

2668 THOMAS Clarkson don Sheen 8.12.1717 ; +22.10.1748

Long angl 240

2669 THOMAS Clerebaud don Her ; +1777

PB Her

2670 THOMAS Cools (Coels) prof Bg ; proc 1529-+6.8.1531

RABg Déc 257 ; Oud KA 271 ; PB Bg ; Flandre III 333

2671 THOMAS Corans (Chram) don An ; +1654

PB BD

2672 THOMAS Custyns don Zel ; +1762

PB Zel

2673 THOMAS Dheur don Li ±1450 ; +8.4.1501

MB 507 n9

2674 THOMAS Fercot prof Val-Saint-Pierre ; P Torn 1379-1388 ; P Val-Saint-Pierre 1388-1391 ; P Torn 1391-±1397 ; +25.11.1397

Desmons 125 ; MB 483

2675 THOMAS Fletcher prof Hinton ; Bg 1556 ; +1559

Long angl 124, 130 ; PB Sheen

2676 THOMAS Gerard prof Sheen ; P 1651-1654 ; +9.6.1667

Long angl 184

2677 THOMAS Greene vic Sheen ; +1631

Long angl 227

2678 THOMAS Hallowes prof Sheen ; proc 1620 ; P 1620-+3.1.1644

Long angl 178-183 ; Ephem I 11

2679 THOMAS Jensema (Bensema, Hensens, Helseman) prof Lier ; Gand 1618-1621 ; sac Bg 1622-1623 ; + Lier 23.9. 1624

Wal 7048, 66v ; RABg Oud KA 279 ; RAA FK Lier 22 ; PB Kiel

2680 THOMAS Laurens prof Sheen 1570 ; proc ; +14.9.1589

Long angl 147, 230, 232

2681 THOMAS Leykens °Diest ; prof Lov 1527 ; +vic 1559

PB Lov ; MB 1475

2682 THOMAS Loo (Low, Fau) prof Witham ; 2°prof Bg ; +21.11. 1568

Long angl 124, 227

2683 THOMAS Meeck °p : Everardus, Bruxelles ; presb sec ; prof Sch 2.4.1460 ; +25.6.1492

Wal 7043, 15v, 71, 75

2684 THOMAS (van) Mynen prof Hollandiae ; 2°prof Utrecht ; P 1439-1443 ; P Bg 1450-+9.4.1459

Wal 7043, 47 ; PB Bg ; BMHG ; AAU 71, 1952, 118 ; Flandre III 317

2685 THOMAS Owst prof Sheen ; +proc 15.1.1679

Long angl 230, 236

2686 THOMAS Shelley prof Sheen 1569 ; +Bg 7.8.1572

Long angl 231

THOMAS Steenwerckers 1965

2687 THOMAS Synderton prof Sheen ±1520 ; Bg 1556 ; +15.9.1570

Wal 7044, 122 ; Long angl 124 ; PB Bg

2688 THOMAS Thurold (Thorold) prof Sheen 22.7.1686 ; vic ; P 1693-1695 ; 1695 Bg & Li ; demissus ; +1740

Long angl 200-201, 228

2689 THOMAS Tilmans don Sch ?.7.1591 ; +30.9.1622

Wal 7043, 24

2690 THOMAS (de) Tournay °1664 ; presb sec ; prof Torn 20.10. 1699 ; +28.11.1709

Desmons 150

2691 THOMAS Whale vic Sheen ; +5.7.1692

Long angl 228, 236

2692 THOMAS Whitefield don Sheen 10.2.1761 ; +10.12.1761

Long angl 240

2693 THOMAS Wissenkerken Univ Lov 1467 ; prof Bg ; +14.11.(?). 1510

PB Bg ; Flandre III 354 ; VdM Bijl V

2694 THOMAS Yate (Yates) °London ; prof Sheen 14.9.1694 ; diac 18.12.1700 ; proc 1708-1715 ; sac 1715 ; Sch & coa Zel -1740 ; P Sheen 1740-+8.4.1743 ; trad

Long angl 222, 236

2695 TILMANUS prof Zel ; +1382

PB Zel

2696 TILMANUS don SSM ; +1536

PB SSM

2697 TILMANUS Clotz (Cluts) don Zel ; +1720

PB Zel

2698 TILMANUS (de) Daventria (Deventer) P SSM 1442-+1445

PB SSM

2699 TOUSSAIND Marchant P Torn 1515 ; +1530

Desmons 137

2700 TRISTANDUS (de) Brugis prof Kiel ; +1.3.1504

PB Kiel

2701 TRISTANDUS (Tristramus) Hickmans prof Sheen ; Bg 1556-+6. 12.1575

Long angl 130, 231

2702 TRISTANDUS Serloitus de Cassel (Charlotius, Cherlotus) prof SSM ; P 1557/1558-+1568

RAR 9, 18, 55 ; PB SSM

2703 TYDEMAN proc Bg ; +15.4.1456

PB Bg ; Flandre III 318

2704 TYDEMAN Graeuwert °p : Henricus de Capelle, m : Deliana, Utrecht ; prof Hollandiae +1370 ; P 1374(?) ; P Li & rector SSM 1377-1380 ; P Hollandiae 1380-1382 ; P Bg 1390-1391 ; initiator Utrecht 1391-1398 ; +Arnhem 6.10.1415

PB Bg ; Ann VII 361-362 ; Ephem III 498 ; MB 500 ; BMHG 133-141, 322 ; VG 155

2705 URSMARUS (vander) Donck don SSM 1728 ; +1753

RAR 50, 51, 52 ; PB SSM

2706 VALERIUS Ruth °An ; P Auray 1619 ; Sch 1619 (quelques semaines/enkele weken

Wal 7048, 10v

2707 VICTOR prof Kiel ; +proc bonorum Gr Chartr in Teutonia 1506

PB Kiel

2708 VICTOR Buser prof Kiel ; +5.2.1471

PB Kiel

2709 VINCENTIUS prof Bg ; rector Li 1360-1361 ; P 1361-1368 ; +Bg 1379

PB Bg ; MB 498

2710 VINCENTIUS (de) Humilia (Hamillade) prof Zel ; +1538

PB Zel

2711 VINCENTIUS Knibbe °Erasmus, 1591, Bruxelles ; Univ Lov ; prof Sch 22.1.1614 ; presb 1615 ; proc Bg 1621-1622 ; proc Gand 1622-1625 ; proc An 1625 ; P Zel 1641-1651 ; P Sch 1651-1653 ; P An 1653-1659 ; + coa 1663

Wal 7043, 19v ; 7047, 240 ; 7048, 66v, 111v ; RABg Oud KA 279 ; RAG ; PB Zel ; Ephem III 46 ; MB Zel ; MB 1420

2712 VINCENTIUS (de) Smedt Bg 1573-1574

RABg Oud KA 271

2713 VOLCARDUS °Amsterdam ; 1-r Delft ; 2°prof Her ; +1.6.1532

PB Her ; Lam 159-160 ; HB 60, 1948, 278

2714 VULPARDUS (Wulfardus) Adams prof Bg ; +23.8.1539

PB Bg ; Flandre III 336

2715 WARNERUS Hélie prof Li 1552 ; rector 1557-1558 ; P 1558-1560 ; +1585

MB 510

2716 WENCESLAUS Plenevaulx prof Delft ±1567 ; Arnhem 1572 -1574 ; Köln 1574-1576 ; Her 1576 ; P Delft 1586 ; P Bonlieu ; P Seillon ; vic Bg 1596(?)-1601 ; vic Gand 1601-1604 ; coa Sch 1604-1606 ; proc SSM 1606-1608 ; vic 1609 ; Zel 1618 ; +10.1.1621

Wal 7044, 129, 140 ; 7047, 70, 85, 87, 101, 124 ; 7048, 25 ; RAG ; RAR 13, 14, 40 ; RABg Oud KA 277 ; PB Zel ; MB 1413-1414, 1415

2717 WILLEBRORDUS don Zel ; +1580

Wal 7044, 149v ; PB Zel

2718 WILLEBRORDUS Bueckenbergh °Olmen ; prof Zel ; proc 1674 ; vic Bg 1681-1684 ; P Her 1696-1699 ; P Lov 1699-1706 ; Zel 1706-1711 ; P Sch 1711-1711 ; P Zel 1711 -+1717

RABg Oud KA 284, 338 ; PB Zel ; MB Zel ; Lam 190 ; MB 1422 ; MB 1452 ; MB 1488

2719 WILLEBRORDUS Kempe prof Bg ±1334

VdM Bijl V

2720 WINANDUS Steinbeck (de Tremonia) °m : Elizabeth 's Keysers ±1345 , Dortmund ; prof Gand 1363 ; 2°prof Köln ; vic ; P Trier 1374-1396 ; vic Köln 1396-1399 ; P Strasbourg 1399 ; initiator Basel ; P 1407-+6.6. 1409

Wal 4051, 131 ; Sch LN 37 ; Ephem II 297; H.Rüthing, Der Kartäuser Heinrich Egher von Kalkar 1328-1408, Göttingen 1967, p. 34-35

WULFARDUS Adams 2714

2721 ZAGARUS +Bg 1434

VdM Bijl V

2722 BULTYNCK °p : Balduinus ; nov Bg 1664 ; demissus 1665

RABg Oud KA 282

2723 COLMAN +nov Sheen 1674

Long angl 236

2724 A. DELVAL proc SSM 1677-1679

RAR 12, 46

2725 J. PRIEM postulant SSM 1689 ; Bg 1723

RAR 49 ; RABg Oud KA 287

2726 SARASIJN (Pharisijn) nov SSM 1699

RAR 14, 49

ALFABETISCHE FAMILIENAMENLIJST

In deze lijst werden alle familienamen opgenomen onder alle verschillende schrijfwijzen. De verwijzing geschiedt naar het nummer van de alfabetische lijst der monniken. Deze familienamenlijst is volledig alfabetisch opgesteld. We hebben zoveel mogelijk de schrijfwijze gerespecteerd zoals die voorkwam in de geconsulteerde bronnen. Het gebeurt dat we alleen een hedendaagse grafie geven. Dit wordt veroorzaakt door het feit dat we alleen deze schrijfwijze ontmoet hebben in een hedendaagse bronuitgave.

Namen die uit verschillende delen bestaan vindt men onder alle samenstellende delen terug (behalve natuurlijk de lidwoorden of voorzetsels) : du Pont d'Amercoeur vindt men onder Pont en onder Amercoeur.

LISTE ALPHABETIQUE DES NOMS DE FAMILLE

Tous les noms de famille, ainsi que leurs différentes graphies, ont été consignés dans cette liste. Nous renvoyons au numéro de la liste alphabétique des moines. Cette liste des noms de famille est strictement alphabétique. Nous avons respecté autant que possible la graphie telle qu'elle est présentée dans les sources consultées Il arrive parfois que nous donnons uniquement une graphie moderne. La cause en est que nous n'avons rencontré cette graphie que dans une édition actuelle.

Les noms composés se retrouvent également sous les différentes parties composantes (sauf naturellement les articles et prépositions) : du Pont d'Amercoeur se retrouve donc sous Pont et Amercoeur

ADDENDA

169=170 ANTONIUS don Lov ; Zel 1620 ; +Lov 1626

RABg Acq 461

180a ANTONIUS Danerdie (Dauerdie) prof Torn ; +S.Omer 1618

RABG Acq 461

193 ANTONIUS (de) Limon (Lijmont)

RABg Acq 461

218a ARNOLDUS prof Lier ; vic SA 1620-1621(?) ; vic Lov 1625 ; vic Lier 1626 ; +1638 (id 780 ?)

PB SA ; RABg Acq 461

271 AUGUSTINUS (van) Dore (Dorne) Li 1623-1627 ; Bg 1627-1629

RABg Acq 461

418a BRUNO (du) Roy prof Torn ; +1626

RABg Acq 461

1878 JOANNES FRANCISCUS (de) Wolf aut

Chr. De Backer, Handschriften van Dendermondse Ongeschoeide Karmelieten in de bibliotheken en archieven der huidige Vlaamse Ordesprovincie, in, Gedenkschriften van de Oudheidkundige Kring van het Land van Dendermonde 20, 1972, 183-216

Wij zouden er ten zeerste prijs op stellen dat de lezers, die aanvullende gegevens kunnen mededelen, deze willen overmaken aan de auteur op zijn adres : Borrestraat 7, B-9120-Destelbergen (België). Hartelijk dank.

L'auteur demande avec insistance aux lecteurs de bien vouloir lui communiquer toutes les données qu'ils pourraient encore découvrir. Son adresse : Borrestraat 7, B-9120-Destelbergen (Belgique). Il les remercie cordialement.